HUIZENRUIL

Van Amanda Brookfield verschenen eerder:

*Een goede vader*
*Zussen en mannen*
*Familiesonate*
*Familiebanden*
*Een nieuw begin*

Amanda Brookfield

# Huizenruil

H&W
VAN HOLKEMA & WARENDORF
Uitgeverij Unieboek | Het Spectrum bv, Houten – Antwerpen

Oorspronkelijke titel: *The House Swop*
Vertaling: Anna Livestro
Omslagontwerp: Andrea Barth / Guter Punkt
Omslagfoto: Laurence Mouton / plainpicture / Zenshui
Opmaak: ZetSpiegel, Best

www.amandabrookfield.co.uk
www.unieboekspectrum.nl

ISBN 978 90 475 1555 5 / NUR 302

Voor Gilly

# Deel 1

# 1

Het vliegtuig bleef roerloos staan terwijl de motoren ronkten en, althans dat hoopte Sophie, werd gecontroleerd of die met evenveel overtuiging zouden draaien als het toestel eenmaal in de lucht hing. Door haar bekraste vliegtuigraampje turend, bestudeerde ze de betrokken hemel boven Heathrow en vroeg ze zich af hoe de familie Stapleton zich zou voelen als die zou landen in deze sombere stad terwijl ze thuis een hittegolf achter zich had gelaten. Langs de hele kust van de Verenigde Staten was het smoorheet, net onder de veertig graden, had Andrew die ochtend nog van achter zijn krant geroepen. De toon waarop hij dat deed was de toon waarop hij haar altijd van informatie voorzag, hoe triviaal ook. Een toon die hoe dan ook enthousiasme van haar kant vereiste.

Sophie had haar best gedaan en rolde met haar ogen ten teken van haar blijde verrassing. Ze onderdrukte een dringend verlangen om haar man te wijzen op zijn rossige, blond behaarde huid, waar de blaren op sprongen in de zon, en een nog veel dringender verlangen om zijn krant met haar broodmes te doorklieven en hem mede te delen dat ze dat jaar helemaal niet op vakantie wilde. Laat staan dat ze zin had om vier weken van huis te ruilen met een stel mensen uit Connecticut, waarvan drie weken zonder hun kinderen. Maar Andrew keek zo blij – zo opgelucht – dat ze stug bleef glimlachen, met een volharding als die waarmee ze zich aan een steile rotswand zou vastgrijpen. En ze hield zich voor dat als hij niet zag hoeveel moeite het haar kostte, zijzelf ook maar niet al te moeilijk moest doen.

Andrew was natuurlijk even bezorgd als zij – bracht Sophie zich in herinnering – over die hitte, over New York, over het hele krankzinnige plan. Het idee was ontsproten aan het brein van zijn oude vriend en voormalige getuige, Geoffrey Hooper, die jaren met zijn vrouw Ann in de Upper East Side in Manhattan had gewoond.

Een poosje terug liep ik een hele aardige Engelsman tegen het lijf, William Stapleton – hij doet iets met asset-management bij Latouche – en die zat te klagen over hoe duur en hoe moeilijk het is om op korte termijn een fatsoenlijke eengezinswoning te vinden in zuidwest-Londen. Hij is vorig jaar getrouwd met een Amerikaanse en heeft een schitterend huis in Connecticut, maar hij zoekt voor augustus een stekkie bij jullie in de buurt zodat hij zijn kinderen uit zijn eerste huwelijk kan zien – die wonen bij zijn eerste vrouw in Richmond... Ik hoop dat je me nog kunt volgen, ouwe... Het punt is, die man moet een paar weken in Londen zijn en jij en Sophie moeten nodig nog eens naar Amerika komen voordat jullie aan de rollator moeten. Dus ik dacht, als jullie deze zomer nou gewoon eens van huis ruilden, een maand of zo, dan is iedereen blij! Ann en ik in elk geval wel!

We hebben alle begrip dat jullie er geen trek in hebben om een poos bij ons in Manhattan te moeten zitten, maar Darien is schitterend – pal aan de kust, heel schilderachtig en landelijk, maar toch heel dicht bij New York. Het huis van William en Beth (we zijn er een paar zondagen geleden nog geweest) is koloniaal, ligt dicht bij Pear Tree Point, en kijkt uit over Scott's Pond... beter dan menig hotel en het beste is nog wel dat het helemaal GRATIS EN VOOR NIKS is! Je kunt het zo gek niet verzinnen of je kunt het daar in de buurt doen – watersport, fantastische wandelingen in de natuurgebieden, tennis, golf. De meiden en jullie zullen het er geweldig naar jullie zin hebben, dat zweer ik. O, ja, en dan zijn er natuurlijk nog alle geneugten van NY – geweldig eten, fantastische musea, Broadway – Ann en ik zouden jullie hier dolgraag alles willen laten zien. William en Beth hebben al gezegd dat zij het helemaal zien zitten. Dus laat me SNEL weten of we een deal hebben.
Groeten, Geoff

De e-mail, uitgeprint door Andrew, had een paar weken naast de telefoon in de keuken liggen verstoffen. Elke keer dat Sophie er een blik op wierp, voelde ze een scheut irritatie, zowel vanwege de uitnodiging die haar totaal niet trok als vanwege het gladde Amerikaanse toontje dat hij aansloeg. Geoff was geboren in Bristol en had nog voor Cambridge in het cricketteam gespeeld. Hij sprak redelijk bekakt Engels en ooit had Sophie dat nogal aantrekkelijk gevonden. Heel even maar, hoor. Voor hij ergens een eind in de twintig alsnog een studie rechten afmaakte, had hij net als zij een armoedig bestaan geleid van freelance optreden met orkesten, terwijl Ann in boetiekjes werkte. Maar nu beslechtte hij disputen tussen rijke scheidende stelletjes en noemde hij Andrew ineens 'ouwe'...

Sophie was in dergelijke weinig hartelijke gedachten verzonken toen Andrew de e-mail onder haar neus vandaan had gegrist met de mededeling: 'Ik zal zeggen dat we het niet doen.' Hij was begonnen om het A4'tje heel langzaam door te scheuren, en Sophie had toegekeken – eerst wel blij, maar toen ineens heel bang dat hij misschien iets verscheurde dat veel meer te betekenen had dan een stuk papier.

'Laten we het toch doen,' had ze gemompeld, en ze stak een hand uit om hem tegen te houden. 'Op vakantie naar de Verenigde Staten. Laten we het doen,' had ze herhaald, en ze deed een stap naar achteren om aan te geven dat deze onverwachte oprisping van positieve energie niet inhield dat ze nu ook de hele verdere organisatie op zich zou nemen. 'Waarschijnlijk heeft hij gelijk en vinden we het er hartstikke leuk.'

Terwijl het vliegtuig snelheid maakte over de startbaan, waardoor Sophie in haar stoel werd gedrukt, dwaalden haar gedachten weemoedig af naar de heerlijke, relaxte vakantie in Italië, vorig jaar zomer – Napels, Positano, Pompeii – zon, zee en Romeinse ruïnes, de ingrediënten om alle leeftijden en uiteenlopende smaken binnen haar gezin tevreden te houden. Aan het begin van die reis had ze tussen haar dochters in gezeten met haar handen stevig om hun slanke vingers met afgekloven nagels heen terwijl het beton van Gatwick onder hen vervaagde, eerder om haar eigen gebruikelijke vliegangst tot bedaren te brengen dan die van haar dochters. Het was – ook al was het wat morbide – zelfs al bij haar opgekomen dat het misschien niet eens een slecht moment was om dood te gaan, met zijn vieren in elkaar gehaakt, inclusief Andrew, omdat Milly zo vriendelijk was om over het pad naar haar vaders hand te grijpen toen de neus van het vliegtuig de lucht in ging.

Andrews hand lag op een paar centimeter van die van Sophie en toch voelde ze geen enkele aanvechting om hem te pakken. Olivia en Milly waren op tournee met de London Youth Orchestra, eerste viool en cello. Ze hadden de jeugdige leeftijd van respectievelijk zeventien en vijftien en Andrew had de afgelopen tijd veel met hen gepraat over wat ze mochten verwachten op het conservatorium – vooral met Olivia, wier aanmelding voor het Royal College of Music en een handjevol van de allerbeste conservatoria die herfst zou worden ingediend.

Sophie slikte en wilde allebei haar kinderen zo graag bij zich houden dat al hun recent verworven puberale strapatsen – hun norse gezichten, hun humeurigheid, de dichte deuren en het weinig gezellige gezoem van hun laptops – zo onbelangrijk leken dat ze hen die zelfs niet eens hoefde te vergeven. Ze dacht aan het geliefde beeld van Olivia, met haar viool onder haar kin gestoken, een en al maaiende elleboog, arm en heup tijdens het spelen, als een jonge boom in een straffe wind. Milly, ondanks het feit dat ze jonger was en opvliegender van aard, vouwde zich altijd om haar cello alsof hij letterlijk uit haar groeide, en boog zich er met vloeiende, zachte bewegingen overheen terwijl haar zachte roodgouden haren langs de hals zwierden. Zij zag er rustiger uit – en ze was ook de betere musicus, zo had Andrew haar af en toe op fluistertoon toevertrouwd, ook al hadden beide meisjes altijd uitstekende rapporten. De tournee was de kans van hun leven – München, Wenen, Salzburg... en dan nog een aantal plaatsen die Sophie niet kon onthouden.

'Die arme familie Stapleton,' mompelde ze, en ze duwde haar vingers tegen haar ploppende oren terwijl het vliegtuig steil omhoog bleef vliegen en de sombere lucht druppels regen begon te lekken.

'Arm?'

'Dat zij ons weer krijgen – en onze Volvo en onze mottige vloerbedekking en een tuin vol onkruid en al dat verkeer en alleen uitzicht op de rivier als je op de vensterbank van de slaapkamer boven stapt en om de boom heen weet te kijken, die waarschijnlijk die gigantische scheur in de kelder heeft veroorzaakt.'

'Ben je klaar?'

'Ik bedoel alleen, als je kijkt naar de foto's die zij ons stuurden, dan is het wel duidelijk wie er beter af zijn – vrijstaand huis, dubbele garage, en dat allemaal gelegen in een beeldschoon landschap. Zo'n huis zou hier miljoenen kosten.'

'Zo'n huis bestaat hier helemaal niet – tenminste niet in zuidwest-Londen.' Andrew trok zijn koffertje onder zijn stoel vandaan en ging op zoek naar de partituur van het 'Duitse Requiem'. Hij had in een vlaag van onoplettendheid beloofd om het koor en orkest van de school volgend semester te leiden. Hij was voor geen meter in de stemming voor werk, maar hij wilde een soort barrière opwerpen – tegen Sophies eindeloze pessimisme, en tegen zijn eigen twijfels over de huizenruil die, nu ze eenmaal onderweg waren, in alle hevigheid overvielen. Hij moest een schild opwerpen, anders kon hij straks niet meer normaal denken.

Hij bladerde voorzichtig en liefdevol door Brahms. Hij had het nog maar één keer eerder gedirigeerd, een jaar of twintig geleden, in zijn tijd op Cambridge. De potloodaantekeningen waren vervaagd, maar Andrew kon zich nog heel precies herinneren met hoeveel enthousiasme hij ze er destijds op had gekrabbeld, met alle zekerheid en hoop die je nog hebt als je twintig bent en talent hebt, en je denkt dat de toekomst zich voor je uitrolt als een weelderige en veelbelovende rode loper. 'En ons huis is voor hen juist ideaal, zei Geoff,' zei hij bars, waarmee zijn onzichtbare schild het begaf. 'Omdat hij dan vlak bij zijn eerste vrouw zit, weet je nog wel? Zodat hij zijn zoons kan zien? En de tuin staat niet vol onkruid want ik heb die veel te dure gek een heleboel geld betaald om hem te wieden, en de Volvo is nog nooit zo schoon geweest en je ziet de rivier ook vanuit het badkamerraam, en dan hoef je nergens omheen te kijken. En...' Andrew stak zijn potlood tussen zijn tanden in een poging de woordenstroom te stoppen, want hij was bang voor wat hij allemaal nog meer zou zeggen.

Er kwam en stewardess langs met rode rubberlippen die hen ieder een menukaart overhandigde. Andrew stak de zijne achter in zijn partituur en liet de woede doorkoken in zijn hoofd. Sophie was bij de dokter geweest. Haar bloed was onderzocht op MS, vroege menopauze en een hele smak andere leuke dingen. Een poosje aan de antidepressiva had geen enkel verschil uitgemaakt, beweerde ze, behalve dat ze er last van haar maag van kreeg. Het ging nu al een halfjaar zo. Een halfjaar, sinds januari en de inbraak, wat natuurlijk niet had geholpen, en Andrew had geprobeerd zoveel mogelijk geduld voor haar op te brengen. Maar zoals aan alles zit ook aan geduld een grens, en de laatste tijd als hij wakker lag en zij hem alweer de rug had toegekeerd, had hij steeds vaker het gevoel gekregen dat hij uit zijn vel barstte. Dat hij na nog een keer zo'n doffe blik en nog een keer zo'n sombere opmerking doormidden zou scheuren als een verdroogd, te strak gespannen trommelvel.

Sophie, die zijn wanhoop voelde en wist hoe dicht hij tegen de woede aan zat, deed net of ze de menukaart bestudeerde: boeuf bourguignon of zalmfilet met dille, broccoliroosjes, aardappelgratin, een keuze aan Franse kazen, *tarte au citron*, koffie en After Eight... Suf, zo'n keurige menukaart terwijl iedereen ook wel weet dat het menu eigenlijk bestond uit de gebruikelijke opgewarmde prak in plastic potjes, lauwwarm, te zout, te zoet, te...

Sophie haalde diep adem. Die negatieve houding, daar moest een eind aan komen. Ze moest het proberen, zoals Andrew dat ook deed, en zoals Andrew van haar verlangde. 'Ik ga voor de zalm, denk ik. En jij?' Ze deed haar best geïnteresseerd te klinken, alsof ze niet allang wist dat hij voor het vlees zou gaan.

Voor Andrew kon antwoorden, maakte het vliegtuig een plotselinge duik, waardoor zijn koffertje van zijn schoot gleed en de papieren op de grond vielen. Sophie dook ernaar om ze op te vangen, met dezelfde handigheid als waarmee ze ooit een kostbare vaas had weten te redden die in een antiekzaak omviel door haar eigen onhandige elleboog; en zoals ze Milly had opgevangen, toen ze na het verschonen op de tegelvloer dreigde te vallen.

'Bedankt, Soof.'

Hun blikken kruisten elkaar en gingen een korte, onwillekeurige verbintenis aan. Die des te intenser voelde door de wederzijdse erkenning van de afstand tussen hen en hun machteloosheid om daar iets aan te doen. Sophie was de eerste die knipperde en wegkeek. Een nieuwe golf angst voor Darien, Connecticut, New York – waar dat ook maar mocht liggen – overspoelde haar. Vier weken lang in het huis van wildvreemde mensen: alsof je je voeten in andermans nog warme schoenen stak en je de vorm van hun tenen in het leer kon voelen. Bah. Sophie huiverde.

Maar het was waar, ze zag tegenwoordig überhaupt overal tegenop. En het had ook wel iets bewonderenswaardigs, die koppige volharding waarmee Andrew dit project had aangepakt – niet alleen had hij een tuinier in de arm genomen, ook had hij de autoverzekering laten aanpassen, sleutels uitgezocht... en dat allemaal naast zijn baan als conrector en hoofd van de muzieksectie op een grote, veeleisende privéschool in Londen. Daar kon hij alle administratie maar nauwelijks bijbenen en moest het vaak van zijn charmes hebben als hij weer eens tekortschoot wat betreft zijn organisatievermogen. Hij was een zanger die het zingen had moeten opgeven, bedacht Sophie, die zelf componiste was maar nooit meer tijd had iets te componeren. Ze hadden elkaar leren kennen toen zij assisteerde achter de schermen bij een muziekfestival in Winchester, en parttime als model werkte. Nadat ze was gestopt met haar studie Engels, in Reading, was ze een beetje zwervend geweest. Andrew had haar weer vastigheid gegeven en hij had haar tot zijn muze benoemd.

'Hé, lieverd...' Dat woord voelde onecht, maar toch zette ze door. 'Ik weet wel dat ik nu even niet echt gemakkelijk ben, maar ik doe echt mijn best om me ertegen te verzetten... wat het ook maar is. Het is zo moeilijk te omschrijven... ik zit gewoon niet goed in mijn vel... Als dit nog lang duurt, ga ik weer terug naar de dokter, echt.'

Andrew zuchtte en legde zijn hand op de hare. 'Mooi zo, dat is de goede insteek.' Daar had je dat toontje weer waar zij zo de pest aan had – vriendelijk maar doorspekt van ongeduld, zodat ze zich alleen nog maar beroerder voelde.

Sophie haalde haar vingers los en richtte haar aandacht weer op het vliegtuigraampje. Opnieuw zag ze de jongeman voor zich die afgelopen januari hun achtertuin was binnengedrongen, hoe prachtig hij eruitzag met zijn lichtbruine huid, de vieze vlekken op zijn kleding, de ogen die maar heen en weer schoten en de mond die zo vol was dat ze zelfs in haar zieke toestand had gevoeld dat hij moeite deed om hem gesloten te houden, om zijn felroze, vochtige tandvlees voor de buitenwereld te verbergen. Ze trok een vinger langs de stroompjes regenwater aan de buitenkant van het raam. Uiteindelijk was er niets ergs gebeurd, zoals Andrew haar graag in herinnering bracht. Een jongen met een mes, op zoek naar geld, weggejaagd door een alarm. Toch kon iets wat bijna was gebeurd even erg zijn, vond zij. Net als die keer toen ze Milly opving, een paar centimeter boven de tegelvloer van de badkamer. Daarna had Sophie nauwelijks kunnen ademhalen en had ze verschrikkelijk moeten huilen, ook al hield ze haar dochters lieve, tere hoofdje veilig in haar handen.

De stewardess kwam om de menukaarten weer op te halen en om hun bestelling op te nemen. De beelden van Milly als baby en de insluiper in januari trokken zich terug en lieten Sophie alleen met het inmiddels vertrouwde holle gevoel van te moe zijn om nog ergens energie in te steken. Dat kwam doordat ze ziek was, troostte ze zich. Ze had zo'n virus dat zo slim was en zo onvindbaar dat het nog niet eens een naam had. Rust, regelmatig eten, veel slapen, geen stress, had de dokter gezegd. En zij deed haar best zich daaraan te houden – ze had al maanden geleden haar parttimebaantje als bijleraar Engels opgegeven, en nu ging ze een hele maand op vakantie. Wat kon ze dan nog meer doen? Sophie deed haar ogen dicht.

Andrew stak de Brahms-partituur weg en pakte het tijdschrift van de vliegmaatschappij. Een glaasje wijn, besloot hij, misschien wel twee glaasjes. Wat zou het geweldig zijn om Geoff weer eens te zien na al die jaren en tijd te hebben om echt te relaxen, wat boeken te lezen, ook al moest dat onder de airconditioning. Hij vond airconditioning trouwens best lekker, niet alleen vanwege de verkoeling, maar ook vanwege het geluid, een zoemend tegenwicht voor de stilte. Er zat muziek in, muziek en ritme, zoals in de meeste dingen, als je maar goed luisterde. 'Vier weken weg uit de sleur,' verklaarde hij hardop, 'oude vrienden terugzien, de meiden erbij, leuke dingen zien, genoeg geld om lekker uit eten te kunnen, in een luxueus huis logeren, onder een ander dak, andere sterren...' Hij wreef in zijn handen. 'Het wordt hartstikke leuk, Sophie, echt.'

Sophie deed haar ogen open om te knikken, blij dat zijn stemming weer iets beter was, en ze wist zich in te houden en zei niet dat de sterren precies dezelfde waren. Dat je er alleen vanaf een andere plek naar keek.

Toen de piloot aankondigde dat het regende in Londen keken Beth en William elkaar even lachend aan. Ze hadden dit al voorspeld toen ze gisteren aan het pakken waren, met de rolgordijnen in de slaapkamer omlaag tegen de felle middagzon. Dido inspecteerde de halfvolle koffers en miauwde bedenkelijk. William had vrolijk verklaard dat hij nog nooit met mooi weer op een landingsbaan was geland in zijn vaderland. Hij smeet zijn kleren op bed, waarna Beth alles weer keurig opvouwde en in zijn koffer schikte. Die van haar was al klaar: een bont palet aan kleuren, ingelijst door schoenen en alle in plastic verpakte toiletartikelen die je tegenwoordig niet meer lekker mee mocht nemen in de cabine. Truien, bikini's, sandalen, wandelschoenen – zelfs voor dit gesprek over het weer wist ze al dat ze overal op voorbereid moest zijn. Het zag ernaar uit dat het wat milder zou worden in Londen, en droger – ze had steeds de weersvoorspelling voor de lange termijn gecheckt op haar laptop – maar ze zouden ook nog naar het noorden gaan, maar Williams ouders in Skipton. Dat had een heel apart microklimaat, had hij plagerig gezegd: het weer was er altijd precies het tegenovergestelde van wat het in de rest van het land was.

Dat Britse weer! Beth staarde gelukzalig naar het ovale stuk kleurloze lucht naast haar stoel. Leuk, dat ze die internationale grap – een cliché – nu ook bijna in het echt zou meemaken. Even echt als die piepkleine kriskrasstraatjes in Williams beduimelde stratenboek van Londen en het iets ernstiger vooruitzicht van een nadere kennismaking met de familie van haar echtgenoot.

Haar echtgenoot. Beth wierp even een blik op Williams profiel, en probeerde die eerste keer dat ze hem zag voor zich te halen. Dat was in een koffiezaakje in New York, ongeveer twee jaar geleden – dat heerlijke gevoel toen ze kon vaststellen dat hij heel aantrekkelijk was. Dik, donker haar met hier en daar een streepje grijs erdoor, kortgeknipt maar niet zo kort dat het niet meer golfde, de hoge jukbeenderen, de fraai gevormde neus waarvan de vleugels een klein beetje uiteengingen als hij zich ergens over verbaasde, de ongelofelijk perfecte mond, vol en toch niet vrouwelijk, en dat rond een rij gelijkmatige, maar toch niet te perfecte tanden. Ze kon meteen al wel raden dat hij Engels was – zelfs voor ze haar best deed te horen wat hij zei: dat niet helemaal volmaakte gebit was al een belangrijke clou, net als de licht slonzige manier waarop hij gekleed was. Het pak dat hij droeg was goed van snit, maar net iets te lang doorgedragen, de das hing los, en hij had benen die gewoon slank leken en niet afgetraind in een of andere sportschool.

Beth draaide, tot haar spijt, al heel wat jaartjes mee in het datingcircuit en was een expert geworden in het inschatten van mannen. Het voordeel was wel dat ze zo wijs was geworden om het belang van zulke kleine dingen op te merken, en dus was het juist die achteloze aantrekkelijkheid van William die haar zo aansprak. Dimitri, haar meest recente ex, zag eruit als een model: te mooi om waar te zijn. Een afgetraind lijf, gemanicuurde nagels, haar strak in model, en dat allemaal omkleed door een onberispelijke garderobe van pakken en leren schoenen. Een meisje kon zich geen knappere man aan de arm wensen. En hij was ook heel slim – Princeton, toen Yale, gevolgd door een gestage klim binnen een van de beste advocatenkantoren. Beths moeder, Diane, hoopte likkebaardend op de volgende stap – haar lastige zesendertigjarige dochter had eindelijk een perfect uitziend genie aan de haak weten te slaan! Maar er was geen man die zoveel tijd voor de spiegel doorbracht als Dimitri, en die zo misprijzend kon kijken als Beth het een doodenkele keer wat minder nauw nam met haar eigen uitstekende eetgewoontes en haar tanden in een donut zette. 'Beth, is het dat nu wel echt waard?' zei hij dan, met een tederheid die haar razend maakte, omdat het zo duidelijk ging om wat hij wilde en niet wat zij wilde. Na anderhalf jaar begon ze het gevoel te krijgen dat ze eerder een bewaker aan hem had dan een minnaar, een vleesgeworden versie van dat hatelijke stemmetje in haar hoofd dat haar voortdurend wees op alle dingen die ze niet wilde horen, en dat zo goed in staat was om haar een rotgevoel te bezorgen.

In die koffiezaak, rond lunchtijd, ergens in januari, zat William zorgeloos grote happen chocoladetaart te eten bij een kop cappuccino, terwijl hij geanimeerd in gesprek was met een andere man in een pak – een bonkige Amerikaan met de brede nek van iemand die altijd aan American football had gedaan. Beth, die wel beter wist dan te hunkeren naar dingen die ze toch niet kon krijgen (mooi, Engels – een regelrechte Hugh Grant aan de buitenkant – maar ongetwijfeld getrouwd, of homo, of gewoon niet goed snik) had haar eigen latte opgedronken en was naar de uitgang gelopen, toen ze ineens werd begroet door een: 'Neemt u me niet kwalijk' gevolgd door een heel Brits schrapen van de keel. De bonkige Amerikaan was weg, en William, die zijn jas over zijn arm had geslagen, was duidelijk ook van plan te vertrekken. 'U hebt zeker ook geen horloge om, hè?' had hij gevraagd, met dat schitterende Britse accent, en met donkerbruine pretoogjes.

Beth veegde de mouw van haar jas, die van haar vest en die van haar bloes omhoog – eindeloze lagen mouwen, leek het wel – voor ze hem haar horloge, en daarmee het antwoord op zijn vraag, kon tonen. Daarop had William opgemerkt dat het zo'n mooi klokje was, en gevraagd hoe ze eraan kwam. Beth antwoordde dat ze het van haar moeder had gekregen op haar eenentwintigste verjaardag, en had er toen, nogal onnodig en een tikje familiair aan toegevoegd dat haar moeder meestal waardeloze cadeaus uitzocht en dat ze daarom nogal aan dit horloge was gehecht. Waarop William had geantwoord dat hij dat zo leuk vond, en dat het geven van een cadeau ook inderdaad een mijnenveld is van misvattingen en van hopen op dingen die niet komen gaan, en of ze misschien trek had in nog een kop koffie?

Eigenlijk was dat wel het laatste waar Beth op dat moment trek in had. Dankzij een saaie ochtend op de afdeling HR van de bank waar ze werkte, zat ze die ochtend al ruim aan haar cafeïnequotum, met als bewijs een bonkende hoofdpijn. Maar omdat die antenne van haar zei dat dit wel eens een heel speciaal moment zou kunnen zijn – een moment dat je alleen laat glippen als je niet goed snik bent, of laf – zei ze dat ze graag nog een kop koffie wilde en plantte ze haar tas onder de hoge tafel om vervolgens zo elegant mogelijk op de kruk te gaan zitten waar net nog de Amerikaan met de brede nek zat.

'Ik word ontslagen,' had ze verschrikt gezegd toen ze een uur later ongelovig op datzelfde geliefde horloge keek, maar ze viel stil toen William voorzichtig haar pols vastpakte, zogenaamd om het gouden bandje daarvan aan een nadere inspectie te onderwerpen. Hij had brede, sterke vingers en schone nagels, niet overdreven gevijld, en hij droeg een grote ring met daarop iets wat ze niet zo goed kon zien... een vogel, of een soort ouderwetse leeuw. Ze zou hem er dadelijk wel naar vragen, dacht Beth, als ze haar stem weer had hervonden, en als haar arm was bijgekomen van de elektrische schok van zijn aanraking. Ze wierp een blik door de ruit naast hen en ze vond het ongelofelijk dat al die New Yorkers nog steeds haastig doorgingen met hun saaie levens, hoofd naar de grond, mobieltjes tegen hun oren gedrukt, alsof de wereld iets was wat je op afstand moest houden in plaats van iets waar je in moest duiken en moest koesteren als het wonder dat zij eigenlijk was.

Beth glimlachte bij zichzelf en voelde door haar vestje aan het vertrouwde bandje om haar pols. Het vliegtuig had de daling inmiddels ingezet en ze kon het Engelse landschap in al haar glorie zien – zo groen als iedereen haar al had verzekerd, ondanks het regendek. De stewardessen liepen door het gangpad op zoek naar stoelriemen die nog niet vastgemaakt waren en naar het laatste afval. Naast haar stak William een stuk kauwgum in zijn mond – het was nicotinekauwgum, zag ze, ook al had ze geprobeerd om hem aan de gewone pepermuntsmaak te krijgen. 'Weet je zeker dat je niet liever deze wilt, schat?' vroeg ze, en ze hield hem het pakje voor waar ze zelf ook al een stukje uit had gehaald tegen de druk op haar trommelvliezen.

William schudde zijn hoofd en ging even met zijn neus langs haar wang. 'Je weet wel dat ik alleen hierom al eeuwig van je blijf houden, hè?'

'Wat bedoel je, rare man?'

'Dat je zomaar een maand met mij in mijn verregende vaderland wilt gaan zitten, en dat je je laat opschepen met mijn drie duivelse zoons en mijn bejaarde ouders.'

Beth schoot in de lach. 'Ze zijn niet duivels, ze zijn schattig, net als je ouders, trouwens.'

'Schattig? Dus jij vindt zelfs Harry schattig?'

'Ik vind vooral Harry schattig. Die lijkt het meest op jou.'

'Ze vinden jou heel cool, wist je dat?'

Beth giechelde, en genoot van deze loftuiting. Ze had meteen van het begin duidelijk gemaakt dat ze niet van plan was zich te bemoeien met de manier waarop William zijn drie puberzoons opvoedde. Ze had hen pas twee keer ontmoet. De eerste keer was tijdens een bezoek in de kerstvakantie, toen William nog alleen woonde in de stad. Toen was ze steeds even aan komen waaien en ging mee pizza eten, en naar de film en het park. De tweede keer was wat korter. Toen waren ze overgevlogen voor de bruiloft. Dat was ook de eerste keer dat ze Williams ouders had ontmoet. Twee tanige, noeste types met wit haar – ze leken eerder een tweeling dan een echtpaar – ze kwamen niet alleen mee voor William, maar ook om op hun kleinzoons te passen. En ook al gaf de gelegenheid aanleiding tot pijnlijke momenten – aangezien ze nu officieel tot stiefmoeder promoveerde, terwijl ze tot Williams tevredenheid had verkondigd zelf nooit kinderen te willen, en nu ze schoonouders kreeg die William zelf ook duidelijk op een afstand wenste te houden – was de bruiloft eigenlijk een groot succes. Een en al beleefdheid, iedereen deed zijn best, iedereen was vrolijk: allemaal hadden ze zich keurig gedragen, zelfs Diane, haar eigen lastpak van een moeder die bepaald niet op een afstand bleef. Omdat zij zo mogelijk nog verliefder op William was dan Beth zelf, had zij tussen de schoonouders en het nageslacht rondgedarteld als een bij in een bloemenwei.

'We nemen een taxi, toch? Zo'n ouderwetse zwarte? Van Heathrow naar Richmond.'

'Ja. Alleen dat huis van de familie Chapman ligt niet echt in Richmond, maar in Barnes... Susan en de jongens zitten in Richmond.' William leunde achterover, en trok zijn stoelriem aan terwijl het vliegtuig de laatste meters daalde.

'En de buren hebben de sleutels – voor het huis en de auto, en zo,' drong Beth aan. Al bijna veertig jaar gewend dat ze zelf alle touwtjes in handen had, vond ze het nog altijd lastig om te wennen aan de soms wat al te nonchalante houding van haar man als het ging om logistieke dingen.

'De buurvrouw,' verbeterde William. 'Ene mevrouw Hemmel. Ik heb haar telefoonnummer voor het geval we haar mislopen.'

Beth drukte haar handen op elkaar en werd overspoeld door een nieuwe golf opwinding. 'O, William, we zijn in Londen. Ik kan het gewoon niet geloven!'

'Ik zat persoonlijk liever op Bermuda,' merkte William droogjes op, refererend aan hun idyllische tweeweekse huwelijksreis aan het begin van het jaar. Zijdezachte roze zandstranden, hoe vredig het voelde om lekker niks te kunnen doen, samen met Beth, weg van aandelenkoersen en -markten, de luxe van tijd hebben voor elkaar, om een boek te lezen, om te kunnen praten. Zelfs het vernietigend effect dat de vakantie op zijn bankrekening had deed niets af aan de gelukzaligheid. Tijdens de vijftien jaar dat hij met Susan getrouwd was geweest, hadden zij nog nooit iets gedaan dat ook maar half zo goddelijk was, zelfs niet in hun begintijd. Aanvankelijk hadden ze geen cent te makken, en Susan haatte het strand en ze kon niet tegen stilzitten. En toen dienden Harry en zijn broertjes zich aan, en die verstoorden hun toch al zo chaotische huiselijk leven met de meedogenloze eisen en het drama dat het ouderschap met zich meebracht.

Toen het toestel de landingsbaan raakte, pakte William Beths hand uit haar schoot, en kneep er stevig in tot het stuiteren voorbij was en de remmen hun werk deden. Hij vond haar enthousiasme over de reis geweldig. Het was ook wel begrijpelijk dat zij het leuk vond om kennis te maken met Londen (het was er gewoon nooit van gekomen om eens naar Engeland te gaan, beweerde ze altijd). En alle voor haar minder prettige dingen, zoals dat ze veel tijd met de jongens moest doorbrengen, dat ze in een huis moesten verblijven dat een stuk minder plezierig was dan hun eigen huis, dat ze een vakantie met zijn tweetjes moesten uitstellen tot volgend jaar – ze had niet geklaagd, zelfs nog geen wenkbrauw opgetrokken. Een van Susans rottrucjes was dat ze instemde met dingen waar ze eigenlijk helemaal geen zin in had, en dat ze dan de hele tijd liep te mokken. William kon nog steeds niet geloven dat hij een vrouw had gevonden die zo het tegenovergestelde was: zo heerlijk positief, zo vastbesloten om het spreekwoordelijke glas als overvol te zien en ook vastbesloten om zijn geluk tot haar prioriteit te maken. Zelfs toen ze vorige herfst haar baan kwijtraakte door de economische crisis, weigerde Beth dat als tegenslag te zien. Andere HR-afdelingen moesten maar even wachten tot zij er klaar voor was om er leiding te komen geven, had ze gegrapt; in de tussentijd moest ze een bruiloft organiseren, een nieuw huis inrichten en een verloofde verzorgen. Als hij de afgelopen maanden thuiskwam, en zijn auto parkeerde onder de glanzende klimop die zich over de zachtgele muren van hun schitterende huis slingerde, werd hij begroet door de geuren van Beths overheerlijke kookkunsten en het gemiauw van Dido, haar geliefde Pers die lag te genieten van de laatste zonnestralen van de dag, bij de voordeur. Dan moest William zich altijd even knijpen of hij niet in een wel heel gedetailleerde droom terecht was gekomen, na al die jaren in diverse op niets uitlopende relaties.

Natuurlijk verlangde hij er soms wel ontzettend naar zijn zoons te zien. Maar dat begreep Beth ook en hij deed op zijn beurt zijn best er niet al te nadrukkelijk over te doen. Want hij wilde even graag als zij het nieuwe, schone pad van hun leven samen scherp voor ogen blijven houden, een pad dat zo anders was en zoveel beter dan alle andere wegen die hij daarvoor had bewandeld. De jongens waren inmiddels dertien, vijftien en zeventien, en dus bijna zo onafhankelijk dat William hoopte dat zij af en toe zijn kant op zouden komen, dat hun band zou bestendigen en dat zij een prettige relatie met zijn nieuwe vrouw zouden opbouwen.

Het waren goeie kids, vooral kleine Alfie, met zijn brilletje en zijn ernstige smoeltje en aandoenlijk jongensachtige slungellijf, die graag achter een computer zat, maar net zo lief ouderwetse, onschuldige spelletjes deed zoals achter een bal aan hollen, of in bomen klimmen. George, de middelste, was een iets grotere uitdaging aangezien hij al zijn hele leven – dus zelfs voor hij zijn huidige staat van opperpuber had bereikt – knorrig en zwijgzaam was. Harry, de oudste, leek, zoals Beth al opmerkte, het meest op hem, en niet alleen omdat hij een boom van een vent was met donker haar, maar ook vanwege zijn ontspannen levenshouding, om nog te zwijgen van zijn intelligentie en leergierigheid waarmee hij zijn jongere broertjes vaak in zijn schaduw zette. Het was augustus, de maand waarin de oudste jongens hun tentamenuitslagen kregen, en William verheugde zich erop om daar bij te kunnen zijn – om George de gebruikelijke peptalk te geven en om Harry te helpen zich voor te bereiden op Oxford, want daar was hij toegelaten.

'O, ik vind Bermuda heerlijk,' riep Beth uit zodra het vliegtuig veilig was geland en ze naar de gate aan het taxiën waren. 'Het was geweldig, maar ik weet niet of ik nog wel terug zou willen. Ik bedoel, het is nooit zo verstandig om terug te gaan naar zulke plekken, toch? En bovendien heeft Bermuda geen Big Ben. En ook geen National Gallery, Trafalgar Square, geen Kew Gardens en geen London Eye, of de Dome... O, lieveling ik ga toch zo verschrikkelijk de toerist uithangen! Ik hoop dat je dat niet erg vindt.'

William gaf haar een kus op de wang, zei dat hij daar geen enkel bezwaar tegen had maar dat hij misschien wel zou passen voor de Dome: iedereen wist dat een bezoek aan de Dome weggegooid geld was, want er viel nu eenmaal niets te zien in een arena waar ze popconcerten organiseerden. Hij vermeldde er maar niet bij dat het ook een plek was waar hij zich voor het eerst had voorgenomen om weg te gaan bij zijn gezin. Het was een druilerige dag, en ze stonden tussen de schappen vol kitscherige millenniumsouvenirs met hun klierende zoons en Susan slingerde hem allerlei verwijten naar zijn hoofd over hoe hij als echtgenoot en als vader had gefaald. Het duurde nog vijf jaar voor hij een baan in New York had kunnen regelen, en hij wilde afwachten voor Alfie, want toen die zeven, acht, en negen was, was hij nog te jong om achter te laten. Maar het was geen toeval dat hij de week na dat verschrikkelijke uitstapje zijn eerste affaire was begonnen met zijn secretaresse. Dat was natuurlijk een beetje sneu en cliché en ook overduidelijk gedoemd te mislukken, maar het had hem wel weer zin in het leven gegeven, en hij had al zo lang geen zin meer gehad. En, zoals William zelfs toen al inzag, weggaan bij Susan moest toch ergens beginnen.

# 2

Het huis was nog veel en veel mooier dan ze al op de foto's die de familie Stapleton hen had gemaild hadden kunnen zien, dat zag Sophie meteen toen ze met open mond uit de auto stapte voor de dubbele garage en Andrew in zijn dikke map met correspondentie op zoek ging naar de huissleutels en de code van het alarm. Een koloniale villa, anders kon je het niet omschrijven: het was niet alleen vrijstaand, het stond een dikke twintig meter bij het huis van de enige buren vandaan (waarvan je alleen een glimp witte muur zag tussen de bomen) en lag ingebed tussen weelderige esdoorns en uitbundige struiken. Het zag er fris en koel uit, dacht Sophie verrukt, terwijl ze met een hand boven haar ogen tegen de felle zon de fraaie gele, met klimop bedekte muren van het huis en de ramen met de serene witte luiken bestudeerde.

Het was ongehoord warm. De hitte steeg van het asfalt op. Ze voelde de warmte via de zoom van haar rok opstijgen. Toch was het heerlijk om uit de auto te kunnen stappen, weg van de voorspelbare spanning tijdens het laatste stukje van de reis – de auto niet kunnen vinden, waar waren die autosleutels, waar lag de Interstate 95, en, belangrijker nog, waar lag Darien, dat, zoals alles in dit gebied, begraven was tussen zeeën van bomen.

'Het is drie acht vier nul,' zei Andrew en hij begon hun bagage uit de auto te halen. 'En dan op de groene knop drukken.'

Terwijl Sophie zich omdraaide om hem te gaan helpen, kwam er een man in een korte broek met een hawaïshirt dat losjes over zijn dikke buik hing, aan lopen uit het stukje bos dat het witte huis afschermde. Hij leek ergens eind vijftig, en had een huid als gelooid leer, op het gladde, kale stukje hoofdhuid na. 'Carter Riley.' Hij hield zijn hand uitgestrekt, al was hij er nog lang niet. 'Hoe gaat het, luitjes? Mijn vrouw Nancy en ik zijn jullie buren. Welkom in Darien. Kom, ik help je even met je tassen...'

'Nee bedankt, het lukt wel,' antwoordde Andrew kortaf zodra er handen waren geschud.

'Tuurlijk, oké.' Carter wreef in zijn handen en stapte naar achter. 'Maar als er wat is, kom je gewoon meteen naar ons, hoor! Ik heb Beth en William beloofd dat ik voor jullie zou zorgen. Dus als ik wat kan doen, hoor ik dat wel. Wij hebben een zwembad en als je zin hebt mag je daar gebruik van maken – je zegt het maar.'

'Wat ontzettend aardig,' riep Sophie uit, want ze had het gevoel dat ze iets goed moest maken namens Andrew, die een paar tassen in zijn hand had waar hij mee naar de voordeur liep. 'Hartelijk dank, meneer...'

'Carter, noem me maar Carter. En jullie moeten de fratsen van die vervloekte kat van hen niet pikken, hoor.' Hij grinnikte en zwaaide met zijn vinger naar een enorm dikke Perzische kat, met een vacht als dikke, beige veertjes en een brede, platte, komische snuit die om de hoek van het huis kwam lopen. Ze bleef even staan om hen een paar tellen te bestuderen, waarbij ze haar gigantische staart rond een slinger klimop krulde. 'Ze is nogal een prinsesje.' Carter schudde zijn hoofd en liep terug naar de bomen die de beide tuinen van elkaar scheidden.

'Dat hadden ze ons wel even mogen vertellen,' mompelde Sophie terwijl ze de laatste koffer naar de voordeur rolde. 'Wat nu als een van ons allergisch was geweest, zoals Tamsin – weet je nog hoe heftig die altijd reageerde?'

'Heb je het nu over de kat?' vroeg Andrew expres traag van begrip. Hij maakte zich meer zorgen over de sleutels die niet leken te passen. Bovendien had hij helemaal geen zin in een discussie over Sophies zus, wier tragisch moeilijke leven vol handicaps tien jaar daarvoor door een astma-aanval ten einde was gekomen. 'Ze hebben het wel gezegd. Maar ik heb dat verder niet aan jou verteld, omdat ik bang was dat je anders niet zou willen... o, wacht, het lukt.' Hij duwde de deur open met zijn schouder en liet zijn tassen vallen. Hij hield zijn hoofd schuin en fronste. 'Er zou toch iets moeten rinkelen, of in elk geval piepen?' Hij trok een verkreukeld stuk papier open.

'Je wist dat we voor een kat moesten zorgen en dat heb je niet aan mij verteld?' riep Sophie uit. Ze wist best dat ze overdreef, maar op de een of andere manier kon ze de verleiding niet weerstaan. 'Jij wíst dit, en je hebt het verzwegen?' herhaalde ze toen Andrew niet de moeite nam zich om te keren.

'Moet je daar nu echt een punt van maken?' Hij propte het stuk papier terug in zijn zak. 'Ik heb het je niet verteld omdat ik wel wist dat je het niks zou vinden...'

'Nou, dat had je dus verkeerd,' snauwde Sophie. 'Dat je me niets hebt uitgelegd, dáár ben ik boos om.'

'Ja, nou, het spijt me.' Met zijn onderarm veegde Andrew het zweet van zijn slapen. 'Het beest heet Dido en ze moet gevoerd worden. Niet echt een probleem, dus.' Hij keerde zich van haar af en floot even goedkeurend toen hij de ruime hal zag met de glimmende planken vloer, het hoge plafond en de frisse, crèmekleurige muren, die zachtjes leken te gloeien in het gedempte licht. 'Ik ga eens even een paar van die luiken openzetten, dan kan er wat frisse lucht en zon naar binnen.'

Sophie zei niets. Ze had het te druk met in zichzelf te keren, een truc die ze zich de afgelopen maanden had aangeleerd. Het was dan alsof ze een sluiting dichttrok boven haar hoofd en ze zich in een onzichtbare zak klein maakte. Ze liep naar de trap met haar rolkoffer en zag dat Andrew enthousiast heen en weer holde van het ene raam naar het andere, maar voelde zelf niks. Ook niet voor de strepen honingkleurig licht die over haar pad vielen.

Eenmaal veilig uit het zicht, boven op de overloop, bleef ze staan en hield zich vast aan de balustrade. Ze vocht tegen een plotseling opgekomen misselijkheid bij de gedachte dat ze met Andrew moest samenleven in dit griezelig perfecte huis, waar alle aandacht was gericht op wat er op mysterieuze wijze tussen hen was geslopen, en er niets meer was om zich achter te verschuilen.

De overloop was bekleed met behang in een vakwerk van latten, op keurige afstanden onderbroken door smaakvolle prenten en plankjes met porseleinen beeldjes. De vloer was bedekt met hoogpolige, toffeekleurige vloerbedekking die doorliep in alle kamers en die aanvoelde als mos onder haar voeten. Alles zag er nieuw en duur uit, en toch voelde het voor Sophie eerder aan als een hotel dan een huis, zo vals smetteloos. Hier kon je je met geen mogelijkheid ontspannen. Hoewel de meisjes het misschien wel leuk zouden vinden, gaf ze toe en ze vroeg zich af – terwijl ze steeds even haar hoofd om alweer een deur stak – welke soort vrouw de tijd en de energie had om ervoor te zorgen dat de banden die haar gordijnen bij elkaar hielden precies pasten bij de sierkussentjes. De sierlijsten van de spiegels pasten bij de tegelvloer en de lampen van glimmend chroom leken wel zoeklichten zoals die in een wereldoorlog werden gebruikt.

Er waren nergens duistere nisjes, en er was niets te bespeuren van de mentaliteit van 'laten we dat zolang maar even daar neerzetten' die in hun eigen huis zo ernstig had huisgehouden – de blauwe klerenkast die zo in de weg stond dat de deur van de logeerkamer niet goed openging, of de paraplubak die in de muziekkamer stond omdat de hal er te smal voor was, of de dozen met langspeelplaten die om de een of andere reden dienstdeden als sokkel voor modderlaarzen in de trapkast.

Maar het was de slaapkamer van de Stapletons waar Sophie het allermeest van onder de indruk was – en dit keer omdat die er juist niet uitzag als een hotel. Hij was drie keer zo groot als alle andere kamers, en was ingericht met zachte blauwtinten en goud. Er stond een miniatuur chaise longue, bekleed met fluweel, aan het voeteneind van het breedste bed dat Sophie ooit had gezien. Op het bed zelf lagen een schitterende oosterse sprei van geborduurde zijde en twee crèmekleurige sierkussens van tafzijde balanceerden op de hoofdkussens, waarop respectievelijk de woorden HIS en HERS waren geborduurd. Het was lachwekkend schattig, natuurlijk, maar wat Sophie nog het slechtst trok was de onmiskenbare tederheid die schuilging achter al die aandacht voor details, de sfeer van liefdevolle zorgzaamheid, van een ruimte gewijd aan rust en intimiteit.

Nou ja, ze waren ook nog maar net getrouwd, bracht ze zich in herinnering, en ze zette haar koffer neer en ging op de rand van het bed zitten. Een tel later sprong ze op, en voelde zich schuldig, alsof ze een indringer was – een voyeuristische indringer – terwijl er allerlei beelden in haar opkwamen van de Stapletons die in elkaar verstrengeld met elkaar vreeën, geïnspireerd door wat duidelijk een trouwfoto was, boven het bed. William was zo lang en hoekig, en Beth zo slank en klein, en samen keken ze omhoog naar een regen van confetti. Ineens begon te kamer te draaien, en voelde Sophie speldenprikjes in haar ooghoeken. Ze leunde tegen de muur en vroeg zich af of deze duizeligheid een nieuw symptoom was van haar naamloze ziektebeeld, of, wat waarschijnlijker was, dat ze te snel was opgestaan en gewoon last had van de warmte en de oververmoeidheid. Zodra de wereld weer tot bedaren was gekomen liep ze langzaam naar de luxueuze badkamer en hield haar gezicht onder een stroom koud water die uit de enorme kraan van de enorme wastafel kwam. Ze liet het water uit haar mond spatten en langs de rand van haar haar spetteren.

Ondertussen had Andrew beneden het middaglicht het huis binnengelaten. Hij zocht tevergeefs naar de knoppen van de airconditioning en begon de lijst met instructies door te bladeren. Hij was inmiddels vertrouwd met het keurige, iets overhellende handschrift van Beth Stapleton, dankzij de epistels die ze voor hen had achtergelaten in het handschoenenkastje van de Lincoln. Er was een hele pagina gewijd aan de kat.

Dido vindt het heerlijk om te worden geaaid! Ze wil ook graag af en toe geborsteld worden, want zelf krijgt ze de klitten niet uit haar vacht. Haar borsteltjes liggen in het rieten mandje onder in de hoge kast naast de koelkast. Jullie kunnen haar het beste borstelen als ze doezelig is – bijvoorbeeld 's ochtends bij het opstaan – of nadat ze heeft gegeten, als ze toch in een schoonmaakbui is en er dus helemaal klaar voor is! Ze eet graag twee keer per dag: haar ontbijt bestaat uit twee schepjes Kitty-Flakes en een schoteltje melk, en haar avondmaal (meestal rond zes uur), bestaat uit een van de zakjes die in de kast naast de diepvries staan en wat water. (Ik geef haar liever niet te veel melk, want katten vinden het weliswaar heerlijk, dat weet iedereen, maar het is kennelijk niet zo goed voor hun spijsvertering.) Als je de wolletjes op haar bedje af en toe eens kunt uitschudden dan zou ik dat ook erg waarderen, want met die lange vacht van haar wor-

*den die nogal harig. Als je vragen hebt, bel ons alsjeblieft. Dido zegt vast:* DANK JE WEL!
*PS Het telefoonnummer van onze dierenarts in Stamford staat op de lijst met nummers voor noodgevallen.*
*PPS Er is een kattenluikje, maar zoals jullie wel zullen zien gaat Dido alleen naar buiten als het absoluut noodzakelijk is! (Dat krijg je met een kat die jarenlang in een appartement heeft gewoond.)*

Onder Beths naam stond een smiley met snorharen en twee puntoortjes.

Andrew hoorde Sophies voetstappen op de gang en schoof het papier snel ergens onder in de stapel en ging door met het verkennen van de keuken. Het was een schitterende geometrische puzzel van gekalkt eiken kastjes, vol met technische snufjes en grote stukken glinsterend zwart marmer. Een kookeiland-annex-ontbijtbar met twee krukken ernaast stond midden in deze weelde, maar er stond ook nog een koelkast zo groot als een auto, en een glazen eettafel tussen grote glazen deuren waardoor je uizicht op de tuin had.

Andrew wandelde naar de deuren en gluurde naar buiten, terwijl hij met een hand tegen het glas leunde om zijn ogen te beschermen tegen de verblindende schittering van de zon. Het was een goed onderhouden, glooiend gazon, niet recht maar onregelmatig van vorm, waar hier en daar een sproeier uit stak, omzoomd door bloembedden. Na een meter of vijftig hield het gras op en begonnen de hoge, groene bomen die overal in Connecticut te vinden waren waar geen gebouw stond of weg lag. Hoewel er ook water moest zijn, dacht Andrew, en hij staarde naar een verre zilveren glinstering en herinnerde zich dat ze iets hadden gezegd over een vijver.

'Er staat een piano, had je dat al gezien?' vroeg Sophie, die in de deuropening verscheen. Ze was op blote voeten en droeg een T-shirt en een korte broek, allebei enorm gekreukt na hun verblijf in de koffer. Haar lange blonde haar hing in de gebruikelijk losse staart, hoewel de kortere plukken opzij losgeraakt waren en om haar oren sprongen. 'In een kamer naast de werkkamer. Dat zullen de meisjes wel fijn vinden. En jij natuurlijk ook.'

'Misschien.' Andrew trok de ene kant van de koelkast open. 'Dit ding staat vol met bier. Wil jij er ook eentje?'

Sophie schudde haar hoofd.

Andrew trok er voor zichzelf een flesje uit, slaakte een kreet van verrukking toen bleek dat de flessenopener in de deur was geïntegreerd. 'Mijn god, die Amerikanen weten wel hoe ze dingen moeten aanpakken.' Hij plofte neer in een stoel en drukte het koele glas van het flesje tegen zijn voorhoofd. 'Ik kan de knop van de airco nergens vinden.'

'Ik denk dat we zo boodschappen moeten gaan doen.'

'Of we maken even een wandelingetje. Volgens mij ligt daar verderop een vijver, of een meertje of zoiets.' Hij gebaarde met zijn flesje naar de glazen deur. 'Door die bomen. Wat zijn dat allemaal voor bomen? Berken? Beuken?'

'Ik denk esdoorns. Maar we weten niet hoe laat de winkels dichtgaan.' Sophie voelde wat lokken haar tegen haar wang plakken waar het water was opgedroogd. Haar ogen prikten en ze was uitgeput.

'We kunnen uit eten gaan. Ze hebben een hele lijst restaurants achtergelaten die ze aanbevelen – dat mens heeft het allemaal opgeschreven ergens in haar stapel met lijstjes, telefoonnummers, adressen, type keuken... Ik vind het gewoon griezelig grondig.' Andrew sloeg zijn ogen ten hemel en genoot van het heerlijke gevoel van het bier dat door zijn keel gleed. Het leste zijn dorst en zijn humeur werd er ook meteen beter van.

'Maar we hebben ook spullen nodig voor het ontbijt. En ik weet niet of het wel zo'n goed idee is om de eerste avond al uit eten te gaan terwijl we zo moe zijn – en je kunt er donder op zeggen dat we in het donker op de terugweg verdwalen.'

Andrew draaide zijn hoofd om haar aan te kunnen kijken. Zijn blauwe ogen stonden donker. 'Weet je nog wat ik zei over dat je je best moet doen om het naar je zin te hebben? Weet je dat nog, Soof? Misschien eens een keer een beetje ontspannen?' Hij pakte nog twee flessen uit de koelkast en hield er een voor haar op, maar ze schudde haar hoofd en zei met een klein stemmetje dat ze liever thee wilde.

'Nou, er is geen melk, dus dan zullen we inderdaad toch boodschappen moeten doen, hè?' Andrew schopte de koelkastdeur dicht en viel weer in zijn stoel. 'Maar mag ik misschien eerst even rustig een biertje drinken?' Hij haalde zijn hand door zijn haar en voelde hoe slap het was geworden in de hitte. Terwijl de stilte tussen hen aanzwol keek hij, dit keer met geveinsde interesse, door half toegeknepen ogen naar de tuin, die nu een vaag wit met groene vlek was in de genadeloze middagzon. Op datzelfde moment bedacht hij wat een gedoe het zou worden, dit weer: zonnebrandcrème en zijn eigen zweet – hoe afgrijselijk plakkerig het zou voelen, en dat vier weken lang, elke keer dat hij een voet buiten de deur zou zetten.

Sophie keek naar hoe hij zijn tweede biertje opdronk, en vroeg zich af wat ze nog aankon, waar ze nog energie voor had om zich druk over te maken. In Engeland was het nu tien uur 's avonds – tijd om tanden te poetsen en de lichten uit te doen – en de zegening van het slapen. 'Ik wil best rijden als jij moe bent. Goeie oefening – dan raak ik er tenminste aan gewend om op de rechterhelft van de weg te rijden. Ik heb nog een kleinere auto zien staan in de garage, maar daar zijn we niet voor verzekerd, hè?'

'Nee, alleen voor de Lincoln.'

Sophie hoorde hoe haar warme voeten piepten terwijl ze de tegelvloer overstak naar de stapel informatie naast de telefoon. 'Stond er hier ergens ook iets over een supermarkt?' Ze keek op en zag een draaischijfje aan de muur hangen. Ze draaide het in de richting van een plaatje dat wel iets weg had van een sneeuwvlok. Meteen begon het zachtjes te zoemen, en direct kwam een heerlijke koelte over hen heen, een streling van onzichtbaar, ijzig spinrag dat uit het plafond leek te drijven.

Andrew gooide kreunend zijn hoofd naar achter. 'Sophie, je bent een engel. Een heel slimme engel.' Hij sprong op uit zijn stoel en liet zijn armen om haar middel glijden. 'Ik ben verschrikkelijk als het warm is, hè?'

'Ja,' fluisterde Sophie, en ze wenste dat ze iets anders in hem kon zien dan de zoetige biergeur uit zijn mond en zijn bekende zurige zweetlucht. Hij deed aardig, hij wás aardig. 'Altijd,' voegde ze eraan toe, ietsje te speels, en ze leunde tegen hem aan alsof ze echt het verlangen voelde dat ze zo miste. 'En voor een grote supermarkt moeten we naar Stamford.'

Ze voelde hem ineenkrimpen, niet alleen fysiek – ze voelde het aan hoe gretig hij zijn armen van haar taille liet glijden, en ze hoorde het aan de snelheid waarmee kaken op elkaar sloegen. Maar het gebeurde ook binnen in hem, waar iets dichtsloeg om hem tegen de pijn te behoeden. Het was natuurlijk haar schuld. Het was tegenwoordig altijd haar schuld. Ze kon niet meer de juiste gevoelens opbrengen, de gevoelens die het leven vroeger zo moeiteloos tot een feest maakten. Kon een ziekte dat met je doen? vroeg ze zich wanhopig af. Kon die echt je gevoel veranderen?

'Ja... boodschappen, dus,' zei Andrew bitter. 'God verhoede dat we geen boodschappen in huis hebben. Maar ik heb vandaag geen zin in grote supermarkten. We kopen wel iets in de buurt. Waar heb ik de autosleutels gelaten?' Hij klopte op zijn zakken, en trok zijn telefoon eruit, die prompt overging.

'Geoff!' Hij draaide zich met een ruk weg van Sophie, legde zijn hoofd in zijn nek en streekte zijn benen in een onwillekeurig gebaar van vreugde. 'Ja, man... het is hier belachelijk mooi.' Hij keek even snel naar Sophie. 'We kunnen het niet geloven... wat een luxe. Ik hou mijn hart vast wat die arme lui van ons huis vinden... Ja, ja, dat weet ik wel, het is precies wat ze zochten, dus ik hoop maar dat ze me niet aanklagen... Tuurlijk... We sprcken snel af, maar we hebben even een paar dagen nodig om bij te komen... Yep... Vrijdag? Wacht even.' Hij hield zijn mobieltje weg van zijn hoofd en keek Sophie vragend aan. Zijn ogen stonden uitdagend. Waag het niet om te weigeren, sprak eruit.

Er kon bij Sophie nog net een glimlachje en een knikje af voor ze zich omdraaide en de onvermijdelijke donkere gedachten haar overspoelden. Geoff en Ann: die hadden ze niet meer gezien sinds Andrews dertigste. Joviaal, vol energie, totaal veramerikaniseerd – alleen al de gedachte aan hen maakte haar misselijk. Andrew stond nog steeds te praten, en klonk nu zelf ook zo joviaal en vol energie dat Sophie bedacht dat als ze ook nog maar een greintje liefde voor de man voelde, ze nu bij hem weg moest gaan. Ja, ze moest bij hem weg. Dat was beter dan een molensteen om zijn nek te zijn, en te zien hoe de gevoelens die hij nog voor haar had wegkwijnden. De meisjes waren tegenwoordig toch al veel closer met hem, vanwege hun muziek, en ze waren haar zat. Ze konden niet samen door een deur. Ze deed haar best, maar het viel haar zwaar, ook al omdat ze steeds maar zo moe was en omdat Andrew zijn ongeduld met haar soms ook uitte waar anderen bij waren.

Weg bij Andrew. Ze stond met pen en papier in de aanslag – ze had een blaadje van het notitieblok bij de telefoon afgescheurd – en wilde een boodschappenlijstje opstellen en het scheelde weinig of ze had die drie woorden opgeschreven. Ze moest haar best doen zich te concentreren en in plaats daarvan 'theezakjes' op te schrijven, na enige overpeinzingen gevolgd door 'melk'.

'Goed begin,' grapte Andrew, die over haar schouder mee gluurde. 'We hebben aanstaande vrijdag met hen afgesproken op Grand Central Station. Dan gaan we samen lunchen, en de toeristische attracties langs en zo?' Hij maakte een vraag van zijn mededeling, dus knikte Sophie in een poging enthousiast te lijken. 'Maar voordat we zo gaan winkelen in de *mall* – hij sprak het woord lekker vet uit, op zijn Amerikaans – 'dacht ik dat we eerst wel even een blik op die piano konden werpen die jij hebt gevonden.' Hij liep de keuken uit terwijl hij zijn telefoon van de ene hand in de andere gooide en floot – een of ander ingewikkeld klassiek deuntje, zoals altijd. Vibrato, helemaal zuiver, een teken van volmaakte schik met zichzelf. Dat was een van de eerste dingen die Sophie waren gaan tegenstaan.

William verklaarde dat hij van plan was om zo lang te slapen als zijn door jetlag geplaagde lichaam nodig had, maar Beth, die zich zo snel mogelijk wilde aanpassen aan de nieuwe tijdzone, had de wekker van haar mobieltje op zeven uur gezet om te gaan hardlopen, zoals ze thuis ook meestal deed. Alleen toen die wekker afging, had ze nog net genoeg energie om hem af te zetten. Haar lichaam en geest leken wel van lood want ze had heel licht geslapen – eerst was ze niet moe genoeg en toen ging de sponzige zachtheid van de matras haar steeds meer tegenstaan. Het leek wel of ze naar beneden werd gezogen, in plaats van dat ze werd ondersteund. William, die altijd en overal direct en diep in slaap viel, was nu toch ook rusteloos geweest, en mompelde een antwoord als ze zijn naam noemde, midden in de nacht. Hij liet er alleen geen lief gebaar op volgen, waar ze wel steeds op hoopte.

Beth zwaaide haar benen uit bed, ging rechtop zitten en wreef in haar ogen. Door de slecht sluitende gordijnen van de familie Chapman zag ze een veelbelovende streep blauw door het verder grauwe wolkendek. Ze stiefelde naar het raam voor een nadere inspectie, en dacht, terwijl ze aan het verschoten gordijn trok, hoe leuk het zou zijn om deze hele armoedige bende eens flink onder handen te nemen en het huis een facelift te geven. Sleetse vloerkleden, verschoten stoelhoezen, kalkplekken rond alles waar maar water uit kwam – William probeerde haar gerust te stellen maar was ook schattig bezorgd dat zij misschien teleurgesteld was – maar Beth had meteen de verborgen elegantie van het huis gezien en verklaarde dat ze het snoezig vond. Originele vloertegels, hoge plafonds, romantische ornamenten aan het plafond, grote schuiframen: het was alsof ze terug in de tijd was, ook al schreeuwde alles om een opfrisbeurt om weer te kunnen stralen op de manier die de Victoriaanse bouwer voor ogen had gehad.

Beth liet het gordijn vallen en pakte een zwart uitgeslagen zilveren fotolijst op die tussen de snuisterijen op de overvolle ladekast stond. In de lijst zat een foto van het gezin Chapman – een schitterende foto – die zo te zien was genomen bij een of andere oudheidkundige ruïne. De twee meisjes en hun ouders zaten op een muur met op de achtergrond iets wat leek op een Romeins amfitheater. De meisjes waren betoverend slank in hun hele korte broeken en topjes met spaghettibandjes, de een blond, net als hun moeder, en de ander had het zachte, bijna roestkleurige haar en de opvallende grote blauwe ogen van hun vader. Wat een knap stel! En ze hadden het duidelijk heel erg naar hun zin – ze lachten met wijdopen monden, en hielden allemaal hun hoofd schuin, ieder een andere kant op, spontaan, alsof iemand hen een goeie grap had verteld vlak voor de klik van de camera.

Achter haar klonk het geritsel van lakens. 'Wat doe je? Het is nog midden in de nacht, toch?'

'Nee, liefje, het is al ochtend. Ik kijk naar een foto van de Chapmans – de kinderen en de ouders. Ze zijn echt heel mooi.' Beth zette de foto behoedzaam terug op zijn plek. 'Zei jij nou dat hij muziekleraar was?'

'Hoofd van de sectie en conrector van de school. Het is zo'n beroemde chique oude school, weet je wel – veel te duur voor die kids van mij.' Er verscheen een arm boven het laken, met zachte, donkere haartjes erop. De arm klopte op het stuk leeg bed aan haar kant.

'Nee, nee,' giechelde Beth. 'Het is verleidelijk, schat, maar ik kom niet. Ik ga joggen. Misschien kan ik een stuk langs de rivier rennen. Ik neem tenminste aan dat er een rivier is?' Ze kreeg geen antwoord en probeerde zich te herinneren waar ze haar hardloopkleding en schoenen had gestopt. Het was nogal een uitdaging, de koffers uitpakken – en waren wel wat lades leeggemaakt, en een stukje in de hangkast, maar daar hingen niet veel hangers in. 'Loeren er nog bijzondere gevaren, hier in de stad?' mompelde ze even later terwijl ze hem op zijn oor zoende.

'Alleen mijn jongens,' grapte William slaperig, 'maar die zitten een paar kilometer verderop en die slapen nog wel een poos... Ah, weet je zeker dat je nu al weg moet? Ik weet nog wel wat andere manieren om fit te blijven.' Hij probeerde haar arm te grijpen.

Beth deinsde achteruit, en gaf een speelse tik op bed. 'Jij bent een vreselijke man, en ik hou van je. Ik neem wat geld mee, dan kan ik een paar koffiebroodjes meenemen, als ik die ergens tegenkom. Ik ga veertig minuten rennen, zoals altijd... tenzij ik verdwaal,' voegde ze er olijk aan toe, terwijl ze de deur achter zich dichttrok.

'Voorzichtig!' riep William haar na. Hij richtte zijn hoofd op en met een kreun viel hij terug in de kussens. Beth mocht blij zijn als er zo vroeg in de ochtend al ergens een kiosk open was, laat staan een winkel waar ze fatsoenlijke broodjes verkochten. Zoals altijd bruiste ze van de energie. Door het grauwe Londen joggen was wel het laatste waar hij zin in zou hebben. Toen ze in de troosteloze file via de M4 de stad in kwamen rijden, langs de lelijke betonblokken en het troebele bruine water van de Theems waar die onder Kew Bridge door stroomde, bedacht William dat hij liever had gehad dat Susan in hun oude huis in Woking was blijven wonen, of desnoods op het platteland was gaan wonen. Haar ouders woonden in Richmond, en dat was de reden waarom ze had besloten daar ook te gaan wonen (hoewel haar ouders inmiddels naar Devon waren verhuisd) – en ook omdat in deze buurt allemaal goede scholen zaten. William kende dit deel van de hoofdstad eigenlijk niet, en hij had er ook nooit veel affiniteit mee gehad.

Tijdens de vorige pogingen om tijd door te brengen met zijn zoons, in hotels en logeerkamers van vrienden, had hij vaak de moed maar opgegeven en het hele spul in de huurauto gestopt om bij zijn ouders in het noorden te gaan logeren. De twee oudsten klaagden dan uitbundig, vooral vanwege het vooruitzicht van het piepkleine flikkerende televisietoestel van hun opa en oma, dat maar vijf kanalen over de antenne ontving, en dan ook alleen nog maar bij mooi weer. En toch, als ze er eenmaal waren, leken ze het altijd geweldig naar hun zin te hebben. Ze schrokten het eten dat hun oma voor hen kookte naar binnen als uitgehongerde beesten, en gingen met hun opa mee vissen, of ze zetten ingewikkelde golfbanen uit rondom de molshopen en konijnenholen achter in de tuin.

William zelf werd om allerlei redenen knettergek van zijn ouders – ze verkondigden meningen als een plaat die bleef hangen, wantrouwden technologie en vreemden, hadden krankzinnige huishoudelijke gewoonten en leefden superzuinig terwijl ze altijd genoeg geld hadden gehad – maar toch, in hun rol als toegewijde grootouders waren ze onovertroffen. Zelfs George kwam er altijd wat los, en keek nog enthousiaster dan de andere twee toe als zijn opa hen liet zien hoe je een bepaalde kunstvlieg maakte voor het vissen en lag heerlijk aan de oever van de rivier te kijken of het water al begon te golven rond hun dobbers.

Het schelle gerinkel van de telefoon naast het bed bracht William in een klap bij bewustzijn. Hij was bang dat er iets met Beth was – dacht ineens aan de buidel, vol met pas gepind geld, en aan haar open gezicht, zo vol vertrouwen, bereid om alles wat maar Brits was in haar hart te sluiten, of het dat nu waard was of niet – en heel even was hij opgelucht toen hij de bitse stem met het kostschoolaccent van zijn exvrouw hoorde.

'Ik heb je op je mobiel geprobeerd, maar die stond uit. Goddank, dat je me dit nummer ook had gegeven.'

'Dag, Susan. Je bent er vroeg bij, zelfs voor jouw doen.'

'We hebben een crisis.'

'O god, wat dan?' William kwam zo snel overeind dat hij zijn nek verrekte, en raakte nog verder geblesseerd omdat hij met zijn hoofd achterover klapte tegen de kale muur. Hij was gewend aan een gecapitonneerd hoofdeinde.

'George is gisteravond laat gebeld of hij vanmiddag kan komen cricketen in Weybridge. Hij moet invallen voor iemand met een liesblessure of zo. Want zoals je weet, of zoals je in elk geval zou moeten weten, is hij zelf niet door de selectie gekomen, ook al heeft hij er alles aan gedaan. Hij is dit jaar echt heel goed geworden, en ze hadden hem gewoon moeten opstellen... hoe dan ook, zijn eerste reactie was nee, maar dat kan natuurlijk niet...'

William wreef over zijn pijnlijke nek terwijl Susan doorpraatte, en probeerde zich te verheugen over het feit dat hij niet meer met haar getrouwd was en dat hij ooit, in de niet al te verre toekomst, helemaal nooit meer contact met haar zou hoeven hebben. Behalve natuurlijk als er af en toe een bijzondere gelegenheid was, zoals bruiloften, begrafenissen, als er kinderen gedoopt werden of afstudeerden... Zijn gedachten dwaalden af en hij stelde zich Susan voor met een van die afschuwelijke hoeden die die vriendin van haar op de Isle of Wight voor haar maakte, en dat Harry rondliep in een zwarte toga, met een baret van zijn college op zijn hoofd...

'William, luister je wel?'

'Natuurlijk, heb ik een keus?' antwoordde William droogjes. 'Ik moet ofwel naar Weybridge rijden of ik moet op Alfie passen. Harry was ziek maar voelt zich alweer wat beter. En ze komen alle drie morgen al in plaats van overmorgen, en ze kunnen zo lang blijven als ik wil want jij hebt een heel berg orders die je klaar moet maken en je wilt nog bij Corinne langs op de Isle of Wight want die heeft net goed nieuws gekregen over haar chemokuren...'

'Je hoeft niet zo'n toon aan te slaan, hoor... alsof het allemaal zo zwaar voor je is, alsof...'

Weer liet William haar praten en deed zijn best niet toe te geven aan zijn drang om kwaad te worden. Ze moest stoom afblazen. Ze had per slot van rekening ook al zo'n tijd helemaal alleen voor hen gezorgd. Hij – en ze miste geen enkele gelegenheid om hem daar op te wijzen – was een rotzak geweest. Niemand, en Susan zelf al helemaal niet, wilde inzien dat hij het ook zwaar had gehad. De scheiding was gruwelijk moeilijk maar het kon niet anders. Er was moed voor nodig geweest om dat uit te spreken, om het onder ogen te zien. Het was misschien egocentrisch van hem geweest om zo te vissen naar die baan in New York, maar tegen de tijd dat hij met al Susans voorwaarden voor de scheiding akkoord was gegaan, had hij die extra inkomsten ook hard nodig. En hij deed al drie jaar zijn stinkende best voor de kinderen, ondanks de afstand, en hij vocht zich door Susans eindeloze plannen en wijzigingen daarvan, en al die subtiele dwarsboomtactieken om het hem nog lastiger te maken – om hem zich nog slechter te laten voelen dan hij zich al voelde.

'Ik mis hen,' viel William haar in de rede terwijl ze nog midden in haar verhaal was. 'Ik mis hen elke dag. De enige reden waarom ik niet op mijn knieën heb liggen smeken of ik hen niet deze hele vier weken elke minuut bij mij in huis mag hebben is omdat ik bang ben dat zij dat zelf niet zouden willen. Oké? Snap je dat? Dus vertel me nu maar waar die cricketmatch precies is, en dan neem ik Alfie gewoon mee. Is dat ook meteen opgelost.'

Beth wierp nog een blik op het huis voor ze begon te joggen. Ze vond het er heus wel mooi uitzien, die bakstenen rij met huizen, maar ze wist dat zij klaar was met wonen naast en onder andere leden van het menselijk ras. Haar jeugd in Baltimore had ze doorgebracht in een armoedig klein appartementje, met muren die zo dun waren dat je er met je vuist dwars doorheen kon slaan. Vier jaar aan Georgetown gevolgd door een werkend leven in New York hadden aanzienlijke verbeteringen opgeleverd wat betreft woonruimte, maar Beth was nog nooit zo gelukkig geweest als nu, samen met William op het heerlijke platteland van Connecticut.

En de straten in Londen waren ook zo smal, zag ze, en ze hield op met joggen en liep met stevige pas langs een rij auto's die half op de stoep geparkeerd stonden, bumper aan bumper, allemaal voorzien van de parkeervergunning waar Andrew Chapman William over had verteld, en wat William haar had verteld. Ze had alleen toen niet geluisterd, want autorijden was een activiteit die ze wilde mijden. Ze kon niet met een versnellingsbak overweg, en met het eenrichtingsverkeer, met filetoeslagen en parkeerregels waar ze geen touw aan vast kon knopen – met zulke dingen wilde je je op vakantie toch niet bezighouden?

Beth ging linksaf de straat uit naar de hoofdweg en de rivier, want ze wist – omdat ze Williams aftandse stratengids had geraadpleegd voor ze de deur uit ging – dat die daar vlak achter lag. Ze had zich het plaatje goed ingeprent – daar was ze sterk in, om beelden en feitjes te onthouden voor zolang ze die nodig had. William daarentegen onthield moeiteloos allerlei willekeurige interessante dingen, zoals de jaartallen van veldslagen en wie waar president van was en in welk jaar een bepaalde wijngaard in Frankrijk een uitzonderlijke wijn had geproduceerd. Beth vond het heerlijk dat hij zo slim was, maar wat ze vooral zo leuk vond, was het feit dat hij nooit met zichzelf ingenomen was om deze kennis. Dat maakte haar ontsnappen aan Dimitri des te fijner, want die schiep er – soms publiekelijk – genoegen in om haar op de hiaten in haar algemene ontwikkeling te wijzen.

Pas toen Beth de rivieroever had gevonden begon ze echt te lopen, en zocht ze naar de cadans die ze nodig had om haar doel te halen – ze wilde aan de noordzijde de Hammersmith Bridge oversteken en dan terug in zuidelijke richting over de Barnes Bridge, waar zo te zien zowel treinen als mensen overheen gingen. Het ging redelijk lekker, ze rende over stevige modder en kwam weinig mensen tegen, alleen hier en daar iemand die zijn hond uitliet en af en toe een fietser. Perfecte omstandigheden, spoorde Beth zichzelf aan, terwijl een felle pijnscheut door haar linkerknie trok.

De rivier naast haar werd nog donkerder terwijl het laatste stukje blauw uit de hemel verdween. Er joeg een stevige wind over het water, en er hing regen in lucht. Lokken haar sloegen haar steeds in het gezicht, heel irritant. De kramp in haar linkerbeen werd steeds erger, en Beth dacht na over de harde waarheid: dat ze nooit van nature een sportvrouw was geweest, dat haar knieën een beetje naar binnen stonden en dat haar heupen net wat te breed waren voor haar kleine lijf en dat haar achterwerk calorieën opzoog alsof het niks was, als ze het ook maar even de kans gaf. Ze jogde zodat ze de dingen waar ze van genoot kon blijven eten en drinken, bracht ze zichzelf weer in herinnering. Dingen als croissants, kwarktaart, koekjes en Williams geliefde topwijnen. Ze jogde zodat ze nooit meer dat meisje zou worden dat in haar vroege puberteit nooit door wie dan ook ergens voor werd uitgekozen, behalve dan door leraren die medelijden met haar hadden. Het meisje met vetrollen die als een stapel donuts om haar middel lagen en die regelmatig weinig subtiele zuchten ontlokten aan haar moeder, die verhinderden dat ze zich in een mooie feestjurk kon hijsen en die – dat was nog wel het ergste van alles – plagerige kneepjes van haar oom Hal uitlokten. Die kwam een keer een weekend logeren toen ze dertien werd, maar de logeerpartij leek wel vier jaar te duren.

Jazeker, ze had zo haar redenen om te joggen. Terwijl ze harder begon te lopen werd Beth beloond door de pijn in haar knie en alle negatieve gevoelens die daar bij hoorden maakten ineens plaats voor een onverwacht gevoel van euforie. Een gevoel dat alles zo ontzettend goed klopte, daar aan die winderige Londense rivieroever, met het haar dat in haar ogen prikte, en de kaart in haar hoofd en het bouwvallige maar gezellige huis waar ze naar terug kon, en William die slaperig, ongeschoren en vol liefde op haar wachtte. Ze kon zich nog net bedwingen, want anders had ze haar vreugde uitgeschreeuwd tegen de metaalkleurige lucht. In plaats daarvan grijnsde ze naar een medejogger, een oude man met o-benen en half beslagen brillenglazen die haar grijns beantwoordde met een ingetogen Brits knikje.

Beth richtte haar aandacht op de rivier. Een piepklein bootje gleed er precies in het midden overheen, en de acht roeiers zwoegden zo zichtbaar ritmisch en vloeiend dat ze haar pas nog meer versnelde, alsof ze met hen wilde wedijveren. De roeiers waren jong en gespierd, dus die kon je onmogelijk bijhouden, natuurlijk – maar achtendertig was nog helemaal niet zo heel oud, dacht Beth opgewekt. Dat gold tegenwoordig niet meer als oud, en zeker niet in haar geval. Ze was even oud als haar moeder toen die in een vrije val was geraakt (weduwe geworden, en staande gehouden door pillen en whiskey en die vreselijke oom Hal), terwijl haar eigen leven nu pas begon.

Daar had je Hammersmith Bridge al – een mooi stukje architectuur maar ook zo'n fraai bouwwerkje vergeleken met de bruggen thuis dat Beth een heerlijke golf van zekerheid voelde dat Londen gemakkelijk te veroveren zou zijn, en gemakkelijk om van te houden, en dat het zich aan haar voeten zou werpen zoals William twee jaar geleden in de koffiezaak. '*Go, girl*,' hijgde ze, en ze voelde zich prachtig, zoals altijd als ze heel hard rende, als de calorieën eraf vlogen, en haar rammelende knieën zo hard pompten dat het net leek of ze toch recht waren.

# 3

Sophie stond in de grote hal van Grand Central Station en wilde niets liever dan alleen zijn – niet weg van de menigte, want ze hield van mensenmassa's, maar weg van Andrew, die een vinger in zijn ene oor had gestoken en zijn mobieltje tegen het andere drukte in de hoop dat hij Geoff kon lokaliseren. Ze waren nog geen twee minuten uit de trein, en Sophie wist zeker dat ze tussen de horde reizigers de afgesproken plek al had gezien, een kiosk in het midden van de hal, met een grote koperen klok. Maar Andrew raakte in paniek, zoals op hun eerste dag toen hij het meisje bij de kassa niet begreep die vroeg: 'Papier of plastic?' En zoals op hun tweede dag toen ze verdwaald waren op zoek naar de countryclub waar ze een zwembad zouden hebben, en zoals die ochtend, toen de kat niet was komen opdagen voor het ontbijt.

Andrew werd nerveus van Amerika, overpeinsde Sophie, en dat was jammer, natuurlijk, maar het was ook best een opluchting voor haar aangezien zij nu niet meer in haar eentje verantwoordelijk was voor zijn teleurstelling. Ze ging een eindje van hem af staan en keek omhoog om de enorme kathedraalachtige bogen van deze stationshal te bewonderen: alleen de lichtval was al betoverend, hoe het door de gigantische, ronde, tralieramen naar binnenviel en uit de eindeloze rijen lampen langs de bovenkant van de pilaren en muren omlaagstroomde. Het gaf elk detail iets extra's – de lichtbruine stenen, de balustrades langs de trappen en balkons – zodat het net een kolossaal grote maar heel elegante balzaal leek. Sophie had niet gedacht dat ze deze vakantie ook maar iets leuk zou vinden (behalve dan de komst van hun dochters, over achttien en een halve dag). En toch voelde ze nu ineens het plezier opkomen – en dat terwijl Andrew haar irritante blikken toewierp (nu hij ook de centrale kiosk in de smiezen had), om nog maar te zwijgen over het vooruitzicht dat Ann en Geoff hun verdere middag in beslag zouden nemen.

'Sophie!' Zijn stem klonk zwaar geërgerd.

Sophie knikte, maar bleef toch nog even dralen, niet om hem te irriteren, zoals haar man aannam, en ook niet om nog even te genieten van het boeiende bouwwerk, maar gewoon om nog een paar seconden bewegingsloos in de drukte te kunnen staan – het moment van stilte voor de storm.

Geoffs ooit zo dikke bos haar was nu zo ver weggeschoren en zo vergeven van het grijs dat Sophie hem waarschijnlijk niet had herkend als Andrew hem niet in de armen was gevallen. Dat was eigenlijk niks voor hem. Ze was alweer vergeten hoe klein hij was, hooguit een meter zeventig, terwijl Andrew een meter negentig was, en toch leek hij sterker aanwezig, met zijn gebruinde, gespierde onderarmen en kuiten die glanzend als gepolitoerd hout afstaken tegen het felle geel van zijn Ralph Lauren-shirt en zijn keurig geperste korte blauwe broek. Hij had een bijna tastbaar aura van zelfverzekerdheid; hij was duidelijk een man in de bloei van zijn leven, met een goedgevulde portemonnee en met volledige controle over zijn eigen geluk – het soort controle dat hij in Sophies herinnering nog niet had toen hij in London de kost probeerde te verdienen als muzikant.

Ann was minder veranderd. Haar kastanjebruine haar zat nog altijd in hetzelfde bobkapsel dat ze ook al had toen ze twintig was, en haar make-up was nog altijd even zwaar. Sophie vermoedde dat ze zich zo zwaar opmaakte om de aandacht af te leiden van haar gezette figuur. Maar nu stond het haar wel, vond Sophie, alsof Anns lichaam zich al jaren opmaakte voor de leeftijd, eind veertig. Rond, sterk, statig. Ann kwam pas laat bij hun groepje op de universiteit, was een paar jaar ouder dan zij en was altijd heel bazig en bedillerig waar het Geoff betrof. Ze werd feitelijk eerder getolereerd dan dat ze haar nu zo leuk vonden. Maar je kon er niet omheen dat ze er nu samen ontzettend passend uitzagen, met hun identieke hartelijke, zelfverzekerde omhelzingen en de manier waarop ze elkaars zinnen afmaakten terwijl ze hen overdonderden met hun plannen voor de middag.

'We dachten Ground Zero – dat moet je echt gezien hebben – hoewel het al zo'n beetje verdwenen is onder een nieuwe laag beton...'

'En het MOMA...'

'En lunchen. We kennen een goddelijk Italiaans tentje op de hoek van Thompson en Bleecker...'

'Hoewel het restaurant in het museum ook uitstekend is.'

'Moma?' herhaalde Sophie, terwijl Ann naast haar in de pas kwam lopen en de mannen voor hen uit beenden.

'Het Museum of Modern Art.'

'O ja, natuurlijk.' Na de koelte in het station kwam de zinderende hitte op straat als een schok, die van de stoeptegels sloeg en tussen de doorzichtige muren van glas en steen zweefde, en de lucht letterlijk leek te vertroebelen. Zelfs het diepe indigo van de lucht, zichtbaar in geometrische stukken boven de gebouwen, leek deel uit te maken van een samenzwering die erop uit was om stad te verdrukken, en om hem te isoleren van de rest van de wereld. Sophie graaide in haar tas naar haar zonnebril terwijl Andrew snel de pet pakte die hij vorig jaar in Napels had gekocht – donkerblauw met de woorden CIAO BABY erop geborduurd, wat hun dochters erg geestig vonden. Al na een paar stappen voelde Sophie hoe het zweet langs haar ribben begon te druipen, via haar oksels langs haar beha, vanuit haar nek, en vanonder haar warme haardos. Ze keek over de rand van haar zonnebril en kon zich opeens helemaal in Andrew verplaatsen, wiens bruine shirt donkere zweetplekken begon te vertonen, alsof er plotseling een akelige uitslag op kwam zetten.

'Wat een hitte, hè?' kakelde Ann. 'William en Beth zullen het wel zalig vinden dat ze konden ontsnappen naar dat goeie, ouwe Engeland – nat als altijd, althans, dat hoorden we van onze dochter. Ze is daar op bezoek bij vrienden uit haar Cambridge-tijd. Je weet toch dat zij op Geoffs oude college zat? Derde generatie alweer, Geoff was zo in zijn nopjes. Ze is nu aan het promoveren op Harvard – in de biochemie, nota bene. We hebben geen idee van wie ze dat heeft, maar het is heerlijk dat ze weer min of meer om de hoek woont.'

'Harvard... jemig... fantastisch...' mompelde Sophie, en ze kon zich nauwelijks een beeld vormen van hoe die opstandige baby en peuter, die zoveel van hun bijeenkomsten in het verleden had weten te verzieken, nu dus een volwassen vrouw was met enig verstand.

Hoe verder ze liepen, hoe meer Sophie aan de hitte gewend raakte – ze had zich eraan overgegeven – net zoals gistermiddag, toen ze naar het meer was gewandeld. Terwijl Andrew naar de insecten sloeg en van de ene schaduwrijke plek naar de andere sprong, had Sophie expres in een rechte lijn gelopen, voorzover de bomen en de braamstruiken dat toelieten. Ze had haar ogen half dichtgeknepen en bewoog zich alsof ze door het stille water voor hen zwom – traag maar krachtig, opgaand in de omgeving.

'En jullie dochters, is daar ook alles goed mee?'

'O ja... Milly en Olivia. Ze komen over ruim twee weken ook hier naartoe... ik kan niet wachten.' Sophie voelde dat haar keel dichtkneep. Olivia had die ochtend een sms'je gestuurd: SUPER DAT HS COOL IS. HR ALLES OKÉ. 200 BIJ CNCRT GSTR. SUPER! M GFT X.

Even later propten ze zich met zijn vieren, onder aanwijzing van Geoff, in een taxi, en probeerden hun natte, glibberige ledematen bij zich te houden terwijl de warme lucht door de ramen naar binnen werd geblazen. Die stonden wijdopen, want de auto had geen airconditioning. Ze hadden besloten dat ze een ritje langs Ground Zero zouden maken en dat ze daarna zouden lunchen. Terwijl de taxi die kant op schokte – langs een eindeloze rij stoplichten en kruispunten – leek Andrew het gesprek over te hebben genomen, tot Sophies opluchting, en verstrekte hij de inlichtingen over de meisjes en hun muziek om vervolgens de loftrompet te steken over hun vakantiehuis. 'Dat was een geniaal plan, Geoff, en ontzettend bedankt, nog.'

'Graag gedaan,' blafte Geoff, en hij salueerde voor de grap. 'Maar ik moet je wel even verbeteren. Darien spreek je uit als Derry Ann – in tegenstelling tot de plaats met diezelfde naam in Midden-Amerika. Het is een beetje kinderachtig maar de mensen daar vinden dat wel belangrijk.'

'Dat laatste stuk spreek je uit als mijn naam – *Ann*,' kwetterde Ann terwijl ze met haar roodgelakte nagels uit het raam zwaaide en op dezelfde opgewekte toon riep ze uit: 'O kijk, we zijn er. Dit is het dus, Ground Zero!'

Sophie voelde dat Andrew de neiging onderdrukte om haar aan te kijken terwijl ze allebei voorzichtig – plichtmatig – uit het raampje van de taxi keken. Ann was verschrikkelijk – eindelijk eens iets waar ze het over eens waren. Hijskranen, waarschuwingsborden, mannen met veiligheidshelmen en het geronk van machines – het leek voornamelijk op een gigantische bouwput, zoals je die in Londen ook had. Het duurde even voor de andere, oudere beelden boven kwamen – de messcherpe televisiebeelden, de korrelige foto's van vallende lichamen.

'Ik vind het altijd net of hier een kies is getrokken,' riep Geoff uit op dezelfde vrolijke toon als zijn vrouw. 'Zo keurig als het is gebeurd. Ik bedoel, kijk nou eens naar al die andere wolkenkrabbers – nog volop in bedrijf, ongeschonden. De precisie van de vernietiging, daar moet je toch wel bewondering voor hebben.'

*De precisie van de vernietiging*... Sophie probeerde die zinsnede in zich op te slaan. Wat vreselijk om zoiets te zeggen. En toch gleden haar gedachten binnen een seconde af naar haar eigen slopende en egocentrische malaise. Ze was op een plek waar duizenden mensen het leven hadden gelaten – duizenden! – en het enige wat door haar heen ging was zelfmedelijden. Belachelijk was het, walgelijk. Ze keek even naar Andrew. Geen wonder dat hij er bijna de brui aan wilde geven.

'Het spijt ons zo om te horen dat het niet zo goed met je gaat, Sophie,' zei Ann zachtjes toen ze eenmaal in het veelgeprezen Italiaanse restaurantje zaten en hun echtgenoten in een gesprek over wederzijdse vrienden waren verwikkeld.

'Hoe bedoel je?' Sophie legde behoedzaam haar volle lepel met vis en saus terug in de kom.

'Het geeft niks, hoor. Je wilt er niet over praten, dus dat respecteer ik helemaal. Een vriendin van me had ME...' Ann pauzeerde voor een hap pasta die ze om haar vork had gewikkeld. '... en het heeft jaren geduurd. Niet eens meer energie om televisie te kijken, laat staan een huishouden te runnen... Ze is nooit meer gaan werken. Hoewel het nu wel weer een stuk beter met haar gaat,' voegde ze er vlug aan toe. 'Weer helemaal normaal. Net als jij, na de heerlijke vakantie die Andrew voor je heeft geregeld.' Ze fronste meelevend, en vatte het uitblijven van een antwoord ten onrechte op als toestemming om door te gaan op dit onderwerp. 'Ik wil gewoon dat je weet dat Geoff en ik er honderd procent voor je zijn, oké? Als we iets voor je kunnen doen – wat dan ook – dan hoef je maar te kikken.'

Sophie excuseerde zich en vertrok haastig naar het damestoilet, waar ze tegen de gesloten deur aan leunde en zo snel ademhaalde dat haar vingers begonnen te tintelen. Dat Andrew het überhaupt over haar had gehad, en dan ook nog uitgerekend met Geoff en Ann, voelde als verraad. Zelfs haar ouders, die al jaren in het zuiden van Portugal woonden, wisten alleen dat ze een poosje niet werkte – een verdiende pauze na al het harde werk. Al dat bijspijkeren van leerlingen die een ultimatum hadden gekregen van hun ouders. Ze dacht dat zij en Andrew de enigen waren die afwisten van de schande van haar naamloze crisis. Wat had hij hun nog meer verteld? En aan wie had hij het nog meer verteld?

Haar verontwaardiging gaf haar nieuwe energie en Sophie beende terug naar de tafel waar ze niet om het feit heen kon dat ze het met zijn drietjes over haar hadden gehad. De plotselinge stilte, Andrew die schaapachtig haar blik meed. Ze kon wel huilen.

'We hebben een plannetje bedacht,' verklaarde Geoff in een poging de situatie te redden met een galante actie – hij sprong op, trok haar stoel naar achteren, vulde haar glas bij en bood haar nog een broodje aan. 'Jullie blijven vanavond bij ons in de stad, zodat we jullie mee kunnen nemen naar het theater, en dan gaan we morgen naar Green Hills, dat is onze countryclub. Daar zitten we in de zomer bijna elk weekend. Er is een heerlijk zwembad waar de dames lekker kunnen zonnen en dan laat ik Andrew de golfbaan zien, en...'

'Maar we hebben niks bij ons,' zei Sophie vlak, in een poging haar ontzetting te verbergen.

'Hé, dat is dus geen enkel probleem... wij kunnen je alles lenen, en ik weet zeker dat jullie wel wat kleding kunnen regelen, of niet, dames? Als jullie toiletspullen nodig hebben, dan halen we die dadelijk wel even bij de drogist. Het is gewoon dwaasheid om jullie weer op de trein te zetten met deze hitte, en aangezien het morgen toch zaterdag is...'

'Nee.' Sophie staarde ingespannen naar de kom met vissoep waar ze nog geen hap van had genomen. 'Nee...' Ze voelde hoe haar vastberadenheid langzaam terugkwam. Ze glimlachte zelfs even verontschuldigend. 'Zoals jullie weten ben ik... ben ik tegenwoordig snel moe. Maar Andrew wil vast dolgraag... toch, schat? Dus ik stel voor – want dat wil ik liever – dat ik vanmiddag terugga naar Connecticut, na het MOMA...' Ze glimlachte nog eens stralend naar Ann '... want daar verheug ik me zo enorm op. En dan kan Andrew bij jullie logeren en morgen mee golfen, want dat vindt hij vast geweldig, toch, Andrew? Ja, dat is wat ik zelf graag zou willen,' besloot ze, 'als jullie daar geen bezwaar tegen hebben.' Ze stak een stukje brood in haar mond en kauwde langzaam, terwijl de anderen blikken wisselden en in- en uitademden.

Toen de protesten kwamen, was ze er klaar voor, en ze herhaalde dat Andrew ook wat tijd voor zichzelf nodig had, en voor zijn beste vriend, terwijl zij juist de rust goed kon gebruiken. 'En bovendien, we moeten de kat niet vergeten,' zei ze als een pokerspeler die zijn troef speelde. 'Wat zouden de Stapletons niet denken als Dido zowel zijn avondeten als zijn ontbijt moest overslaan?'

Hij leek griezelig veel op zijn vader, vond Beth, toen ze de slungelige ledematen en het dikke, donkere haar van Harry bewonderde terwijl Harry voor haar uit de taxi klauterde. Maar hij was nog een jongen, moest ze zichzelf in herinnering brengen, terwijl hij er meteen vandoor ging, druk in gesprek op zijn mobieltje, terwijl zij afrekende. Het was een enorm bedrag, aangezien ze het grootste deel van de reis vast hadden gestaan in het verkeer. Ze kreeg er bijna heimwee van naar New York.

'Dan zie je meer onderweg,' had Harry aangedrongen om haar over te halen om de taxi te nemen in plaats van de metro, nadat ze met de bus van Barnes naar Hammersmith waren gereisd. Maar haar stiefzoon bleek grappig genoeg niet in staat haar de namen te geven van de dingen die ze onderweg zagen. Toen Beth hem wees op de Albert Hall om te bewijzen dat wat hij St James's park noemde eigenlijk Hyde Park moest zijn, zat hij van verlegenheid ineengedoken tegen het raam.

Harrods, ja, dat wist hij wel, want dat was hun eerste halte, en een van de dingen die ze die dag zouden gaan zien – hoewel Beth bij het zien van zijn ongeïnteresseerde houding al snel besloot om een verdere ontdekkingstocht binnen het warenhuis te bewaren voor een andere keer, met William, of in haar eentje.

Die ochtend was Harry haar prioriteit, bedacht ze, en ze haastte zich om hem in te halen zodra de taxi zich weer bij het verkeer had gevoegd. 'Nou we zijn er, King's Road... Wat moest je hier precies kopen?'

'Eh... schoenen.'

'Schoenen... oké...' Beth keek naar links en naar rechts en vond dit een hoogst oninspirerende straat, vooral nadat Harry hoog opgegeven had over alle beroemdheden die er altijd rondhingen. 'Wat voor schoenen precies?'

'Gympen?' opperde Harry, maar zonder veel overtuiging en met een schuin oog op zijn telefoon. 'Maar jij zult zelf ook wel wat willen winkelen en zo, dus als we elkaar dan later zien op Sloane Square?'

'Sloane Square... waar mag dat wel wezen?'

'Die kant op... we zijn er net overheen gelopen. Er staan bomen in het midden, en er zit op de hoek een grote winkel die Peter Jones heet... dat is net zoiets als Harrods, alleen kleiner. Als we daar afspreken, bij de hoofdingang, over een uurtje of zo?'

Beth glimlachte en schudde haar hoofd zodat hij de lichte teleurstelling niet zou zien dat hij liever alleen was dan met haar. 'Heb je geld?'

Harry keek eerst onzeker, en toen verheugd omdat zij hem twee gloednieuwe biljetten van twintig pond overhandigde. 'Niet tegen je vader zeggen, oké? Straks denkt hij nog dat ik je verwen. Dat kunnen we niet hebben. Doe dat geld maar bij een paar extra coole gympen. Ik zie je over precies een uur bij die Peter Jones, afgesproken?'

'Absoluut. Bedankt.'

Harry verdween in de mensenmassa en Beth vond dat ze wel een schouderklopje had verdiend. Wie zei dat omkoping niet werkte? Ze wilde dat het jochie het leuk zou vinden, en nu had ze nog wat tijd voor zichzelf op de koop toe – en die had ze hard nodig, met de week die zij achter zich had. Ze had nog niet een van de culturele uitstapjes kunnen maken die op haar lijstje stonden. Dat kwam deels omdat het griezelig veel tijd kostte om in een vreemde omgeving de gewone dagelijkse dingen te doen zoals boodschappen, koken en de was. Maar het kwam ook doordat er talloze extra taken bij waren gekomen, zoals extra sleutels laten maken voor de jongens en bellen met de helpdesk van het kabelbedrijf toen de tv ermee ophield, om nog te zwijgen van de rijlessen in de Volvo, aangezien William het belachelijk vond om te vertrouwen op het openbaar vervoer terwijl ze een auto ter beschikking hadden. Hierdoor waren de eerste negen dagen van de vakantie omgevlogen, en zag ze wel in dat het naïef van haar was geweest de hoop te koesteren dat zij hooguit zijdelings wat te maken zou hebben met de zonen van haar man. Ze zat er middenin, in elk geval tijdens deze vakantie, of ze er nu zin in had of niet.

En tot haar verbazing vond Beth het tot nu toe eigenlijk heel leuk, bij vlagen. De wetenschap dat dit maar een paar weken hoefde te duren hielp enorm, net als de sjofele gemakken die het huis bood – de grote diepe stoelen en banken met lekkere kussens, de eenvoudige badkamers die uitstekend geschikt waren voor drie luie pubers die graag uren op de bank hingen en dingen uit de koelkast wilden graaien, slechts gekleed in boxershorts en T-shirts totdat hun vader hen opdroeg eens wat aan te trekken. Beth liet William het commanderen doen. Zij hield zich vast aan de rol van half betrokken toeschouwer die lol had in haar tijdelijke gezin, vooral onder het wakend oog van de superperfecte Chapmans, wier blauwe ogen hen vanaf foto's in elke hoek van het huis begluurden.

Toch was er een grens aan hoe lang ze haar eigen verlangens opzij kon zetten, had Beth zich gisteravond gerealiseerd, toen een aangenaam – zij het luidruchtig – avondje voor de buis met een afhaalmaaltijd onderbroken werd door een dictatoriaal telefoontje van Susan, die alweer een partij cricket aankondigde voor George, de volgende dag (het was een *twenty-twenty* toernooi, wat dat ook maar mocht zijn) en een paintballfeestje voor Alfie, op twee uur rijden, ergens buiten de stad. Beth had met stijgende frustratie en ongeloof aangezien hoe William toegaf, en wachtte tevergeefs tot hij Susan erop zou wijzen dat zij al anderen plannen hadden voor hun vijven. Ze zouden over de Theems gaan varen, en dan naar allebei de Tate Galleries en naar Greenwich, zoals haar reisgids had aanbevolen. Het onwaarschijnlijke idee dat zij een dagje met Harry zou gaan shoppen kwam voort uit de puinhopen van haar dromen. Ze gingen beiden akkoord met het plan vanwege hun gedeelde en stilzwijgende wens om William niet lastig te vallen, die aan het eind van het telefoontje zichtbaar murw en chagrijnig was.

'Ik dacht dat de jongens nu bij jou waren,' had Beth nog geprobeerd, toen ze veilig en wel in hun slaapkamer waren en de twee oudsten nog een late film keken en Alfie in een kamer verderop in de gang lag te slapen. 'Ik bedoel, om zo te bellen en alles weer op zijn kop te zetten... Ik vind dat gewoon niet acceptabel.'

William, die op de rand van het bed zat om zijn sokken uit te trekken, had onheilspellend geknikt en gemompeld: 'Dat is dus typisch Susan,'om vervolgens iets enthousiaster te vertellen dat het zo gaaf was dat George eindelijk eens iets beter kon dan zijn oudere broer, al was het maar cricket, en dat iedereen het zou moeten bezuren als Alfie erachter zou komen dat hij een paintballfeestje had gemist.

'Maar nu zit jij de hele dag in Hambringham!' had Beth uitgeroepen. Ze sprong bijna uit haar vel van verontwaardiging.

'Hambledon.'

'*Whatever*...'

'Moet je horen, Beth, het spijt me dat het zo loopt – het is allemaal wat chaotisch. Maar het wordt straks een stuk rustiger, dat beloof ik – vooral als we naar het noorden gaan. Dan hebben we heel veel tijd voor onszelf.'

'Ik baal dat ik het zoveel zonder je moet stellen,' biechtte Beth op, en ze onderdrukte haar woede. 'Cricket, feestjes... ze zijn wel een beetje veeleisend, dat vind je toch zeker zelf ook...' Ze stapte over de uitgegooide sokken en knielde voor hem neer. 'Alfie die de hele avond bij je op schoot zit – dat is mijn plek, schat...' zei ze zachtjes, en ze pakte de gesp van zijn riem.

William slaakte precies het soort zucht waar ze op had gehoopt en boog zich om haar op haar haar te kussen, dat zijdezacht als altijd achter haar oren bijeen was gebonden. 'Gekkerd,' gromde hij, en hij zuchtte nog eens, wat dieper dit keer, terwijl de riem op de grond gleed.

'Pap...'

Ze stonden allebei razendsnel op. William zelfs zo haastig dat hij Beth met zijn elleboog in de ribben stootte, waardoor ze bijna omviel. 'Hé daar, grote man, wat is er aan de hand?'

Alfie wreef in zijn ogen, die er groter en lichter uitzagen zonder de gebruikelijke bescherming van zijn bril. 'Ik lag in bed, maar ik was nog in mijn kleren.'

'Ja, je was namelijk op de bank in slaap gevallen en ik wilde je niet wakker maken... Ik denk zelfs dat je nu nog steeds slaapt. Kom maar mee, aap.'

William keek Beth quasizielig aan terwijl hij zijn zoon de gang in duwde en zij had enorm haar best gedaan om olijk terug te doen – in plaats van bloedlink, wat ze eigenlijk was, ook al wist ze dat dat een lage en valse reactie was. Godallemachtig, ze was al achtendertig, en getrouwd met een man die niet alleen van haar hield maar die haar, volgens zijn eigen hartverscheurend mooie tekst uitgesproken tijdens de huwelijksceremonie, aanbad, met hart en ziel. Zij had hem gered, had William toen gezegd, en dat had hij daarna keer op keer herhaald. Ze had hem zijn leven teruggegeven. Dus dat ze zich nu achtergesteld voelde bij zijn dertienjarige zoon was zo ongelofelijk kinderachtig, vooral omdat het joch, een klein kind nog, met een stem die een paar octaven hoger klonk dan de hare, zo ontzettend aan zijn vader hing en steeds maar op zijn vaders schoot wilde zitten en ingestopt wilde worden als een peuter. Toen zij zelf dertien was, herinnerde Beth zich bitter, kon ze niet wachten tot ze zich 's avonds in haar kamer kon opsluiten. Veilig in haar nachtpon, zonder dat iemand haar bekeek, weg van het dronken gelal als de fles whiskey van die avond er weer bijna doorheen was.

Beth ergerde zich aan zichzelf, en wilde niet te lang stilstaan bij de minder prettige dingen uit haar jeugd. Dus ging ze in bed op William zitten wachten, en probeerde ze haar rotstemming de kop in te drukken door de stapel stoffige boeken te bekijken die naast het nachtkastje lag. *Mozart, mens of genie?*, Graham Greene, *Een leven in brieven*, *Barokke schoonheden*, en een boek over de geschiedenis van King's College, Cambridge. Ze sliep dus aan de kant van de man, bedacht ze zich, en ineens voelde ze zich een beetje ongemakkelijk onder de vreemde intimiteit van twee stellen die elkaars bed in beslag hadden genomen. Maar ze werd al snel afgeleid door het idee dat de muzikale Andrew Chapman misschien haar piano in Connecticut wat leven in zou blazen – een ongebruikt molensteen-annex-erfstuk dat meer aandacht had gekregen van de diverse verhuizers die hem in handen hadden gehad dan van haar. Hij had daar ook meer dan genoeg ruimte, bedacht Beth zelfingenomen. Dat was andere koek dan dat benauwde studiehok beneden dat dienstdeed als muziekkamer. Het stond daar zo vol met dozen en muziekstandaards dat ze zich niet kon voorstellen dat hij daar überhaupt nog bij zijn kruk kon.

Pas later, na het vrijen, drong het tot Beth door dat het feit dat hun plannen omgegooid waren ook inhield dat ze Susan nu misschien zou ontmoeten, want die had gezegd dat zij Alfie wel zou brengen en dat William George op zich mocht nemen. Susan Stapleton, de ex, eindelijk zou ze haar in levenden lijve zien. Er volgde een rusteloze nacht, ondanks Williams verbaasde en slaperige pogingen om haar gerust te stellen.

Beth bleef even staan voor een etalage, en bestudeerde de aantrekkelijke piramide van zomerse schoentjes. Wanneer was een mens eigenlijk echt volwassen, vroeg ze zich af. Wanneer hield al dat kinderachtige gedoe eindelijk eens op? Ze had een rotnacht achter de rug, waarin haar oude onzekerheden de kop opstaken en dat allemaal voor een slonzige, te dikke vrouw met overmatig geblondeerd touwhaar en een schrille stem. Terwijl William nog boven was en Alfie half slapend boven zijn kom cornflakes hing, was Beth degene die de deur open had moeten doen. Jou mag ik niet, was haar eerste gedachte, en eentje die nog vaak terugkwam tijdens de beleefde, stijve begroeting, het aanbod en de weigering van een kopje koffie, gevolgd door een gezamenlijke en langdurige speurtocht naar de gympen van Alfie.

Die karakteristieke diepliggende ogen had George dus van zijn moeder, had Beth gezien tijdens deze kwelling, en Alfie had haar fraai gewelfde bovenlip en kleine neusje. Ze voelde zich ook verplicht om heimelijk toe te geven dat Susan haar weelderige figuur uitstekend wist te verhullen onder mooie losse lagen crèmekleurige zijde en linnen, waarschijnlijk van haar ecologische kledingzaak waar William haar over had verteld – hij had het wel eens over de chaos van weefgetouwen en wol en stofstalen die stukje bij beetje de benedenverdieping van het huis in Woking hadden overgenomen, en die symbool stonden voor de gruwelijke staat van ontbinding waarin hun huwelijk de laatste jaren had verkeerd.

King's Road was oké, vond Beth, nadat ze overstag was gegaan voor een paar gele hoge hakken in de schoenenwinkel. Daarna wandelde ze richting het plein dat Harry had aangewezen en wenste dat ze haar reisgids had meegenomen, zodat ze haar tijd nuttiger had kunnen besteden. Wat nu als bleek dat de beste galerie of het mooiste monument van de stad op maar een steenworp afstand lag? Ze zag de bomen waar Harry het over had en met nog een dikke twintig minuten te gaan voor ze elkaar weer zouden zien besloot ze om te zwichten voor een warme chocolademelk met een koek. Ze moest opwarmen want door de steeds dichter wordende bewolking en de wind waar ze geen rekening mee had gehouden had ze het – ondanks haar broek, haar trui en haar jasje – ongelofelijk kóúd.

Een paar minuten later dook er keurig een Starbucks op. Beth kocht haar calorierijke traktaties en ging bij het raam zitten. Ze kon nu net zo goed in New York zitten, bedacht ze, op het weer na, want na negen aaneengesloten dagen vol somberheid en wolken vond ze dit helemaal niet meer zo grappig. Terwijl ze in de rij had gestaan kwamen er dikke regendruppels uit de zware wolken zetten, die nu op de stoep kletterden als kogels. Beth keek door haar gedeelte van het raam naar buiten en maakte zich een beetje bezorgd om Harry, die geen jas bij zich had, en geen paraplu. Zodra die gedachte bij haar opkwam, zag ze Harry zelf tussen de drommen winkelend publiek slenteren, niet alleen doorweekt, zoals ze al vreesde, maar ook met een sigaret in de ene hand en zijn arm om een lang, spichtig meisje met een half geschoren hoofd, en bloot middenrif en tatoeages die zich rond haar ellebogen en bovenarmen slingerden.

Beth stond op uit haar stoel maar ging meteen weer zitten. Ze wachtte wel tot het afgesproken tijdstip, besloot ze, en dan keek ze wel hoe Harry zich hier uit ging redden. Haar gedachten dwaalden af naar William die zo opschepte over zijn gezond levende en geliefde oudste, die het op het rugbyveld nog veel beter deed dan in de klas. En dan was er nog iets met een nationaal zwemteam. Beth staarde haar stiefzoon na terwijl hij achter het regengordijn verdween, en ze vroeg zich af hoe het zat met haar veertig pond. Maar die jongen was bijna achttien en het laatste waar zij trek in had was een scène.

Beth at haar koek tot de laatste kruimel op en kocht er nog eentje die ze snel naar binnen schrokte. Toen ze al bijna de deur uit was, en probeerde haar paraplu te openen, herinnerde ze zich ineens haar tasje met de gele schoenen en rende ze weer naar binnen. Nat geworden op de stoep gleden de zolen van haar instappers uit zodra ze contact maakten met de harde, gladde vloer, waardoor haar benen naar voren schoten en haar lichaam door de lucht vloog. Shit, dacht ze nog, en toen zei ze dat ook hardop omdat de stoel waar ze zich aan had vastgegrepen om het onvermijdelijke te voorkomen meeging in haar val, en boven op haar belandde.

# 4

De golfbaan was surrealistisch in zijn perfectie. Een weelderige compositie van golvend groen fluweel, hier en daar onderbroken door keurig uitgegraven bunkers en kleine meertjes, allemaal anders van vorm, en allemaal met een smetteloze weerspiegeling van de azuurblauwe hemel. Zelfs de stukken bos waren zorgvuldig vormgegeven, en bestonden uit fraaie kluitjes hoge, slanke bomen, gemanicuurde struiken en gras dat duidelijk veel aandacht kreeg en niet zomaar wat in het wilde weg groeide. Tussen al deze weelde door liep een smal zandpad dat bedoeld was voor de golfkarretjes, en met op regelmatige afstanden rustieke bankjes en verkoopautomaten waaruit zowel snacks als sapjes, cola en water kwamen. De automaten stonden in houten kasten om op te gaan in de mooie natuur.

Er was alleen niets natuurlijks aan deze natuur, dacht Andrew, die vol ongeloof om zich heen staarde terwijl Geoff hem voorging het clubhuis uit. Hij brak zich het hoofd over hoeveel het niet moest kosten, deze overwinning van de mens op de natuur, in onderhoud alleen al, laat staan in aanleg. Het was natuurlijk schitterend, maar het was ook – hij kon zich in de context van de wereldschaarste aan voedsel, energie en water niet aan die gedachte onttrekken – lichtelijk obsceen.

Daarbij was hij jaloers op Geoff, en dat was ook geen prettig gevoel. Die goeie ouwe Geoff, die de dag wist te plukken, saxofoon speelde, wel een biertje lustte en die altijd als laatste vertrok bij feestjes en die nu de afgelopen vijftien jaar bezig was geweest om al die dierbare trekjes te vervangen door nuchterheid en een uitstekend zakeninstinct en een beetje mazzel. Andrew wist dat zijn oudste vriend het goed had gedaan, uit opmerkingen op kerstkaarten en foto's in e-mailtjes vanaf het dek van jachten en balkonnetjes van chalets in skioorden, om nog te zwijgen van de onberispelijke kwaliteit van de kleding die hij droeg bij de reünie van hun college, een paar jaar geleden. Hij had een dikke sigaar opgestoken na de maaltijd en gesproken over de winstgevendheid en het genoegen van zijn investeringen in moderne kunst. Hij leidde een prima leven, dat was wel duidelijk.

Maar hoe goed, dat zag Andrew pas geschokt toen hij het appartement van Geoff en Ann aan de Upper West Side binnenstapte, nadat ze Sophie op het station hadden afgezet. Het was op de veertiende verdieping van een elegant gebouw dat aan de buitenkant niet zo bijzonder was. Dus Andrew was totaal onvoorbereid op de gigantische ruimte met de hoge plafonds die hij te zien kreeg toen Geoff de deur openduwde: overal hingen olieverfschilderijen, de vloeren waren van marmer en bekleed met enorme zijden tapijten, een lange mahoniehouten eettafel met veertien bijpassende stoelen (hij had ze geteld), nonchalant neergezette oosterse vazen – sommige zo groot als een cello en waarschijnlijk tien keer zo kostbaar – en het meest verbluffende van alles: een L-vormige zitkamer vol lichtbruine leren banken en met uitzicht op Central Park.

'Leuk?' vroeg Geoff met een grijns terwijl hij Andrew een biertje in de hand drukte.

'Wat ben jij een schoft,' had Andrew gemompeld en hij had zijn hoofd geschud en zijn vriend vergeven dat hij zo tevreden met zichzelf leek. 'Dit is echt niet normaal.'

Na nog een aantal biertjes had Ann een heerlijke maaltijd geserveerd, even goed als in menig restaurant: tomaat met mozzarella en basilicum, gevolgd door dikke steaks met romige aardappelpuree en gefrituurde courgette met een deegjasje. Geoff trok een fles montrachet open en toen nog eentje. Andrew kon zich niet herinneren wanneer hij voor het laatst zo'n leuke avond had gehad. Deels kwam dat – hij was zich er pijnlijk van bewust – omdat het zo lekker was even bij Sophie weg te zijn en bij de last van haar gruwelijke depressie en zijn onvermogen er iets aan te doen.

'Ben je er klaar voor?' vroeg Geoff en hij sloeg op de lege stoel van het golfkarretje – een stuk uitrusting dat Andrew onder andere omstandigheden wellicht van de hand had gedaan als lachwekkende overdaad. Maar tijdens een hittegolf in Connecticut was het wel duidelijk dat juist lopen over de golfbaan belachelijk zou zijn. Het blauwe poloshirt dat Geoff hem had geleend plakte nu al oncomfortabel aan zijn bezwete bovenlijf, terwijl het dunne canvas van zijn Italiaanse petje geen partij bleek voor de zon die – al was de dag pas begonnen – neerkwam met een intensiteit die zijn oren deed gonzen.

'Je weet dat ik het al een poos niet meer heb gedaan, hè?' waarschuwde hij. 'De laatste keer was een baan van negen holes in Suffolk, twee zomers geleden.'

'Dat zeg je steeds. Heb je geen andere smoesjes die je nog wilt inbrengen? Een gebroken been, wellicht? Of dat je niet meer zo goed ziet? Dat kan ook lastig zijn hoor ik wel eens. Ik heb je tien slagen aangeboden. Zeg je nou dat je er nog meer wilt?'

'Ik wil je alleen niet teleurstellen...'

'Ja, dat zal best... jij bent een boef, Chapman, altijd al geweest. En die clubs die je hebt gehuurd zijn topspul, dus we zien wel, oké? Je kunt de dag niet beter beginnen dan met zo'n lekker ontbijtje van Ann, wat jij?'

Andrew reageerde met een tevreden klopje op zijn maag. Het bord vol ei, spek en gebakken aardappels was inderdaad precies wat hij nodig had gehad. Niet alleen omdat hij trek had, maar ook vanwege zijn hoofd dat door de montrachet en het bier niet al te helder voelde, zelfs niet toen ze nog in het heerlijk koele appartement waren.

Op Geoffs uitnodiging sloeg Andrew af bij de eerste tee en zijn slag was vrij aardig, ware het niet dat zijn handen zo glibberig waren van de warmte dat de bal een bedroevend stuk uit koers raakte. Na nog een paar mislukte slagen en de kwelling van het nauwelijks verholen gegrinnik over zijn schouder informeerde Andrew – met enig venijn – of de enorme golftas die vergeven was van de ritsjes wellicht nog zoiets bevatte als een extra handschoentje.

'Uiteraard. Waarom heb je dat dan niet eerder gevraagd?' Het ding werd hem prompt overhandigd, met een droge opmerking over hoe een slechte klusser niks heeft aan goed gereedschap, en meer van dat soort geintjes. Andrew, opgefokt door de irritatie, begon nu goed te spelen. Het was net als met zingen en een instrument bespelen, vond hij, terwijl elke bal zich gehoorzaam de juiste kant op liet sturen. Hij raakte nu in een trance en liet zijn instinct het overnemen van zijn intellect. Het feit dat Sophie, de molensteen, niet in de buurt was, hielp ook enorm.

Geoff – die met elke hole dieper geconcentreerd raakte en wellicht probeerde te putten uit alle uren fijnslijpen met de golfpro van de club waar hij zo over had opgeschept – versloeg zijn vriend pas bij de allerlaatste putt op de achttiende hole. Ze schudden elkaar de hand en waren zeer ingenomen met elkaar en met zichzelf. Andrew genoot van het feit dat hij niet alleen het beste rondje golf van zijn leven had gespeeld, maar dat hij ook eindelijk dat vakantiegevoel te pakken had – hij was ontspannen en hij had plezier.

Na een paar biertjes voegden ze zich bij Ann in het zwembad, en ze klierden als een stelletje pubers – ze maakten bommetjes, en holden achter elkaar aan – tot de lunch, die ze verkozen te gebruiken onder een luifel met airconditioning bij het restaurant. Andrew zorgde voor veel vrolijkheid toen hij de 'shrimp' bestelde en eigenlijk garnalen verwachtte, maar drie enorme beesten geserveerd kreeg met scharen en al, zo groot als kreeftjes. Ze dronken er een chardonnay bij en toen iets uit Californië voor bij het dessert en de kaasplank. Voor het eerst hadden ze het ook eens over hem, en Andrew praatte uitgebreid over de toename van uitmuntende musici onder zijn leerlingen sinds hij voor de school werkte, en over hoe hij een aantal van hen – onder wie Olivia – had aangemeld voor de Royal College of Music, en dat maar weinig schoolorkesten in staat waren het 'Requiem' van Brahms onder de knie te krijgen, laat staan binnen een half schooljaar. Hij biechtte zelfs op dat hij af en toe weer eens wat probeerde te componeren, en dat hij een veelbelovend concert voor viool en piano in de onderste la van zijn bureau had liggen, dat daar wachtte tot hij er zijn tanden weer eens in kon zetten om het af te maken, als hij daar tijd voor zou hebben, als Sophie weer de oude was.

Alleen al het noemen van haar naam verbrak de betovering.

'Hé, het komt wel goed.' Geoff klopte even op Andrews hand. 'Vróúwen... het zal de overgang wel zijn, of niet?' Hij sloeg zijn ogen ten hemel.

'Geoffrey, hoe kom je daar nu weer bij? Ze is amper de veertig voorbij,' zei Ann berispend. 'Hoe oud is ze precies, Andrew? Drieënveertig?'

'Eenenveertig.'

'Zie je nou wel.' Ze trok een gezicht naar Geoff. 'Maar ze zit niet echt goed in haar vel, hè? Dat zie je op een kilometer afstand,' vervolgde ze, en ze richtte haar aandacht weer op Andrew, waarbij haar mollige gezicht vol medeleven vertrok. 'Omdat jij zei dat ze haar hebben getest op alle gebruikelijke aandoeningen moet ik steeds denken aan... enfin... ze had toch die zus die zoveel problemen had? Dus misschien is het wel iets wat... je weet wel... in de familie zit?'

'Sophies zus heeft te weinig zuurstof gekregen bij haar geboorte,' zei Andrew na een lange stilte met gesmoorde stem. Er waren waarschijnlijk wel meer mannen verliefd geworden op Sophie Weston tijdens het Winchester Festival van twintig jaar geleden: haar verlegen glimlach, die dikke bos blonde lokken, haar korenbloemblauwe ogen, de rondingen van haar lange benen in de strakke spijkerbroek. Maar Andrew was voor haar gevallen toen hij een paar weken daarna haar jongere zusje ontmoette. Ze zat in een rolstoel en kon niet praten, had hele grote ogen en het scheefhangende lijf van een lappenpop dat steeds maar weer overeind geholpen of omgedraaid moest worden – de eerste kennismaking met Tamsin maakte in hem een beschamend clichématig gevoel van medelijden los. Het was Sophie die die reactie onmiddellijk wist om te buigen, toen en voor altijd, door een eindeloze stroom van zusterlijk geklets over haar uit te storten, inclusief plaagstootjes en liefdevolle zorg, zodat Tamsin zelf aandacht kreeg, en niet de beperkingen waar ze aan leed. Liefde in actie – anders kon je het niet omschrijven – en dat was zo mooi, zo inspirerend dat Andrew meteen zeker wist dat hij haar ten huwelijk zou gaan vragen.

'En er is niets genetisch aan zuurstofgebrek, hè?' zei Andrew die zich ineens pijnlijk bewust was van de heftige werking van alle alcohol die hij had geconsumeerd en van het hete beton dat door zijn schoenzolen brandde.

'Nee, Andrew, natuurlijk niet... Ik wilde alleen maar zeggen dat ik me herinnerde dat er iets mis was met die zus.'

'Tamsin... Ze heette Tamsin. Ze is tien jaar geleden overleden.' Andrew zweeg en merkte tot zijn ontzetting hoe hoog zijn tranen zaten, niet om zijn overleden schoonzusje, zoals zijn disgenoten – die elkaar nerveus aankeken – schenen te denken, maar om hoe Sophie toen was, in die eerste jaren. De Sophie die hij kwijt was geraakt.

'Andrew, het spijt me, wat vreselijk,' zei Ann, terwijl ze haar servet omsloeg en met haar vingers over de vlekken en lippenstiftvegen streek. 'En ik wilde ook helemaal niet... ik bedoel. Neem me niet kwalijk.' Ze wierp Geoff een smekende blik toe en stond op van tafel om naar het toilet te gaan.

Geoff reageerde door meteen op zoek te gaan naar een ober voor de rekening, waardoor hij Andrew de tijd gaf te herstellen. 'Ann wilde je niet overstuur maken, maar dat snap jij ook best,' zei hij terwijl hij even in Andrews schouder kneep toen hij terugkwam bij hun tafel. 'Wat jij nodig hebt is wat tijd voor jezelf, man. En wat er ook gebeurt, ik zal ervoor zorgen dat jij dat krijgt, oké?'

Andrew knikte heftig, nog te overstuur om te kunnen praten, niet alleen omdat zijn vriend zo aardig voor hem was, maar ook vanwege de schrikbarende ontdekking dat hij zijn zelfbeheersing zo snel kon verliezen. Hij haatte Sophie vanwege het effect dat ze op hem had. Hij had zelf ook wat zorgzaamheid nodig. Hij had ook tederheid nodig. Maar zij was tegenwoordig te veel met zichzelf bezig. Maar misschien was hij ook wel gewoon dronken, bedacht Andrew somber, en terwijl hij opstond verloor hij bijna zijn evenwicht dus hij nam hele kleine, voorzichtige pasjes achter Geoff aan, terug naar het zwembad.

Voor het eerst sinds Sophie hier was, was ze zich er bij het wakker worden van bewust dat de wazige lange gordijnen recht voor haar, en de extreme precisie waarmee die werden afgetekend tegen de vroege ochtendzon echt waren en dat het geen beeld was uit een vreemde droom. Ze was in Connecticut, en niet in Barnes. En ze was alleen. Terwijl deze laatste gedachte tot haar doordrong, rolde ze op haar rug en rekte ze haar armen en benen uit tot ze net een ster leek om dat heerlijke feit te vieren. Daarna deed ze haar ogen dicht en viel ze onmiddellijk weer in slaap.

De hitte maakte haar later weer wakker (in tegenstelling tot Andrew sliep zij liever zonder het gezoem van de airconditioning op de achtergrond). Ze had het lekkere soort schuldgevoel dat je hebt als je spijbelt. Ze was van Geoff en Ann verlost. Ze had haar poot stijf gehouden en was overeind gebleven ondanks de talloze smeekbedes en tegenwerpingen die de middag bleven komen. Redde ze het wel, met de treinreis? En kon ze wel zelf van het station naar Darien rijden? En kreeg ze zelf dat klemmende slot van de voordeur wel open? Vond ze het niet erg om alleen te zijn? Een paar keer had Sophie bijna toegegeven omdat ze inderdaad nerveus was over al die dingen, en dan vooral de rit naar het huis in die tank van een automaat. Alle wegen daar leken op elkaar, en er waren geen straatnaambordjes en als ze er al waren bungelden ze altijd ergens waar je ze niet verwachtte.

Maar nu ze al deze hobbels had weten te nemen, was Sophie bijna gelukkig. Ze leefde in een bubbel van tijd waarin niets ertoe deed, realiseerde ze zich toen ze de voordeur achter zich dicht had getrokken en er met een zucht tegenaan leunde. Niets. Nadat ze haar schoenen had uitgeschopt en zich had ontdaan van haar rok en blouse liep ze in haar beha en onderbroek door het huis, zwierend met haar armen. Ze zong zelfs voorzichtig – dat was ongehoord, aangezien zij een stem had die, vergeleken met de rest van haar getalenteerde gezin, bedroevend vals en zachtjes klonk.

Bij wijze van avondeten verkruimelde ze een paar chocolatechip cookies boven een halve bak vanille-ijs, schonk een glas witte wijn in en strekte zich uit op de bank voor de grote plasma-tv van de Stapletons. Ze had naar het filmkanaal gekeken – de helft van een film over een huis waar het spookte en toen nog een andere helft van een film over een carrièrevrouw die een baby kreeg. Ze had het ijs zo uit het pak gegeten, met een lange lepel, waarbij ze elke hap op haar tong had laten smelten voor ze hem doorslikte. Toen Andrew belde en in zijn telefoon gilde hoe fantastisch het appartement van de Hoopers was en dat het echt heel dom van haar was geweest om niet mee te gaan

– hij klonk dronken – voelde dat als zo'n enorme storing dat ze zich in moest houden om niet meteen weer op te hangen.

Nog nagenietend van de vorige avond nam Sophie een douche, kleedde zich aan en liep naar beneden. Nadat ze de in plastic verpakte editie van *The New York Times* van het gazon aan de voorkant van het huis had gehaald, ging ze aan de keukentafel zitten voor het ontbijt. Maar ze liet de kom veel te zoete tarwevlokken met kaneelsmaak al snel staan en maakte toast, die ze dun besmeerde met iets wat '*blueberry jelly*' heette, nadat ze tevergeefs had gezocht naar de marmelade. Wat bedoelde die Amerikanen daar eigenlijk mee: bosbessen, of bramen, of misschien wel zwarte bessen? Sophie bestudeerde het etiket op het potje en dacht aan Andrew: hij vond die taalverschillen interessant en was bezig om een lijst aan te leggen, waar ze helemaal knettergek van werd: *Jell-O* in plaats van *jelly*, *jelly* in plaats van *jam*, *pants* in plaats van *trousers*, *pantyhose* in plaats van *tights*, *sneakers* in plaats van *trainers*, *traffic circles* in plaats van *roundabouts*. Hij had de lijst opgedreund voor Ann en Geoff in het café van het MOMA, en gevraagd of zij nog meer verschillen wisten. Sophie had toen haar servet in reepjes gescheurd en kon aan niets anders denken dan het feit dat elkaar begrijpen weinig te maken had met een gedeelde woordenschat.

Ze had ontzettende trek vanwege haar povere avondmaal, en dus smeerde Sophie een dikke laag van de blauwe smurrie op een tweede stuk toast en ze stond op om door de tuindeuren naar buiten te kijken terwijl ze dat opat. Ze moesten de schakelaar voor de tuinsproeiers nog vinden (een raadselachtige omissie in de overvloedige lijst met instructies naast de telefoon) en het gras begon al een verdacht geel kleurtje te krijgen. Nog even en het was echt dood, dacht Sophie, en ze probeerde zichzelf aan te sporen er iets aan te gaan doen terwijl ze met half dichtgeknepen ogen door het raam gluurde. Op datzelfde moment bedacht ze dat ze weliswaar de kat als excuus had gebruikt om niet in New York te hoeven blijven, maar dat ze nog geen spoor van het beest had gezien.

Misschien mocht ze hen gewoon niet, overpeinsde ze, en ze probeerde dat niet als belediging te voelen. Ze deed de deuren open en riep de kat in de warme stilte van de tuin. De kat was in elk geval zeker niet gediend van Andrews wilde pogingen haar te kammen, een paar dagen geleden, en was blazend van verontwaardiging weggesprongen als hij ook maar even met de kam in de buurt kwam. Ze hadden geen ervaring met huisdieren, dat was de ellende. Ze hadden wel van die fases gehad waarin de meisjes smeekten om puppy's en pony's, maar ze hadden genoegen moeten nemen met de bezoekjes van de heerlijke rode kater van mevrouw Hemmel, totdat een auto zijn lieve lijfje met de tijgerstrepen vermorzelde tussen zijn wielen en de stoeprand.

Sophie haalde haar zonnebril en ging nu maar eens echt goed zoeken. Ze keek langs de oprit, en liep een paar honderd meter de weg af en verlegde toen haar zoekgebied van de voorkant van het huis naar de achtertuin. De hitte prikte in haar ogen en brandde in haar mond en keel, en haar pogingen om de kat te lokken met een soort gemiauw klonken steeds minder overtuigend. Maar ze likte langs haar lippen en zette door. Het beest bleek alleen nergens te vinden.

Achter een struik helemaal achter in de tuin stuitte ze op een schuurtje dat veel weg had van een speelhuisje. Griezelige, gigantisch grote spinnenwebben bungelden er als slordige breiwerkjes van het plafond. Binnen was het zo heet dat je er wel brood in had kunnen bakken, dus het was geen plek waar een levend wezen zich zou schuilhouden, laat staan een kat met zoveel haar als Dido, dacht Sophie en ze liep vlug de schuur weer uit. Toch deed ze er een belangrijke ontdekking, in de vorm van een kraan en een tank die achter datzelfde struikgewas stonden. Sophie draaide de kraan voorzichtig een halve slag en werd beloond met de aanblik van borrelende fonteintjes over het hele gazon. Het water sputterde en borrelde terwijl het op kracht kwam.

Ze keek gebiologeerd en opgelucht toe. Het gras zou niet doodgaan! En dat kon haar wel degelijk iets schelen, merkte ze toen ze tussen de waterstralen door sprong om haar zoektocht voort te zetten in het stuk bos dat het huis van het meer scheidde. De kat hield zich natuurlijk op tussen de koelte van de bomen. Misschien zelfs wel ín een boom – ja, dat leek haar wel logisch. Sophie keek omhoog en baande zich een weg door het kreupelhout, genietend van het verende gevoel van de laag dennennaalden onder haar teenslippers. Dit is fijn, dacht ze. Dit is leuk.

Maar toen hoorde ze een tak breken en draaide ze zich om als een dier in nood. Haar hart ging als een dolle tekeer. Er was niets te zien. Niemand. Alleen de eindeloze donkere bomentorens en het gegons van insecten en spelingen van het licht waar de zon door de bomen kwam. Sophies hart bleef luid bonzen terwijl ze steeds maar om zich heen keek en achter elk blaadje en elke krakende tak tuurde. Het zou wel een onschuldig scharrelend bosdier zijn, hield ze zich voor. Misschien was het zelfs de kat wel, dacht ze, om haar paniek het hoofd te bieden. Maar die paniek nam alleen maar toe. Het was een angst zoals ze die nog nooit had gevoeld en hij greep dwars door haar ribben naar haar hart, en het leek wel of ze werd overspoeld door alle angsten die ze ooit had gevoeld – een maniakale demon in een film toen ze nog klein was, Tamsins starre, vertrokken gezicht toen ze vocht voor adem maar geen lucht meer kreeg, haar baby die als een steen op de grond viel, de vacht van de rode kater die op het wegdek plakte. Het was alsof een horrorfilm versneld werd afgespeeld, en die film stopte pas op het moment dat ze die jongen weer zag, de insluiper die zich in de tuin had verschanst, met zijn modderige gympen waarvan de van vuil verstijfde veters achter hem aan sleepten.

Sophie had de gebeurtenissen van die middag al zo vaak opgerakeld, maar dit was anders, dit keer hakte het er dieper in. Ze kon de licht ranzige lucht van zijn huid ruiken, ze zag de zwarte spikkels in zijn lichtbruine ogen. Nare dingen overkomen je altijd als je er niet op voorbereid bent, dat was het verschrikkelijke. Ze overkwamen je juist als je je veilig waande. Ze was bezig geweest met het sorteren van de was en stond bij de overvolle linnenkast die zo onhandig was ingebouwd, in de draai van de trap. Ze wist pas dat er iets mis was toen Andrew haar naar beneden riep.

Tenminste, dat wist ze op dat moment nog niet, en ze kon toen ook nog niet aan zijn stem horen dat er iets mis was. Ze zei: 'Wacht even!' en legde eerst nog even de kussenslopen op de lakens en probeerde ze naast een pagode van kleren te persen zonder haar strijkkunsten te verpesten. Ze zei nog: 'Ik kom eraan,' en was toen naar beneden gelopen, de keuken in, waar de koude kraan liep maar waar niemand was. Toen Andrew hem had gevraagd wat hij in hun tuin uitspookte had de jongen om iets te drinken gevraagd, verklaarde Andrew later tegen haar en de politie. Hij had om wat water gevraagd. Dus had Andrew hem gezegd dat hij wel binnen mocht komen.

Toen Andrew haar naam nog eens riep, vond Sophie hem in de eetkamer. Andrew zat op een van de stoelen en de jongen stond achter hem. Toen ze binnenkwam, greep de jongen in zijn broekzak en trok er een klein mes uit, dat hij openklikte en op Andrews nek zette.

Sophie merkte dat ze naar achter was geschuifeld, tegen een boom aan. Die voelde solide, koel, betrouwbaar – een wachter die haar zou beschermen. Het leek haar de beste plek, gezien de omstandigheden, met de echo van de brekende tak nog in haar oren – en deze ongewilde, niet opgezochte flitsen uit het verleden bleven komen, met details die tot nu toe niet relevant hadden geleken. Zoals hoe jong en hoe klein – hoe kwetsbaar – hun indringer had geleken, hoe duidelijk hij eerder een kind was dan een man, en hoe tenger hij had geleken naast Andrews forse gestalte. Andrew die gehoorzaam plaats had genomen op de eetkamerstoel.

En dan was er nog het feit dat Andrew haar had geroepen – Sophie had daar nooit eerder bij stilgestaan, tenminste niet bij de timing van dat feit – en nu vond ze dat juist zo overweldigend, nu de scherpe randjes van de boombast in haar rug prikten. Had de jongen het mes ook al getrokken voordat Andrew haar riep? Of was het pas daarna gebeurd, toen ze de eetkamer binnenkwam? Hoe kon het nou dat ze dat niet zeker wist? Wat deed het ertoe?

Sophie groef met haar vingers door de mat van klimop rond de boom, en deed haar ogen dicht terwijl ze langs de angst heen probeerde te denken die haar nog steeds met golven overspoelde. Het deed ertoe omdat Andrew iets had kunnen doen voor dat mes werd getrokken. Het deed ertoe omdat Andrew de jongen binnen had gevraag, omdat hij die situatie had laten gebeuren en omdat hij haar er toen ook nog eens bij had geroepen.

'Pas op!'

De schreeuw, die op haar het effect had als van een geweerschot, bracht haar met een klap terug in het heden. Ze voelde een nagel scheuren terwijl ze de boom greep en zich omdraaide. Een schim kwam tussen de bomen door op haar af stormen... Sophie deed haar ogen stijf dicht en kreunde zachtjes.

'Mevrouw Chapman, Sophie... het spijt me dat ik me ermee bemoei, maar u moet daar meteen weg.'

Het was Carter, de buurman, in een donkere korte broek en een zwart T-shirt dat strak om zijn buik gespannen zat. Sophie knipperde dom met haar ogen, ze geneerde zich, maar ze was nog te geschrokken om in beweging te komen.

'Die klimop is giftig,' hijgde Carter en hij zette zijn handen op zijn knieën om op adem te komen. 'Het is hier vergeven van dat spul. Echt...' Hij stapte op haar af en zette een in een sandaal gestoken voet voorzichtig tussen het kreupelhout en bood haar zijn hand aan. 'Het spijt me dat ik je heb laten schrikken, maar je moet daar nu echt weg. Hoewel, ik vrees dat het al te laat is,' zei hij, en hij schudde zijn hoofd terwijl Sophie zich naar een lichter stukje bos liet voeren. 'Kijk, daar.' Hij wees naar het groen dat zich om de stam van haar boom had gewonden. 'In groepjes van drie, geen doorns, en die witte bloemen... ze leren je hier al heel jong om daarvoor op te passen. We moeten jou nu eerst afwassen... en snel ook.'

'Afwassen?' herhaalde Sophie. Het duizelde haar nog steeds.

'Ja, met zeep. Je moet je echt heel goed schrobben, even een duik in mijn zwembad is echt niet genoeg, hoewel je dat ook wel kunt gebruiken zo te zien.' Carter begon te grinniken maar bond in toen Sophie zonder een woord terug naar het huis begon te lopen, met wijdopen ogen. Alsof ze een geest had gezien, of te veel van een of ander illegaal goedje had geslikt, of misschien slikte ze wel wat op doktersvoorschrift, overpeinsde hij.

'Ik was op zoek naar de kat... naar Dido,'stamelde Sophie toen hij haar had ingehaald. Ze geneerde zich nu pas echt goed. Hij had een lichte tred in die sandalen, zag ze nu, ondanks die forse buik van hem. Hij leek wel zwanger in dat zwarte T-shirt. 'Ze is al een paar dagen zoek en ik maakte me zorgen. Die klimop, wat krijg ik daar van?' Ze stak haar armen uit voor een snelle inspectie en liet ze toen weer langs haar zij vallen.

Andrew had haar geroepen voor het mes werd getrokken. Dat was het geval. De jongen had het mes pas uit zijn zak gehaald toen Andrew haar had laten komen. Hij hield het ook heel ongemakkelijk vast, met weinig overtuiging, hoewel ze evengoed meteen deed wat hij van haar eiste – overal al het geld vandaan halen dat ze maar in huis hadden. Ze bad in stille dankbaarheid dat de meisjes nu veilig met hun instrumenten op weg waren naar een kerkgebouw in Sheen, waar ze zouden oefenen voor een benefietvoorstelling, die avond. Het 'Requiem' van Fauré. Voor een nieuwe torenspits. De kaartjes voor de voorstelling staken uit Andrews borstzak. Sophie herinnerde zich dat ook opeens weer, net als de schrik die haar bij die aanblik om het hart sloeg, alsof de meisjes er zelf waren, en niet alleen dit bewijs van het concert.

Ze is hier nu al een week en dat mens heeft nog steeds witte armen, zag Carter, hoewel niet zo wit als die van haar man. Ze waren natuurlijk zo bleek omdat ze Brits waren, wist hij, hoewel hij tijdens hun korte ontmoeting op de dag dat ze aankwamen wel had gezien dat deze tijdelijke buren überhaupt iets ontzettend mats hadden. Ze leken net zo'n verschoten boekomslag, of een schilderij dat door het daglicht was verbleekt. 'Die klimop, gifsumak heet het, is echt heel vervelend spul,' legde hij uit terwijl ze doorliepen, in de hoop dat ze wat minder ernstig zou gaan kijken. 'Er zit een goedje in, urushiol, dat giftig is, en onzichtbaar. En zeep is de enige manier om daarvan af te komen. Maar ik vrees dat je morgen toch uitslag op je handen en benen krijgt, en die jeukt als een dolle, en misschien krijg je er zelfs blaren van.'

'Blaren?'

'Ja, blaren, en die barsten open en dan komt er vocht uit.'

'Aha, nou, bedankt.' Ze waren aan de rand van de tuin en zagen een glimp van zijn huis door de bomen: witte muren met blauwe luiken, en twee keer zo groot als het huis van de Stapletons. Sophie kneep haar ogen half dicht en zag ook nog een wit houten hek en iets wat leek op de omheining rond een zwembad.

'Je moet echt opschieten. En je kleren moeten ook in de was – het minste spoortje urushiol geeft al een hoop ellende. Sommige mensen beweren dat menselijke urine de beste remedie is, maar die ervaring heb ik zelf niet.' Hij probeerde een grijns, die werd beloond met een glimlach – de eerste die hij van haar kreeg. Ze moet ooit een mooie meid zijn geweest, zag hij, echt heel mooi zelfs, en ze zag er nog steeds niet beroerd uit met dat dikke strokleurige haar dat zo te zien nog steeds zijn oorspronkelijke kleur had, en met dat lange, slanke figuur – iets te slank naar zijn smaak, hoewel Nancy en haar eindeloze diëten daar waarschijnlijk anders over dacht.

'Urine? Echt?' Ze glimlachte nog steeds. 'En jij hebt dat geprobeerd?'

'Als kind... jzeker. Als kind probeer je toch alles uit? Hé, kom lekker zwemmen als je klaar bent... samen met je man.'

'Andrew is er niet.'

'Nou, dan kom je toch alleen? Dat zou Nancy geweldig vinden. Je drinkt lekker een frisje of een kop thee, of wat jullie ook maar drinken rond dit tijdstip. En daarna kunnen we ook samen op zoek naar de prinses, als je wilt.'

'Dank je, maar...'

Carter zag hoe ze worstelde om tot een besluit te komen. Nancy was naar een auditie en de kat kwam nooit bij hen in de buurt. Daar zorgde hun oude hond Buz wel voor. Niet opzettelijk – hij was een slome, dove hond – maar puur met zijn aanwezigheid. Dus in feite leidde hij haar een beetje om de tuin, maar met de beste bedoelingen, vond Carter zelf, aangezien hij zelf wel zin had in een beetje gezelschap en deze vrouw eruitzag of ze wel wat vrolijkheid kon gebruiken. Tenzij hij haar uitdrukking achter de glazen van haar zonnebril verkeerd uitlegde en bomen knuffelen een hobby van haar was, en dat ze dat thuis ook altijd deed.

'Weet je wat het is, ik ben niet zo'n zwemmer, en mocht ik er zin in krijgen, dan kan ik altijd nog het meer in.'

'Het meer?' Carter snoof van verbijstering. 'Ja, dat zou kunnen, maar dat doet niemand. Het is nogal koud en heel erg modderig aan de oever, en het wordt eigenlijk alleen gebruikt voor bootjes en om over uit te kijken. En bovendien is het een heel eind lopen en het is ook nog gevaarlijk,' besloot hij triomfantelijk terwijl hij naar haar handen knikte. 'Voel je al wat?'

'Ik weet het niet.' Sophie bestudeerde haar vingers, die er door haar donkere brillenglazen sowieso roze uitzagen.

'Ach, wat sta ik ook te kletsen. Ga naar binnen en ga je wassen... met zeep dus, hè? Ze zeggen dat je het binnen een kwartier moet doen, en volgens mij zijn er nu al tien minuten voorbij. En dan kom je bij ons, goed? Kom maar gauw. Je hoeft niet via de voordeur... loop maar gewoon om het huis heen. En een handdoek hoef je niet mee te nemen, we hebben er genoeg,' voegde hij er nog aan toe, en hij liep vlug weg, voor ze iets kon tegenwerpen.

# 5

Beth tilde haar been op en probeerde heel voorzichtig haar voet rond te draaien. Het was nu vijf dagen later en de zwelling was nog maar de helft van zijn originele, verschrikkelijke watermeloenomvang, maar de kneuzing was vanochtend nog steeds een grote poel van blauw, omgeven door roze, rood en paars – en een klein beetje geel zag ze, terwijl ze haar enkel voorzichtig weer op het kussen neerlegde dat William zo lief voor haar had geregeld. Hij had haar ook een kop koffie gebracht en hield zijn met boter besmeurde mes voorzichtig opzij terwijl hij zich vooroverboog om haar een kus op haar voorhoofd te geven, voor hij zich weer naar de keuken haastte. Hij was een picknick aan het maken en was 's ochtends langs de supermarkt gegaan voor de voorbereiding. Hij had Alfie meegenomen en door hun slaapkamerdeuren naar de oudste twee geschreeuwd dat ze ontbeten moesten hebben en klaar moesten zijn voor vertrek als hij terugkwam. Dat waren ze natuurlijk niet, ook al had Beth, die naar de bank hobbelde, op hun deuren geslagen met haar krukken.

Na het winkeluitje had het hele huis bol van het lawaai gestaan – geschreeuw, stampende voeten, het stoeien dat altijd uit de hand liep. Beth zuchtte opgelucht toen de deur eindelijk dichtging, trillend in de stilte. Ze gingen voor de zoveelste keer naar het cricket, dit keer op een veld dat Lords heette, waar Harry vrolijk over opmerkte dat het niets te maken had met het parlement. Ze hadden iets, zij en Harry, sinds de nasleep van haar belachelijke ongeluk in het café. Beschaamd, omringd door goedbedoelende vreemden die haar spullen opraapten en haar bekertjes water aanboden, was Beth bijna in tranen uitgebarsten van opluchting toen ze haar stiefzoon zag komen aanlopen, de regen van zijn haren schuddend, met zo'n schattig angstige blik in zijn ogen na haar telefoontje. Hij rook naar sigaretten, maar zijn louche vriendin was nergens meer te bekennen. Harry had haar met moeite naar een taxi gesleept en vervolgens met verbazingwekkend veel geduld gewacht op het eindeloze gedoe van de röntgenfoto's en doktersoordelen op de Eerste Hulp van een nabijgelegen ziekenhuis. Het werd allemaal gratis uitgevoerd, wat Beth zeer verbaasde, maar waar Harry totaal niet van opkeek. Hij zei dat de NHS een waardeloos verzekeringssysteem was en dat de ziekenhuizen vol zaten met beestjes waar je alleen maar zieker van werd. Pas toen ze eindelijk op weg naar huis waren, toen ze haar zenuwen weer een beetje onder controle had (een week op krukken lopen, had de laatste dokter haar geadviseerd, wat inhield dat ze haar dure gele schoenen niet kon gebruiken maar op zijn minst wel hersteld zou zijn voor hun tripje naar het noorden), durfde ze tegen hem te zeggen dat ze hem had gezien op straat en hoe ongelukkig William zou zijn als hij zou horen dat zijn oudste zoon rookte.

Harry praatte tegen de regen die langs het taxiraam omlaagstroomde. 'Ja, nou ja, moet hij nodig zeggen, of niet soms?'

'Volwassenen weten het meestal beter, ook al kunnen ze het zelf niet altijd even goed naleven. Bovendien, hij probeert het echt heel hard, je vader, met die nicotinekauwgum.'

Harry haalde zijn neus op.

'Waar ik me meer zorgen over maak,' ze voerde de druk op, 'is dat ik je geld had gegeven voor schoenen.'

'Hier. Neem het maar terug.' Harry begon briefjes uit zijn broekzak te trekken – eentje van vijf en eentje van tien.

'Ik hoef het niet terug. Het was een cadeautje. Alleen... Kijk, Harry, ik vind bijna alles goed, behalve...' Beth wachtte, in de hoop dat hij weg zou kijken van het taxiraam. 'Behalve dat je me voor de gek houdt. Dus als je naar je vriendinnetje wilt, dan moet je dat gewoon zeggen. Ik had naar de Victoria en Albert Gallery kunnen gaan, of zoiets. Dan waren we allemaal tevreden geweest, toch? En misschien had ik mijn enkel dan niet verstuikt.'

'Pa wilde dat wij samen een dag op stap gingen, toch?' mompelde Harry, nog steeds pratend in de hand waarop hij zijn weggedraaide hoofd had gelegd. 'Dus hij zou kwaad zijn als ik iets anders was gaan doen. En nu wordt hij helemaal kwaad.'

'Dat hoeft niet,' zei Beth, waarna ze eindelijk zijn volledige aandacht had.

Ze voelde zich nog steeds een klein beetje trots over hoe ze het gesprek had aangepakt. Ze had de zeventienjarige behandeld als de jongvolwassene die hij was. Ze had hem zijn fout uitgelegd, maar vervolgens zijn vertrouwen gewonnen door de belofte om zijn kleine bedrog voor zich te houden. Bij thuiskomst had ze – luid en duidelijk – de lofttrompet over Harry afgestoken tegen William, die daarop zijn zoon prompt toestemming had gegeven om drie dagen achter elkaar uit te gaan, zonder een tijdstip waarop hij binnen moest zijn. Wat betekende dat de jongen eruitzag als een wandelend lijk en zijn middelste broer te jaloers was om nog met hem te willen praten. Maar goed, zoals Beth uit eigen ervaring wist: er zijn maar weinig dingen in een kinderleven echt perfect.

Het was een grijze dag – zoals gewoonlijk – maar het regende niet. Beth las haar krant en haar boek, een teleurstellend saai verhaal over een spitsvondige vrouwelijke detective, totdat de bank pijn begon te doen aan haar rug. Ze draaide zich op haar zij, zette de tv aan en probeerde de demonstratie van een magere kok met borstelig haar in zich op te slaan. Hij liet zien hoe je de perfecte kaassoufflé maakt. Ze kreeg er honger van en hinkte naar de keuken en at de croissant op terwijl ze zichzelf nog zo had beloofd die niet te zullen eten – ook al had William er speciaal voor haar strijd om geleverd met de jongens. Na de croissant volgde een heerlijke plak witte kaas met stukjes abrikoos erin. Engelse kaas, net als Engels brood, bleek een openbaring; en fruit was altijd goed, bedacht ze, net als melk, als je het maar in redelijke hoeveelheden nuttigde.

Ze brak een stuk kaas af dat in de verste verte niet voor een redelijke hoeveelheid door kon gaan en drukte dat in een zacht volkorenbroodje, waarna ze zich, ondersteund door haar krukken, een weg naar boven baande. Ze stopte af en toe om een hapje van haar snack te nemen en om met haar krukken in het wasgoed te prikken dat op de trap en de overloop verspreid lag. Ze verbaasde zich altijd weer over de slordigheid van Williams kinderen. Ze mocht hun rommel niet opruimen, had hij vaak genoeg naar haar gebruld – hard genoeg om de jongens schaamtevol aan het werk te zetten – maar de rommel verscheen vanzelf weer, binnen een paar minuten, leek het soms wel, en Beth, voor wie netheid gelijkstond aan geestelijke gezondheid, kostte het steeds meer moeite om er niet op te letten.

Ze had haar tripje naar boven gepland om afleiding te zoeken op haar laptop, die ingeplugd was naast de stapel boeken van Andrew Chapman. Maar Beth merkte dat ze als vanzelf eerst de badkamer in strompelde, op zoek naar de weegschaal. Ze zette de krukken tegen de muur, ging voorzichtig op de weegschaal staan om vervolgens met een schreeuw tegen de wc-pot te vallen. Drie kilo. O god, drie kilo erbij in tien dagen!

Ze gooide er wat krachttermen uit, greep haar krukken en stormde zowat naar de slaapkamer waar ze zich op het tapijt stortte en aan een serie oefeningen begon die ze had geleerd tijdens de bodysculptinglessen die ze in Stamford had gevolgd. Ze werkte als een bezetene. Ze negeerde de pijnscheuten in haar enkel en het vreemde, ontmoedigende gevoel dat ze als een legendarische koning bezig was om een tij te keren dat zich niet meer zou laten keren. Hoe had ze het ooit zo ver kunnen laten komen? Hoeveel duizenden sit-ups moest ze niet doen om van de calorieën af te komen die ze alleen al die ochtend naar binnen had gepropt, laat staan al die andere calorieën die nu weggestopt zaten in haar gehate vakantiekilo's?

'Ik durf te wedden dat jij dit niet hoeft te doen,' zuchtte ze, toen ze de lichtblauwe ogen van Sophie Chapman zag die haar aankeken vanuit een ovaal lijstje op de vensterbank. 'Jij met je Engelse schoonheid en je prachtige magere dochters en je mooie man en zijn "doodgewone" huis, rommelig maar zo mooi... alsof jullie er totaal geen moeite voor hoeven te doen...' Beth duwde de woorden naar buiten op het ritme van haar sit-ups. Ze merkte dat het hielp om de pijn van haar brandende spieren te doen vergeten. 'Nou, de meesten van ons moeten wel moeite doen,' siste ze tussen haar tanden door. 'De meesten van ons hebben dat altijd al moeten doen.' Nadat ze er met veel pijn en moeite nog tien uit had weten te persen, rolde ze op haar buik om bij te komen, haar ogen op dezelfde hoogte als de stoffige onderkant van het bed.

Ze nieste, waardoor ze het dode lichaam van een mot verstoorde. Toen Beth beter keek zag ze – vol walging – dat de staat van het tapijt onder het bed ongehoord smerig was. De verstoorde mot was slechts één lijkje in een massagraf van stoffige insecten, gevangen in het stof dat zich in het tapijt had verzameld. Tussen de beesten lagen andere aanstootgevende dingen – een kleine, grijze sok, een veter (althans, Beth hoopte maar dat het een veter was), een theelepel, groen van de schimmel, en een kleine, kartonnen doos, verstopt tegen de plint onder het bed. Beth greep naar de lepel en vervolgens, om de pijnlijke noodzaak van haar oefeningen uit te stellen, wrong ze zichzelf onder het bed om het doosje te pakken. Ze tilde zonder aarzelen het deksel op maar stopte toen, haar ogen wijd opengesperd. In de doos zat een bundeltje brieven, bijeengehouden door oud en uitgedroogd elastiek.

Beth likte haar lippen, zout en droog van haar oefeningen. Ze deed het deksel weer op de doos maar haalde hem er direct weer af. Dat wat 'beschaafde mensen zouden doen' was nu niet belangrijk. Zoals ze tegen Harry in de taxi had gezegd, zijn er manieren om je te gedragen die acceptabel zijn en manieren die niet acceptabel zijn. Ze deed het deksel voor de tweede keer op de doos en pakte haar laptop. Ze lag nog steeds op haar buik, deed de computer aan en haalde haar e-mails tevoorschijn. Er waren er maar vijf: drie spannende aanbiedingen van haar favoriete postorderbedrijven, een nieuwsbrief van haar New Yorkse kattenclub en een brief van haar moeder.

Dag schatje,
Heb je het naar je zin? Ben je al naar Buckingham Palace geweest? Ze zeggen dat je er tegenwoordig zomaar naar binnen kunt. Als mijn bloeddruk beter was geweest, had ik mezelf misschien ook wel uitgenodigd, maar ik denk dat ik het maar moet doen met de gelukkige herinnering aan mijn bezoekje aan Londen met Hal, jaren terug. Jij was toen op zomerkamp. We zagen toen de Royal Guards op hun paarden en hebben onze schoenen bijna versleten, zoveel hebben we gelopen.

Ik begrijp heel goed dat je niet kunt bellen, aangezien het niet jouw telefoon is en het zo duur is om over de grens te bellen. Maar ik zie nu al uit naar al je verhalen als je weer thuis bent.

Ik mail je even omdat ik wilde zeggen dat ik graag een hele week zou blijven met Thanksgiving dit jaar, van dinsdag tot dinsdag, als dat mag van jou en je lieve man. Ik word moe van de reis en mijn nieuwe therapeut zegt dat ik niet goed snik zou zijn als ik mezelf geen tijd geef om te wennen, aan beide kanten van de feestdag. Hij heet Larry en ik ben heel tevreden over hem, ook al is hij niet zo goedkoop, natuurlijk. Zoals gewoonlijk kan ik het dankzij Hal betalen.

Laat je me snel weten wat je vindt van dit idee, lieverd? De vluchten van Florida naar NY zitten altijd zo snel vol rond de feestdagen en ze zijn ook veel duurder, als je te lang wacht met boeken.

Mam

Beth typte een snel antwoord. Ze zei dat de vakantie ontzettend leuk was en dat die week rond Thanksgiving vast geen probleem was. De verwijzingen naar Hal negeerde ze, behalve de irritatie die ze voelde doordat ze hem überhaupt had genoemd. Haar antipathie voor haar oom, samen met haar moeders niet-aflatende financiële afhankelijkheid van de man, waren oude pijnpunten. Al jaren probeerde ze die te mijden, maar dat lukte niet altijd.

Haar ellebogen deden pijn. Beth rolde zich op haar rug en staarde naar de steeds donkerder wordende lucht door het slaapkamerraam. Het eerste geluksgevoel waarmee ze in Engeland was aangekomen was ernstig afgezwakt. Haar lichaam zwol op. Ze verveelde zich. En, wat nog het ergste van alles was, William leek geen tijd voor haar te hebben – nooit.

Alsof de duvel ermee speelde rinkelde ineens de slaapkamertelefoon en de stem van William bulderde door de hoorn. Hij vroeg of het goed met haar ging, maar op een gehaaste manier waardoor Beth het idee had dat het antwoord 'nee' niet gewenst was. Het regende hard en het licht was slecht, berichtte hij vanaf het cricketveld, maar ze zouden de wedstrijd uitzitten. Harry was een vriend tegengekomen en was hem gesmeerd, wat vervelend was, maar daardoor waren de twee jongsten wel makkelijker in de hand te houden.

Na het telefoontje leek het huis nog stiller. En koud. Beth trok een trui aan en – met de zucht van iemand die eindelijk toegaf aan het onvermijdelijke – greep onder het bed naar de doos met brieven. Ze draaide haar rug naar de vragende blik van Sophie Chapman en begon het elastiek langzaam los te trekken, waarbij het vrijwel direct tussen haar vingers uiteen sprong. Het gevoel dat ze niet meer terug kon werd er alleen maar sterker van. Haar handen trilden aangenaam terwijl ze de eerste envelop opendeed. Het was alsof ze in een van die negentiende-eeuwse drama's zat, die altijd op PBS werden uitgezonden. Welke geheimen lagen er nu in haar hand? Wat voor hilarische openbaringen?

*Mijn allerliefste Sophie,*
*Ik zou een symfonie moeten schrijven, geen brief – zo belangrijk zijn de dingen die ik je wil zeggen! Ik heb er zelfs over nagedacht om mijn vriend Geoff, die veel beter is met woorden, te vragen om namens mij iets op papier te zetten (net als in dat Franse verhaal waarin die lelijke vent met die grote neus zijn vriend zover krijgt om namens hem de vrouw te versieren... maar dat zou dan wel andersom zijn, toch, omdat de lelijke tenminste nog de woorden kan vinden en ik denk dat je mij wel mooi vindt... dat was tenminste wel de indruk die ik had na Winchester en als dat veranderd is, alsjeblieft, in godsnaam, zeg me dat dan meteen voor ik me nog meer ga aanstellen. Jezus, ik schrijf ONZIN en dat is allemaal JOUW schuld – vier weken, drie dagen en twee uur sinds we elkaar ontmoetten en ik lijk nu al gek te worden...).*
*Waar was ik gebleven? Ik wilde dus heel belangrijke dingen zeggen, maar dat kan ik duidelijk niet, tenminste niet in mijn huidige staat, dus laat ik in plaats daarvan zeggen dat ik NATUURLIJK naar je toe wil komen! Ja, ik wil je familie dolgraag ontmoeten en die data lijken mij perfect. Ik kom met de trein. Er komt er een om vijf minuten voor vijf aan. Zou je misschien naar het station kunnen komen, zodat we wat tijd met elkaar hebben – voordat (ik geef toe dat ik doodsbenauwd ben) ik je ouders ontmoet? Nog tips over hoe ik hen voor me moet winnen? Valkuilen waar ik niet in moet trappen? Schrijf me snel, want ik kan alle hulp gebruiken!*

*Liefs,*
*Andrew*

*PS Ik ben* ECHT *een symfonie aan het schrijven… ik had gezworen om het aan niemand te vertellen tot hij klaar was, maar aangezien jij de reden bent – mijn muze (het spijt me, maar het lijkt me niet meer dan eerlijk dat je van al dit vreselijks op de hoogte bent) – kon ik het niet laten.*

*PPS Bel natuurlijk als je dat liever doet; maar in deze vreselijke tijd waarin ik thuis moet wonen is er altijd het gevaar dat je door mijn moeder onderworpen wordt aan een spervuur van vragen, want ze weet dat ik* IEMAND *heb ontmoet en ze is verschrikkelijk nieuwsgierig. Ik weet zeker dat je leuke ouders hebt (ze moeten wel heel bijzonder zijn als ze iemand als jij hebben kunnen voortbrengen!) maar ik ben bang dat de mijne verschrikkelijk zijn – irritant, beschamend enzovoort. Tijdens mijn laatste concert klapten ze zelfs* TUSSEN *de actes – aah!*

Wat was het toch met die Engelsen, vroeg Beth zich af terwijl ze op het bed klom en zich in de kussens nestelde met de rest van de brieven. Al die charme en romantiek en die aandoenlijke ongemakkelijkheid – hoe kon het toch dat de *Pilgrim Fathers* dat allemaal kwijtgeraakt waren tijdens de overtocht? Ze las elke brief langzaam door, haar hart klopte zoals ook Sophie Chapmans hart moest hebben geklopt aan het eind van die zomer, twintig jaar geleden. Ze waren allemaal van Andrew, de een nog openhartiger dan de ander, en steeds een beetje intiemer. Hij had haar ontmoet en verlangde er toen naar om haar nog eens te ontmoeten, en nog een keer en nog een keer. Tussen de passie in zaten de prikkelende verwijzingen naar hun levens – de zieke jonge zus, Tamsin, een hond genaamd Boodle, een huis in Cornwall, een gestolen fiets, eindeloze repetities en concerten. De enige constante bestond uit de uitingen van zijn liefde, die bloeide op een manier die suggereerde dat hij er totaal aan onderworpen was.

'Ik was een beetje depressief vandaag,' gaf Beth later die avond toe. Ze wilde William spreken voor hij in slaap viel, en merkte aan zijn gezucht en de manier waarop hij de kussens opschudde dat hij niets liever wilde dan gaan slapen.

Hij rolde naar haar toe en veegde een haarlok uit haar gezicht. Hij had een rode band om zijn voorhoofd, waar zijn hoedje dat hij op had gehad bij het cricket kijken zich in zijn huid had gedrongen. 'Echt? Vanwege je enkel?'

'Yep, dat denk ik, en... eerlijk gezegd voelde ik me een beetje eenzaam.'

'O, lieverd, het spijt me. Ik vond het verschrikkelijk om je achter te moeten laten, maar lastminutetickets voor cricketwedstrijden zijn bijna niet te krijgen en toen ik ze kocht hadden we toch al afgesproken dat jij niet mee zou gaan...'

'Ik weet het.'

'Je had het verschrikkelijk gevonden.'

'Dat weet ik ook.' Beth drukte haar voorhoofd tegen zijn borst.

'Hé, je hebt echt een slechte dag gehad, hè?'

'Het duurde gewoon zo lang.' Beth slikte tot de dreiging van tranen was verdwenen. 'Ik had alleen een e-mail van mijn moeder om me mee te vermaken, ze wilde iets weten over Thanksgiving. Eerlijk waar: Thanksgiving! Volgens mij is het toch echt pas half augustus... en ik denk dat ik toch wel een beetje mijn eigen huis mis.'

'Ik ook.'

'Ik weet niet of ik echt heimwee heb, maar ik ben gewoon een beetje gefrustreerd.' Beth pakte een tissue uit de doos op het nachtkastje en depte haar neus.

William trok haar nog steviger tegen zich aan. 'Mijn arme schatje, die enkel was ook wel een heel erge tegenvaller. Maar vanaf nu wordt alles beter, dat beloof ik. Morgen hebben we een feestlunch, om mee te beginnen.'

'Feest?'

'Harry's eindexamen. Ik heb gereserveerd bij een Thai in Richmond die Susan erg goed vindt.'

'Susan?'

'Zij komt natuurlijk niet, maar ze kent de plaatselijke eetgelegenheden wel. En dan hebben we het lange weekend in het noorden om naar uit te kijken. Ik heb besloten om te gaan rijden in plaats van met de trein, vanwege je voet. En als we daar zijn nemen mijn ouders de jongens wel over. Je zult het wel zien, het wordt geweldig, heel veel tijd voor onszelf.' William wurmde zich los met een kus en knipte het lampje op zijn nachtkastje uit.

Beth wachtte even en vocht tegen de wetenschap dat hij wilde gaan slapen, dat hij nu wel klaar was met haar geruststellen. 'William, ik vind het geweldig dat je tijd met je kinderen wilt doorbrengen. Ik vind je zo lief met je kinderen. Dat hele gezinsgedoe, het is zo... overweldigend... maar ik voel me soms ook buitengesloten.'

'Doe niet zo raar.' Hij zocht onder de dekens naar haar arm en kneep erin.

Beth lag stil, haar handen rustten op de nieuwe, gehate bolling van haar buik. Na een paar minuten fluisterde ze: 'William, wil je eens een brief voor mij schrijven... je weet wel, zo'n echte, ouderwetse liefdesbrief?'

Maar hij lag al te slapen, en zij moest onthouden dat ze een doosje elastiekjes moest kopen. Beth was zich bewust van de stijfheid in haar overwerkte buikspieren toen ze zich op haar zij draaide. Terwijl ze haar ogen sloot gleed een vleugje jaloezie over Sophie Chapman in haar hart, waar het zich comfortabel nestelde, als een onzichtbare splinter. Zelfvoldaan en tevreden, ongetwijfeld, met haar romantische Engelse man en haar mooie kinderen en dit slimme huizenruilplan – de met hondenpoep en piepschuim bezaaide Londense straten verruilend voor de schone, groene omgeving van haar eigen mooie Darien...

Beth dwong zich snel om haar gedachten te stoppen. Ze liet een zucht van ongeloof in het donker ontsnappen. Wat was er toch aan de hand met haar? Ze had haar eigen prachtige Engelsman, en een leven dat, met uitzondering van de huidige, kleine ongemakjes, perfect was, zolang ze er maar stevige grip op hield... en ervoor zorgde dat de oude kwalen niet naar boven kwamen.

Sophie keek naar haar benen die naast die van Carter langzaam heen en weer bungelden in het zwembad. Ze giechelde. Ze leken zo vreemd gevormd door het prisma van het water en zo wit in vergelijking tot die van hem. In feite was ze na tien dagen zonnebaden bruiner dan ze in jaren was geweest. Ze had zo'n duidelijke lijn van haar badpak op haar lichaam dat als ze in de spiegel in de Stapletons slaapkamer keek, het net leek of een hybride wezen haar aankeek met twee verschillende stukken huid – een gerimpeld en oud, de ander glanzend en nieuw.

'Wanneer komt hij deze keer terug?'

Sophie vouwde haar handen samen en strekte haar armen uit, over haar zonnebril heen starend naar de Amerikaan. 'Laat.' Ze deed haar armen omlaag, leunde achterover tot haar bovenlichaam plat op de grond lag. Ze liet de hitte van het steen haar natte huid verbranden. De joint die ze hadden gedeeld begon uit te werken, hoewel ze nog steeds het heerlijke gevoel van gewichtloosheid in haar armen en benen had en een muffige smaak in haar mond – een beetje zurig, maar niet onaangenaam.

Carter ging naast haar liggen. Hij draaide zich om en liet zijn gewicht op een elleboog rusten. 'Weer golf?'

Sophie schudde haar hoofd, zodat de waterdruppels in zijn gezicht spatten. 'Nee. Muziek... dankzij die verschrikkelijke Ann en haar brave liefdadigheidsconcert. De dirigent blijkt zich permanent teruggetrokken te hebben, dus heeft Andrew – belachelijk, als je het mij vraagt, hij is immers op vakantie – toegezegd om in te springen. De laatste paar sessies waren met het koor. Vandaag is de eerste repetitie met het orkest... de eerste van vele, zonder twijfel. Zo gaat het altijd met Andrew, het is alles of niets. Het concert zelf is op de laatste dag van onze vakantie, natuurlijk moeten de meisjes en ik ernaartoe. Händels "Messiah", een vreemde keus moet je toegeven, aangezien we goddank nog maanden van kerst verwijderd zijn...'

Carter kwam overeind, hij trok zijn benen uit het zwembad. 'Ik vind Händel mooi, zeker de "Messiah".' Hij ging staan en bood zijn arm aan Sophie aan zodat ze zijn voorbeeld kon volgen. 'Die man kon schrijven.'

Sophie lachte terwijl hij haar overeind hielp. 'Dat weet ik – natuurlijk. Sterker nog, van al die miljoenen concerten die ik over de afgelopen jaren heb bezocht is de "Messiah" waarschijnlijk mijn favoriet. Maar die vrouw' – ze trok een gezicht – 'steekt haar neus in andermans zaken en ze zet Andrew gewoon aan het werk.'

Carter ging achter zijn bar staan en haalde een kan ijsthee tevoorschijn. Hij schudde de ijsklontjes heen en weer in de kan. 'Nog thee?'

Sophie zong: 'Thee, dominee?' en lachte weer omdat de zin Carter vertwijfeld achterliet. Hij was goed in vertwijfeling, vond ze, terwijl ze zich weer op de ligstoel neervlijde met het glas dat hij haar had gegeven.

Hij kon eruitzien als een aandoenlijke beer, met zijn brede, prettige gezicht en zijn zware lichaam, de armen op een klein afstandje van zijn zij hangend, alsof de breedte van zijn borstkas ze ervan weerhield contact te maken met zijn heupen. Maar Sophie zag ook telkens hoe gracieus hij was. Een gracieusheid die sprak van het honkbal tijdens zijn studententijd waar hij haar over verteld had en dat nog steeds zichtbaar was in de strakke duiken die hij af en toe maakte vanaf de korte duikplank die boven het diepe stuk van het zwembad hing. Zijn armen en benen gestrekt, heel even stil hangend in de lucht voor hij zich een soepele, bijna plonsloze weg door het water baande.

Toen ze het voor het eerst zag, op die middag dat hij haar van de vergiftiging had gered en haar had overgehaald om te zwemmen, was Sophie in een spontaan applaus uitgebarsten, waarna Carter had gegrijnsd als een trotse schooljongen. Hij had zijn grijns verborgen in zijn handdoek. Kort daarop had hij de eerste kan ijsthee tevoorschijn gehaald, samen met een bak klonterig smeersel (havermout bleek het voornaamste ingrediënt), waar hij vastberaden zelf de aangetaste gebieden mee inwreef. Toen hij bij haar enkels kwam, viel hij op zijn knieën.

Sophie had deze aandacht met ongeïnteresseerde afstandelijkheid gadegeslagen. Dat zijn vrouw er niet was, klopte niet, wist ze. Een last-minute auditie, was Carters verklaring, de hond was mee – zoals klaarblijkelijk vaker gebeurde – uit bijgeloof. En toch, met de schok van haar trauma tussen de bomen nog vers in haar geheugen, of Nancy – of de hond, trouwens – echt bestond leek niet van belang. Het was alsof de wereld was gekanteld, waardoor haar toch al ongelukkige gevoel voor de balans helemaal uit het lood was geslagen.

'Het had veel erger kunnen zijn,' had Carter gezegd, terwijl hij voorzichtig de crème uit de bak haalde en over de uitslag smeerde. 'Je zult wel een natuurlijke afweer hebben, of zoiets.'

Sophie had toegekeken, als een makke patiënt, dankbaar voor de zorg, bijna in tranen. Ze voelde zich zo breekbaar en hij leek het te weten. Maar er volgde nog meer vriendelijkheid in de vorm van een badjas en een uitnodiging om aan de hitte te ontsnappen in een vrieskoude, hypermoderne bioscoopzaal die naast het zwembadhuis was gebouwd.

'Ik ben scriptschrijver... althans, dat wás ik,' legde hij uit, terwijl hij *Casablanca* uit de kast pakte toen zij zelf geen film durfde uit te kiezen. Van de grond tot het plafond was de kast gevuld met dvd's. Ze kroop op de bank om de film te kijken. Ze stopte zoveel mogelijk van haar benen weg onder haar badjas, blij dat hij een eigen stoel had om in te kijken: een diepe, versleten leren fauteuil die duidelijk al vele uren – jaren – in gebruik was. De eerste joint werd niet veel later met een kameraadschappelijke knipoog tevoorschijn gehaald uit een mooie oosterse doos die op een tafel tussen de stoelen stond. 'Als je het niet erg vindt.'

Sophie zei dat ze het helemaal niet erg vond en nam zelf ook een paar trekjes, zich bewust van haar amateuristische pogingen om de ontspannende werking van de drugs te inhaleren. De verschrikkingen tussen de bomen, de wonderbaarlijke vlaag van woede en begrip die daarop volgde begonnen meteen – aangenaam – aan hun terugtocht. Veel belangrijker waren de denkbeeldige momenten die zich op het grote scherm voor haar afspeelden: ze keek gebiologeerd toe, van de eerste '*Play it again, Sam,*' tot Ricks beslissing om zijn eigen geluk op te offeren voor het grotere goed. En tijdens de film klonken er vele interessante opmerkingen van Carter, over hoe sommige zinnen waren weggeknipt of juist toegevoegd, waarom een karakter links of rechts stond, hoe elke kleine scène een beat genoemd werd, actie die reactie teweegbrengt en dat soort zaken. 'Als parels aan een ketting,' had hij gemompeld, terwijl de aftiteling voorbijkwam. Plechtig voegde hij eraan toe: 'Deze film bewijst maar weer dat liefde kan bestaan zonder de aanwezigheid van de andere persoon.'

'Dus je bent een gepensioneerde scriptschrijver?' had Sophie vriendelijk gevraagd, dromerig van de drugs. De jeukende stukken huid waren al bijna vergeten.

Carter keek haar ernstig aan vanonder zijn grijze wenkbrauwen. 'Daar geef ik alleen antwoord op als jij me vertelt waarom je die boom stond te knuffelen alsof je leven ervan afhing.'

'Een paniekaanval,' zei Sophie direct. Ze realiseerde zich dat ze, hoewel Carter zelf constant in en uit focus leek te bewegen, dankzij de drugs naar een niveau van wonderbaarlijke en glorieuze openbaring was gestegen. 'Moeilijke dingen... het viel op zijn plek... ja, dat was het, het viel op zijn plek.'

'Wauw... dat klink heftig.' Toen hij *Casablanca* op zijn rechtmatige plek had teruggezet, ging Carter op de leuning van zijn stoel zitten, met zijn gezicht naar haar toe. 'Mag ik vragen wat die "moeilijke dingen" precies zijn?'

Sophie aarzelde, ze speelde met het koord van haar badjas en voelde zich verscheurd tussen de drang om te praten en het vage besef dat het inderdaad verkeerd zou zijn om dat te doen, net als de vriendelijkheid van deze man en de heerlijke koelte van de bioscoop verkeerd waren. Maar toen ze eenmaal begon was het onmogelijk om te stoppen. Ze had hem alles verteld – veel in de verkeerde volgorde – over Tamsin, over hoe ze gelukkig was en toen ineens niet meer, over de indringer en de maanden waarin ze onder een soort onzichtbare donkere wolk leefde. 'Er was niets met ons aan de hand, er was niets kapot, maar toch leek het daarna nooit meer echt hetzelfde. Het is alsof ik die dag iets verloren ben, mijn zelfverzekerdheid... íéts. Maar het ergste van alles – wat ik me net realiseerde voor het "bomen knuffelen", zoals jij het noemt – was dat ik al die tijd de schuld bij Andrew neerlegde dat hij die verschrikkelijke jongen ons huis binnenliet, ons leven, alsof hij iets had kunnen doen om het te voorkomen, wat natuurlijk niet zo is. En hij voelt het, arme Andrew, ik weet dat hij het voelt. Er is een afstand tussen ons ontstaan, snap je,' had ze met een zachte stem toegegeven. 'Dat is een deel van wat er is veranderd, waarom we hier naartoe zijn gekomen... de huizenruil. Om dingen uit te zoeken.' Ze had gelachen, nerveus, toen haar verstand en haar nuchterheid langzaam weer terugkwamen, waardoor de kamer en haar roekeloosheid ineens scherp afstaken. 'Ik moet echt gaan... ik had hier niet moeten komen...'

'Nou, ik ben blij dat je wel gekomen bent.'

De oprechtheid van zijn opmerking, zijn stille intensiteit, klonk als een alarmbel. Rood aangelopen stond Sophie haastig op van de bank, waarbij ze de panden van haar badjas angstig om zich heen gevouwen hield. 'Nou, dat is mooi, natuurlijk, en dank je, Carter... dat je naar me geluisterd hebt en zo, maar nu moet ik echt weer terug naar...'

'Hé, je hoeft niet weg te rennen.' Carter tilde zijn armen op, op een manier waarmee je aantoont dat je ongewapend bent. 'Die lotion is mooi ingetrokken... je kunt eerst nog wel een paar baantjes trekken.'

'Dank je, maar ik denk het niet. En dank je dat je zo aardig bent. Het zwemmen, dat havermoutspul... je bent echt geweldig,' mompelde Sophie, vechtend met de deurklink en een plotselinge, absurde angst dat hij misschien gesloten was.

'Genoeg bedankt,' zei Carter droog, terwijl hij achter haar langs ging om de klink omlaag te doen, die zij in de verkeerde richting had bewogen. 'Alleen mensen die niet met elkaar bevriend zijn bedanken elkaar eindeloos.'

'Zijn wij dan vrienden?' Sophie had zich omgedraaid en tuurde naar hem terwijl ze de oogpijn veroorzakende helderheid van het zonlicht in stapte.

'Tuurlijk... dat hoop ik tenminste. En Nancy en Andrew... ik wil graag dat we vrienden worden. Volgende keer moet je hem ook uitnodigen, goed?'

Sophie vluchtte door het kleine poortje in het hek dat rondom het zwembad stond, het bos in. Ze negeerde Carters roep over vergeten beloftes om te helpen zoeken naar de kat.

Het leek ongelooflijk, dacht Sophie nu, glimlachend om zichzelf terwijl ze de ijsklontjes over de bodem van haar glas liet dansen, dat dit drama van hun eerste ontmoeting pas anderhalve week geleden was... haar vlucht, alsof ze een of andere gestoorde vrouw was die gezocht werd voor een afschuwelijke misdaad. Ze wachtte die avond in spanning tot Andrew terug zou keren, en wist zeker dat hij een verschrikkelijke verandering in haar zou opmerken. Een joint roken maar liefst (zelfs als tiener was ze nooit in drugs geïnteresseerd geweest), om nog te zwijgen van de privévertoning in de bioscoop, het uit de hand gelopen, niet zo loyale gesprek... hij zou het vast allemaal zien, op een of andere manier, in de schuldige blik in haar ogen.

Maar Andrew kwam terug van zijn tweedaagse golftrip in een compleet onverwachte stemming. Hij was nederig, schaapachtig, bijna alsof hij boete deed. Hij sprak flauwtjes over wat duidelijk een geweldige tijd met Geoff en Ann was geweest, luisterde aandachtig naar Sophies ietwat aangepaste verslag van de gebeurtenissen van die dag, stelde allerlei voor hem onkarakteristieke, gedetailleerde en beleefde vragen. Toen ze hem de uitslag op haar handen en benen liet zien, en de tijdige interventie van de buurman beschreef, zei hij alleen maar dat ze zo'n geluk had gehad dat Carter in de buurt was geweest en complimenteerde hij haar dat ze uiteindelijk op het aanbod van de man was ingegaan en een duik in zijn zwembad had genomen.

Terwijl Sophie het eten had gekookt was hij aan de piano van de Stapletons gaan zitten voor zijn inmiddels gebruikelijke avondsessie, galopperend door een aantal bekende favorieten voor hij zich aan het meer experimentele werk waagde dat ze in geen jaren had gehoord. Hij probeerde verschillende akkoorden en modulaties uit.

Ze hadden voor de televisie gegeten, waarbij ze verbazingwekkend makkelijke, vriendschappelijke opmerkingen met elkaar wisselden – over sms'jes van de meisjes, de triomf van de watersproeiers, de zorgwekkende afwezigheid van de kat – voordat ze naar bed gingen, waar Andrew voor een keer de eerste was die in slaap viel, zonder zijn gebruikelijke stille teleurstelling vanwege haar gebrek aan interesse in seks. Zijn mond hing open, zijn bril hing op zijn neus, zijn boek rustte op zijn borst.

Sophie was zich bewust van een schaduw die over haar lichaam viel en opende haar ogen. Carter stond naast haar ligbed. Ze hadden zoveel uren samen doorgebracht dat het in haar hoofd leek alsof de tijd samengesmolten was: een dikke, wazige laag zonlicht en geklets, thee en stilte, allemaal even geneeskrachtig als onverwacht. Tussen zijn licht gebogen benen zag ze de harige neus van Buz, de hond, die zijn hangende, oude lichaam naar de schaduw had gesleept die de buitentafel bood.

'Hij haat het als ze er niet is,' zei Carter, als referentie aan het huisdier en de voortdurende afwezigheid van Nancy, wier auditie niet alleen waarheid leek, maar ook nog had geresulteerd in een gastoptreden in een soapserie, wat haar een nieuw, druk schema had opgeleverd. Hij spoot flink wat zonnebrandcrème in beide handen en hield ze met een vragend knikje van zijn hoofd uitgestoken naar haar op.

'Ja, graag.' Sophie draaide zich om en trok de bandjes van haar bikini los van haar schouders.

Carter leunde voorover om wat een van zijn favoriete taakjes was geworden uit te voeren. Hij was blij dat ze de extra, weinig flatterende rollen in zijn buik die door zijn houding ontstonden niet kon zien. 'Gaat het nog steeds goed met die man van je?' Hij verspreidde de crème langzaam en streek het met gelijke beweging over haar schouderbladen.

'O ja,' verzuchtte Sophie, haar stem vol van het geluk en de verbijstering die dit feit haar gaf, terwijl haar lichaam zich ontspande onder het inmiddels bekende genot van Carters grote, kameraadschappelijke handen die over haar warme huid gleden. 'Het is zo vreemd... er is niets uitgesproken, maar het voelt gewoon alsof we niet meer hoeven te doen alsof. We doen allebei ons eigen ding... en dan ontmoeten we elkaar 's avonds als halve vreemden en zo lukt het best om vriendelijk tegen elkaar zijn. Andrew kan niet geloven hoe gelukkig ik ben als ik alleen ben terwijl hij de hort op gaat met Geoff en Ann. Na ieder uitje– golf, muziek, wat dan ook – komt hij met een schuldige uitdrukking op zijn gezicht het huis binnen wandelen, als de meisjes toen ze nog klein waren en iets leuks maar stouts hadden gedaan en ze wisten dat ze straf zouden krijgen. Maar hij kan ook zien hoe ik ineens veel meer ontspannen ben en hij denkt dat het de tijd alleen is die het hem doet... dat ik boeken lees en af en toe hierheen kom om een baantje te trekken.'

'Nou, dat is toch ook zo?' mompelde Carter.

'Hm, niet helemaal... of, nou ja, er zitten wat gaten in die waarheid, of niet soms? Zoals de reden waarom ik meer ontspannen ben eigenlijk is dat die paniekaanval me eindelijk heeft laten inzien dat ik zo verschrikkelijk boos op hem was...' Sophie wachtte, verbaasd over hoe gemakkelijk dingen konden zijn als je ze maar durfde uit te spreken. 'O, ja, en het kleine detail dat ik mijn hart heb gelucht bij een totale vreemde, die ik vervolgens toestond om me te drogeren...'

'Hé, laten we niet overdrijven hè,' protesteerde Carter, lachend. 'Drie jointjes in twee weken kun je amper drogeren noemen... althans, naar mijn mening niet. Het punt is dat je een vriend nodig had en dat ik toevallig in de buurt was om die vacature op te vullen.' Carter probeerde de schorheid uit zijn stem te weren, maar faalde in zijn poging. Haar rug was zo lang en slank. Bij het inwrijven van de crème kon hij de ruimtes tussen haar ribben voelen; en haar genot bij zijn aanraking, dat voelde hij ook. God, dat was hij bijna vergeten... het eenvoudige genot van huid op huid. Nancy werkte aan hun seksleven zoals ze aan alles in het leven werkte: bespreken, onderhandelen, analyseren, net zo gericht op onderhoud en verbetering als ze met haar eigen lichaam was: de operaties, de regelmatige injecties in haar gezicht, ze deed het allemaal. En als actrice van in de vijftig, kon Carter het haar niet kwalijk nemen. Het was een van moeilijkste beroepen voor een oudere vrouw en hij bewonderde haar vechtlust. Maar er zat geen erotiek meer in, geen kwetsbaarheid, geen behoefte...

'Dank je, ik denk dat het zo wel goed is.'

'Tuurlijk.' Carter trok zich snel terug naar zijn eigen ligbed. De afspraak was vriendschap, bracht hij zich in herinnering; vertrouwelingen die blij waren met elkaar en die elkaar vertrouwden en hun beste en slechtste gedachten met elkaar deelden. Hij had het idee zelf aan haar verkocht, tijdens het charmeoffensief om haar over te halen nog een tweede keer langs te komen: een ontmoeting bij de voordeur waarvan zij had gedacht dat het toevalligerwijs samenviel met de afwezigheid van haar man, terwijl het eigenlijk de waardevolle opbrengst was van twee uur nauwlettend surveilleren, zoekend en speurend met zijn verrekijker tussen de smalle bomen aan het einde van zijn oprijlaan. En ze was erin getrapt als een goedgelovig kind, en vertelde hem meer details, niet alleen over de recente hoogte- en dieptepunten van haar huwelijk maar ook over haar jeugd en haar aan een rolstoel gekluisterde zus van wie ze zoveel had gehouden.

Tot dusver had Carter zijn best gedaan om er zelf echt in te geloven. Hij liet Sophie zijn huis zien, vertelde haar alle verhalen achter zijn spullen, van de meest suffe spullen tot aan de ingelijste Oscarnominatie die naast zijn bureau hing. Op een middag had hij haar elke centimeter van de enorme tuin en zijn omgeving laten zien. Vol trots had hij de oranjegouden Helenium benoemd, de regenboogkleurige Echinacea-borders, de Suzanne met de mooie ogen langs de stoffige randen van de roze hortensia's en de elektrisch paarsblauwe Caryopteris. Verlegen bewaarde hij zijn favorieten – de Casablanca-lelies, zijn trotse schildwachten tot het laatst, in de hoop dat zij dezelfde onweerstaanbare verbanden zou leggen die hem door het hoofd schoten; dat zij ook zou voelen dat de schoonheid die zij nu samen deelden ver voorbij het plantenrijk strekte. Hij had hardop alleen maar toegegeven dat de tuinman het zware werk deed, maar dat de keuzes en het ontwerp van hem afkomstig waren. Sophie was zo vol bewondering, zo aandachtig dat hij zich er niet toe kon zetten om de treurige waarheid te melden, dat hij zijn groene vingers pas had ontdekt toen het stof zich op zijn computer begon te verzamelen, de gapende leegte waar eens een stortvloed aan woorden uit kwam. Als hij de tuin niet had om in bezig te zijn zou hij gek geworden zijn.

'Nog steeds geen teken van de prinses?' begon hij nu, met gesloten ogen om zo te voorkomen dat hij al te gretig zou staren. In plaats daarvan schoot het beeld van haar bijna naakte lichaam over zijn netvlies, als een brandmerk zo scherp. Ze had een boek meegenomen en hij was er nu al jaloers op.

Sophie hield haar boek omlaag met een kreun. 'Helemaal niks. Behalve dan dat ik telkens eten buitenzet wat elke ochtend weer verdwenen is...'

'Raar mens... dat zullen wel de wasberen zijn, of de stinkdieren, of de coyotes...'

'Coyotes?'

'Beth en William... je moet het hun vertellen.'

'Dat weet ik. Ik blijf het maar uitstellen. Ik wil gewoon hun vakantie niet verpesten. Ik laat Andrew wel even met hen bellen, vanavond.'

'Lafbek.'

'Vind je?'

'Natuurlijk. Een hele mooie lafbek, dat wel.' Carter grijnsde en pronkte met zijn tanden die hem zo jong lieten lijken. 'Dat is mijn favoriete bikini, trouwens... hoog op de heupen. Je ziet er geweldig uit, ook al zien die witte stukken van je andere bikini er zo een beetje raar uit.'

Sophie gooide haar handdoek naar zijn hoofd, rende naar het zwembad en dook erin. Toen ze bovenkwam zwom hij naast haar, zijn gezicht dicht bij het hare, zijn wimpers nat. 'Wat?' hijgde hij, haar aankijkend.

'Ik vroeg me gewoon af. Jij en Nancy... konden jullie geen kinderen krijgen, of...'

'We zijn hier naartoe verhuisd om een gezin te starten. Maar toen begon Nancy's carrière te lopen en was het ineens te laat.' Carter dook onder water, niet om de pijnlijke emoties van misgelopen vaderschap te verbergen, zoals Sophie dacht, maar om de verleiding te weerstaan om zijn mond op de hare te drukken. Donker door het water zagen haar lippen eruit om in te bijten.

# 6

Andrew bestudeerde de rijen zangers en musici terwijl hij stond te dirigeren. Met enige wanhoop moest hij constateren dat de meesten al oud waren. Hij hoopte dat ze te intens zouden opgaan in de uitdaging om zijn baton bij te houden om te merken dat ze begluurd werden. Het koor, waarvan al duidelijk was dat het te weinig tenoren had, was zeer ervaren. De meeste zangers hadden het stuk al eerder opgevoerd. Ann, in de voorste rij alten, werkte zoals gebruikelijk hard en uiterst professioneel, haar mond wijdopen, haar ogen constant gefocust op hem of haar bladmuziek. Het orkest was eveneens ontegenzeggelijk deskundig, ze misten amper een noot. Maar toch, zoals zo vaak gebeurde tijdens een eerste gecombineerde repetitie van instrumentaal en vocaal, voelde de samenhang oppervlakkig aan, terwijl het tempo – zelfs tijdens de snelle gedeeltes – jammerlijk onzeker was en kracht miste.

Nadat 'Mijn juk is zacht' tot een eind was gebracht op een ploeterende, methodische manier en dus geheel tegen de bedoelingen van de componist in, klapte Andrew in zijn handen om een einde te maken aan de sessie. Hij waagde een spitsvondigheid door te melden dat het juk eerder ondraaglijk klonk, wat hem betrof. Tot zijn vreugde klonk er een storm van gelach. 'En op sommige momenten leken het koor en het orkest het juk een totaal andere richting uit te trekken... ik neem aan dat niemand hier nog een extra halfuur kan blijven, of wel?' probeerde hij vervolgens, terwijl het gelach langzaam wegstierf. 'Als we niet uit deze zaal gezet worden, tenminste.' Hij keek Ann vragend aan, die met twee opgestoken duimen reageerde op zijn verzoek. Ondertussen bewogen alle hoofden zich op en neer om aan te geven dat ze daartoe bereid waren.

Het was zeker anders, mijmerde Andrew, terwijl hij nog een lach uitlokte door zijn mouwen op te stropen en een duivels gezicht te trekken toen hij zijn baton weer omhoog stak. In Engeland oefenden koren misschien een aantal weken voorafgaand aan een optreden, maar orkesten, net als solisten, gingen vaak prat op hun vermogen slechts een repetitie nodig te hebben, een paar uur voor de opvoering. Maar dit was New York en een verzameling van amateurmusici die in een zaaltje van een school door Ann bijeengebracht waren. Er zouden minstens nog twee repetities volgen, en niemand ontving loon, zelfs de solisten niet, de muziekstudenten die hij nog moest ontmoeten. Ze waren klaarblijkelijk dankbaar voor elke mogelijkheid om hun talent te tonen. De opbrengsten van de voorstelling gingen naar een klein liefdadigheidsproject voor straatkinderen in Peru, een goed doel dat alleen maar schrijnender was door het feit dat de originele dirigent, die twee kleine meisjes uit dat land had geadopteerd, nu in het ziekenhuis lag met een ernstige longontsteking.

Terwijl Andrew de repetitie voortzette, viel elk gevoel van de beperkingen van de bijeengeraapte musici weg, net als het feit dat ze muziek maakten in een school in de Upper West Side op een snikhete vrijdag, met de geur van vloerwas in zijn neus en druppels zweet op zijn voorhoofd. Hij was de dirigent van misschien wel een van de mooiste stukken ooit geschreven. De spelers mochten dan op leeftijd zijn, vergeleken met de schoolkinderen waar hij in Londen mee moest werken, met hun korte aandachtsboog en overvolle curricula (muziek vaak ertussenin gepropt, als allerlaatste prioriteit), waren het werkpaarden. Toen ze aan het eind van hun extra halfuur waren aangekomen was de 'Juk'-sectie een bijna perfecte, strakke, adembenemende galop, die zelfs de haren in zijn eigen nek overeind deden staan. Het 'Hallelujah' had zo'n volume en energie bereikt dat het de hal op zijn grondvesten leek te doen schudden.

Na de repetitie stonden Ann en een aantal vrienden van haar achter een tafel in de hal klaar met koffie, thee en sinaasappelsap. De zangers en musici dromden om hen heen, de warmte en openheid uitstralend die Geoff had aangehaald als de reden waarom hij en Ann het zo gemakkelijk hadden gevonden om van Amerika hun thuis te maken. Ze vonden Andrew een groot talent en stonden in de rij om hem dat te vertellen. Ze onderbraken elkaars complimenten.

'Misschien laten we je helemaal niet teruggaan naar Engeland,' plaagde een fluitist, een vrouw die zo breed was dat Andrew tijdens een van de heftige delen uit het stuk bang was geweest dat de smalle schoolstoel haar niet zou houden.

'Ik zei toch dat ik het antwoord op onze gebeden had gevonden,' pochte Ann, terwijl ze een bezitterig overwinningsklopje op Andrews bezwete rug gaf. Ze vroeg zich af of ze al genoeg had gedaan om haar faux pas over de gehandicapte zus goed te maken. Zelden had Geoff haar zo'n preek gegeven. Vol schaamte had ze gesmeekt om haar excuses te mogen aanbieden; maar Geoff had het haar uit haar hoofd gepraat. Hij hield vol dat met iemand die zo gevoelig was als Andrew (zo'n typische Engelsman) het de dingen alleen maar erger zou maken. Dus had Ann zich er maar op toegelegd om tijdens al hun daaropvolgende contacten zo aardig mogelijk te zijn. Ze realiseerde zich dat de arme man, met die rare Sophie op de achtergrond, alle aandacht nodig had die ze maar kon geven. Haar verzoek of hij kon deelnemen aan het *chicos perdidos*-project bleek een bijzondere triomf te zijn. Niet alleen omdat Andrew zo overduidelijk gevleid was, maar omdat hij een fantastische dirigent was – ze was vergeten hoe briljant hij was en had dat feit zo vaak aangehaald dat het Geoff ertoe bracht te mopperen dat hij geen onverdienstelijke saxofonist was geweest, als ze de moeite zou nemen om zich dat te herinneren. 'Ja, lieverd, en nu ben je goed in heel veel andere dingen,' had ze gegrapt, terwijl ze zijn kin tussen haar duim en wijsvinger nam in een zeldzame vertoning van bezitterigheid.

Het voelde in elk geval alsof hij haar had vergeven, dacht Ann, terwijl ze van Andrew naar de rest van de groep keek, waar inmiddels ook de dochter van de fluitist bij was aangeschoven. Een lang, mager figuur met lang, dik, kastanjebruin haar en reebruine ogen. 'Andrew, dit is je solosopraan – Meredith Chambers, voormalig studente aan Juilliard, nu bezig met haar promotie in compositie aan Columbia.' Ann kneep vriendelijk in de hand van het meisje terwijl ze haar voorstelde. 'Zij zal er bij de volgende repetitie ook zijn, toch, Meredith? Samen met de andere drie solisten, hoop ik, hoewel de bas op dit moment herstellende is van een keelontsteking.'

'Dat was echt fantastisch,' zei Meredith, met een zangerige uitdrukking, nadat ze haar moeder een kus had gegeven en een glas sinaasappelsap van de tafel had gepakt. 'Ik was hier op tijd voor "Het Lam Is Waardig" en de laatste Amen... die waren echt schitterend.'

'Fijn, dat doet me deugd. En ik zie ernaar uit om je te horen zingen bij onze volgende repetitie,' antwoordde Andrew warm. Hij verbaasde zich over de jeugdigheid van het meisje – zo te zien niet ouder dan Olivia, hoewel ze volgens de introductie van Ann minstens vijfentwintig moest zijn. Haar donkere haren waren op artistieke wijze samengebonden aan een kant van haar hoofd, waardoor het in een bundeltje over haar schouders viel. Ze was precies zo gekleed als zijn dochters in warm weer, een strak T-shirt en een kort rokje dat geen geheimen liet bestaan over haar lange benen – zo weinig genetische overeenkomsten met de dikke ledematen van haar moeder naast haar dat het niet moeilijk was je daarover te verbazen.

'Ann en mam zeiden dat je een soort van muziekleraar bent aan King's College in Cambridge,' zei Meredith opgewonden, 'en dat is toch de beste plek voor muziek in Engeland, of niet? Ik bedoel, is dat niet waar Benjamin Britten en, zeg maar, alle beroemde twintigsteeeuwse componisten hebben gezeten?'

Andrew, zo gevleid dat hij moest blozen, werd afgeleid van de noodzaak om te antwoorden door een klopje op zijn schouder van een van de trompettisten. Een oude man met een donkere huid en peperkleurig haar die stond te popelen, zoals vele anderen, om de hand van de Engelse dirigent te schudden en hem – met enige formaliteit – te melden dat het een groot plezier was om met hem te mogen werken.

De aandacht en lof waren opwindend, natuurlijk, maar het was het genot van de muziek die bij Andrew bleef hangen toen hij in de trein terug naar Darien zat. Hoe was hij toch ooit zijn contact daarmee kwijtgeraakt, vroeg hij zich af, terwijl hij de majestueuze kleuren van de zomer door zijn raam voorbij zag schieten, met een diepte erin waarvan hij niet zeker wist of die in Engeland ook bestond. En er was ook meer lucht, dat wist hij zeker – hoger, breder, groter. Misschien was dat wel de reden waarom hij zich zoveel vrijer voelde, zoveel meer zichzelf. Hij had gedacht dat Sophie degene was geweest die zichzelf moest hervinden, maar misschien was hij het al die tijd wel geweest.

Maar toch onderging Sophie tijdens de vakantie ook een soort verandering, zo zichtbaar dat Andrew de laatste dagen op zijn tong moest bijten om niet te vissen naar bevestiging, een erkenning van zijn aandeel hierin. De vakantie was er immers alleen maar gekomen door hem. Hij had ervoor moeten vechten, al die maanden vol negativiteit van haar kant. Een vriendelijk *Ik heb het je toch gezegd* leek niet meer dan op zijn plaats. Maar aan de andere kant was hij te dankbaar voor de veranderingen in zijn vrouw om een terugval te willen riskeren, zelfs niet met een grappig bedoeld verzoek om erkenning.

Zachtjes fluitend parkeerde Andrew de Lincoln in de garage en rende naar de voordeur, hij stopte om een takje klimop los te trekken dat zich rondom de buitenlamp had genesteld. Hij had niets aan het huisalarm gedaan, dat het niet deed, dus leek het extra belangrijk om ervoor te zorgen dat zulke kleine veiligheidsmaatregelen het goed deden, mocht dat noodzakelijk zijn – hoewel het moeilijk was je zo'n noodzaak in te denken: de stilte, de met bomen omhulde afzondering, slechts af en toe een auto die voorbijreed, laat staan een voetganger. Andrew had nog nooit een plek gezien die, hoewel onderdeel van een drukke gemeenschap, zoveel rust uitstraalde. De enige bekende gezichten waren die van de krantenjongen, die zijn in plastic gehulde pakketje rechtstreeks van zijn fiets op de oprijlaan gooide en de postbode, een besnorde mollige man gekleed in iets wat op een padvindersuniform leek, met een korte broek en hemd met korte mouwen. '*Howdy*,' riep hij als hij ontdekt werd bij het afleveren van zijn post, voor hij in zijn golfwagentje weer verder reed naar zijn volgende adres. Na drie weken begon het zelfs, voor hem dan, een beetje te afgezonderd te voelen. Sophie genoot er duidelijk van, maar de laatste tijd had hij steeds meer plezier in elke mogelijkheid die hem weer naar de drukte van New York bracht.

Eenmaal binnen zette Andrew zijn muziektas onder aan de trap en liep door de hal naar de keuken. In de deuropening stopte hij, heel even totaal van slag door het beeld van de bruine, slanke vrouw in een mouwloze witte jurk en op blote voeten die over een snijplank gebogen stond, terwijl ze haar mes op professionele wijze door de groente liet glijden.

'Lekker muziek gemaakt?' Ze keek op, glimlachte even, het mes hing boven een grote, fluweelachtige champignon. Haar haren, net gewassen en nu op een paar plekken bijna wit van de zon, losjes rond haar gezicht, waardoor het blauw van haar ogen en de scherpte van haar kaak beter uitkwamen.

'Je ziet er fantastisch uit. Die jurk, is die nieuw?'

'Nee... heel oud. M&S, zo rond 1995.' Ze trok een gezicht. 'Onvoorstelbaar wat een beetje zonnen niet kan uithalen.'

Andrew liep de kamer door en legde zijn handen op de hare. Ze keek op, geschrokken, maar ook, zo dacht hij te zien, gelukkig. 'Sophie, ik wil alleen maar zeggen... nou... zo bij jou thuiskomen... koken, gelukkig... dat is fijn.' En toen, zomaar ineens, spontaan, zoende hij haar, met een tederheid die al zo lang niet meer was voorgekomen dat het weer als nieuw aanvoelde. Tot zijn verbazing – en ook tot die van Sophie, voorzover hij kon zien – beantwoordde zij de zoen met dezelfde spontaniteit. Ze trok zich na een paar lange momenten terug met een verlegen, meisjesachtige lach. 'Ik heb de barbecue aangestoken.' Ze drukte de achterkant van haar hand tegen haar mond, alsof ze zich de kus herinnerde: 'Nou ja, ik heb hem aangedaan... het is een gasbarbecue. Ik dacht dat het wel eens tijd was om buiten te eten.' Ze gebaarde naar de halve champignons, die naast de stukken ui, rode peper en een berg roze kippenborsten lagen. 'Kipspiesen, dacht ik.'

Andrew knikte afwezig. Misschien zouden ze die avond wel vrijen; de mogelijkheid was er, te oordelen aan hoe gretig die kus was. De kans lag voor het grijpen... als hij nog wilde. Hoe lang was het nu geleden? Vier maanden? Zes? Hij duwde de keukendeur open en tuimelde haast naar buiten. Het duurde even voor zijn ogen gewend waren aan het donker. De muziek van de repetitie zong nog steeds door zijn hoofd, op het ritme van zijn hart. De lucht was nog drukkend van de hitte van de middag en onrustig door het geklik en gezoem van insecten. In de hoek van het terras zag hij aan de flikkerende blauwe vlam dat Sophie inderdaad de barbecue had aangestoken – een vierkant metalen gevaarte met evenveel grills en knoppen als het fornuis in de keuken. Boven het apparaat trok een lamp een kleine microkosmos van insecten aan, sommige zo groot en angstaanjagend van vorm dat Andrew besloot om het eten maar met kaarsen te verlichten. Hij was lades aan het doorzoeken toen Sophie naast hem kwam staan, met de spiesen, die kruislings op de snijplank waren gelegd. 'Kan ik je ergens mee helpen?'

'Kaarsen, dacht ik.'

'Daar beneden.' Ze wees naar twee kandelaren met twee nieuwe, donkerblauwe kaarsen erin. Ze stonden op een lage plank, naast de lege kattenmand. Toen ze de mand zagen, stonden ze allebei even stokstijf stil.

'Vervelend beest.'

'Ik weet het,' mompelde Sophie, 'en ik voel me er verschrikkelijk schuldig over... zo erg zelfs dat ik hen maar gebeld heb.'

'De Stapletons? Jeetje. Heel goed. Wat zeiden ze?'

'Er werd niet opgenomen. Ik heb alles geprobeerd, thuis, mobiel, dus heb ik maar berichten achtergelaten. Ik zei dat we uitvoerig gezocht hebben en roepend door de buurt hebben gelopen en dat we de dierenambulance hebben gewaarschuwd en gevraagd of we verder nog iets konden doen. Ik heb ook mijn excuses aangeboden, natuurlijk – zo goed als ik kon – en ik heb gezegd dat we alleen maar zo lang hebben gewacht omdat we hen niet in paniek wilde brengen.'

'Inderdaad. Heel goed. Nu weten ze het tenminste, hè? Meer kunnen we echt niet doen.'

Sophie knikte, haar gedachten dwaalden schuldbewust af naar Carter, niet omdat zijn plagende beschuldiging dat ze laf was haar had aangezet om iets aan de kat te doen, maar vanwege alles wat er daarna was gebeurd.

Ze had er een eind aan gemaakt. Dat was het belangrijkste. Er was een grens overschreden, maar zij had zich teruggetrokken. En nu wilde ze alleen nog maar bouwen op de goede, onverwachte dingen die de vakantie had gebracht: haar eigen rust, het herstellen van het gevoel tussen haar en Andrew, om het niet eens te hebben over een steeds sterker wordende opwinding bij het vooruitzicht de meiden weer te zien. Alleen al de gedachte aan het geluid van hun stemmen deed haar bijna volschieten; te kunnen zien hoe ze aten en lachten en rondhingen, er wáren op de manier waarop tieners dat zo goed kunnen – ze zou van elk moment genieten.

'Vertel eens over de repetitie,' zei ze, haar aandacht weer op Andrew richtend. Met een vleugje opwinding merkte ze hoe mooi hij nog steeds was in het zachte kaarslicht, hoeveel glinstering er nog steeds zat in zijn drieënveertig jaar oude grijsblauwe ogen. Terwijl zij boven de spiesen stond had hij een fles wijn geopend en de salade klaargemaakt, fluitend als een nachtegaal – vanwege de kus, gokte Sophie; vanwege de kus, die ook voor haar uitzonderlijk aanvoelde, alsof er een deur openging, een deur waar ze – tot haar vreugde en opluchting – nog steeds doorheen wilde lopen.

Andrew reageerde met jongensachtige gretigheid op haar vraag. Hij vertelde over de toewijding en het talent van de musici, en Ann, bazig als altijd maar nog steeds indrukwekkend muzikaal, en Meredith, zo slank en jong, maar met een reputatie die haar klaarblijkelijk meer dan in staat zou stellen om 'Ik weet dat mijn Verlosser leeft' te vertolken, verreweg de moeilijkste van alle prachtige sopraansolo's. Dolgelukkig met de geïnteresseerde blik van zijn vrouw gaf Andrew een zo volledig mogelijke beschrijving. Hij durfde het aan – hij moest – haar de intensiteit die de dag zo speciaal had gemaakt en die nog steeds in hem brandde, als het hernieuwde vuur van geloof, te laten zien.

'En heb jij nog hard gewerkt aan het buurfront?' vroeg hij, toen hun borden eenmaal leeg waren en hij vreesde dat hij te lang aan het woord was geweest. 'Nog baantjes getrokken om de Anglo-Amerikaanse banden aan te halen?'

'Ik... ja, heel even maar.' Sophie knipperde met haar ogen, ze was zich bewust van het bloed dat naar haar gezicht stroomde. 'En ik heb er nog eentje voor je lijstje,' ging ze snel verder, op zoek naar veiliger terrein '"Groene duim".'

'Hmm?'

'Het Amerikaans voor "groene vingers" is "groene duim".'

'Maar dat wist... Hé, wat is er aan de hand? Sophie?' Ze was van haar stoel gesprongen en onder de tafel gekropen. 'Wat is er in godsnaam...?'

'Daar... zag je dat?' gilde ze, met een hand op haar hoofd en de ander wijzend in de lucht. 'O, god, dit is verschrikkelijk, ik moet echt naar binnen.'

'Jezus, vleermuizen... en zoveel,' riep Andrew. Hij stond op, bijna in trance, terwijl een stille zwerm – als een langgerekt dier in plaats van een groep van vele duizenden – over hun hoofden vloog. 'Hé, Soof, er is niets aan de hand. Ze komen dichtbij, maar ze raken je nooit aan... het beste radarsysteem ter wereld, weet je nog?'

Sophie had zich vastgeklampt aan zijn been en was langzaam overeind gekomen, haar gezicht stevig in zijn shirt gedrukt. 'Getver... ik kan het niet aanzien,' zei ze rillend.

'Toetje dan maar binnen doen?' plaagde Andrew, die een beschermende arm om haar nek had gelegd terwijl hij haar naar de keuken leidde.

Sophie glimlachte schaapachtig. 'Er is ijs en fruit, maar ik denk dat ik mijn eetlust kwijt ben.'

'Naar bed, dan?'

'Ja.' Sophie draaide zich om en streek denkbeeldige kreukels in haar jurk plat. 'We ruimen morgenochtend wel op.' Ze rekte zich uit en opende haar mond voor een geeuw die niet kwam.

'Nee, ik doe het nu wel even,' zei Andrew kortaf, bewust van een plotselinge, vreemde tegenzin om de avond te zien eindigen in wat nu zijn logisch einde zou zijn. Ze had hem zo lang geweigerd, hem genegeerd. Waarom zou hij nu ineens naar haar pijpen moeten dansen? 'Jij hebt gekookt, dus dat is wel zo eerlijk.'

Hij liep weer naar buiten om de kaarsen uit te blazen en de vuile borden mee naar binnen te nemen. Tot zijn verbazing waren de vleermuizen verdwenen en de insecten stil gevallen. Een gonzende spanning leek ervoor in de plaats gekomen, alsof niet alleen hij maar ook de wereld haar adem inhield. Hij stapelde de borden en glazen op. Hij zag Sophie door het raam, hoe ze voorzichtig een theedoek opvouwde en aarzelde in de deuropening van de keuken, alsof ze twijfelde tussen wachten op hem en alleen naar boven gaan.

# 7

William wist niet zeker of hij kon opbiechten, zelfs niet aan Beth, hoe gelukkig hij werd bij het zien van de boerderij van grijze leisteen waar hij de eerste twintig jaar van zijn leven had doorgebracht; hoeveel hij hield van de koppige onveranderlijkheid, van de roestige windhaan die nog nooit gewerkt had tot het knoestige houten hek voor aan de oprijlaan, dat er al zoveel jaren stond dat er gras over de onderste spijlen was gegroeid, alsof de grasprieten het hek op zijn plek hielden.

En ook zijn ouders – na de eerste schok bij het zien van hoe scheef zijn vaders lange lichaam gegroeid was, de diepe rimpels in de eens zo gladde, paarlemoeren huid van zijn moeders gezicht, de dunne golven van hun volkomen witte haren – waren nog steeds zo geruststellend als ze altijd geweest waren. Ze kwamen langs het huis aan lopen in bijpassende, met modder bedekte regenlaarzen en groene jassen, handschoenen en troffels staken uit hun zakken. Ze bewogen zich in onbewuste eenheid door de voortuin, lachend en zwaaiend met hun armen met onnodige handgebaren om het eenvoudige parkeren in goede banen te geleiden. William parkeerde zijn auto, zoals altijd, langs de lage, stenen muur die begon bij de ongebruikte poort en langs de hele tuin liep. In het naastgelegen veld lieten de schapen hun ongenoegen merken voor ze wegliepen om op veiliger gronden te grazen.

Toen William de motor afzette, sprongen Alfie en George uit de auto als opgewonden veren. Ze lieten een spoor na van voedselverpakkingen en draden van diverse elektrische apparatuur die ze min of meer stil hadden gehouden tijdens de lange rit over de M1.

'Twee, geen drie?' riep zijn moeder, terwijl George haar vluchtig knuffelde en Alfie met zijn gebruikelijke jongensachtige enthousiasme op zijn grootvader sprong.

'Eh... dit keer niet, nee.' William keek naar Beth, die zich nog steeds uit de auto aan het werken was. Het was niet het juiste moment om over Harry te beginnen en hij hoopte dat ze dat doorhad. De krukken waren verdwenen, goddank, maar ze liep nog steeds erg ongemakkelijk. Ze zette zo weinig mogelijk gewicht op haar slechte voet en bracht een groot deel van de dag door op haar rug of haar zij. Ze deed been- en enkeloefeningen met een dun paars elastiek dat ze van Susans fysiotherapeut had gekregen – een man die vervloekt was vanwege zijn connectie met Susan maar die Beth desalniettemin een zeker mate van vertrouwen had gegeven.

'Waar is Harry dan?' vroeg zijn vader, terwijl hij Alfie op de grond zette en naar de kofferbak liep om te helpen met de koffers.

'Niet doen, pa... dat doen de jongens en ik wel.'

Anthony Stapleton negeerde de opmerking en pakte de twee grootste koffers. 'Liever feesten dan naar zijn grootouders, of niet?'

'Daar komt het op neer, ja... Beth, lukt het?'

'Ja, William, dank je.' Beth had zichzelf veilig uit de auto weten te wringen en leunde nu tegen de stenen muur voor houvast, terwijl ze de autodeur dichtdeed. Maar toen maakten twee moedige schapen, draaiend met hun stompe staartjes, de rafelige dikke vachten zwaar van de modderkluiten, aanstalten voor een aanval. Haastig liep ze bij de muur weg. Williams moeder stond bij de achterbak te wachten om haar netjes te begroeten. 'Hallo, mevrouw Stapleton... wat geweldig om hier te zijn.'

'Zeg maar gewoon Jill en Tony, hoor.' Jill kuste Beth op beide wangen en deed een stap naar achter, hoofdschuddend keek ze bezorgd naar het hobbelen van haar schoondochter, die naar de deur liep. 'William, ik dacht dat je zei dat haar enkel weer beter was. Dat arme kind. Tony heeft een wandelstok, toch, Tony, van toen je je knie verdraaid had? Zal ik die even voor je opzoeken, schat?' riep ze, vooruitrennend om de deur voor Beth open te houden.

'Och, nee, het gaat wel... echt.' Beth, die haar enkel had voelen zwellen tijdens de lange rit en die niets liever wilde dan ergens gaan liggen, het liefste met haar voet hoger dan haar heupen, kon nog een glimlach op haar gezicht toveren. 'Het is zo mooi hier – dit huis, deze heuvels en zo groen.'

'Ja, dat komt door de vele regen ben ik bang,' gaf Jill toe, opgewekt, zwaaiend met haar vuist naar de grijze lucht. 'Ergste zomer uit de geschiedenis... maar goed, dat zeggen ze elk jaar, nietwaar?' Ze gaf Beth een rondleiding op de benedenverdieping – een labyrint van kleine, lage kamers vol met open haarden en geschilderd in mosterdgeel, oranje en bruine kleuren – voor ze een steile, smalle trap op liepen, die Beth alleen maar kon beklimmen met hulp van de dunne leuning.

'Ik heb jullie in de logeerkamer ondergebracht, in plaats van Williams kamer,' legde ze uit, haar stem klonk steeds vager naarmate ze verder de gang in liep, met een benijdenswaardige levendigheid. 'Die is voor de jongens, tegenwoordig... dat is leuk voor ze, dacht ik, om de modelvliegtuigjes van hun vader te bewonderen en de *Beano*-jaarboeken te lezen. Hier zit jij.' Ze duwde een deur aan het eind van de lange gang open en onthulde een kamer die amper groter was dan het tweepersoonsbed dat erin stond. 'Zo jammer dat Harry niet mee is... Als oudste krijgt hij normaal gesproken altijd de kamer hierboven.'

De opmerking ging gepaard met zo'n priemende, vragende blik dat Beth, gevangen in de kleine kamer, zich verplicht voelde om te antwoorden. 'Je mag het ook vast wel weten... Ik bedoel, William zal het je zelf wel vertellen...'

Jill kwam dichterbij staan, ze liet de deurklink los. 'Lieverd, wat is er? Is er iets gebeurd?'

'Nee, het is niets ernstigs... Die examens die Harry heeft gedaan... die zijn niet zo goed gegaan. We hebben het afgelopen donderdag gehoord. Ik ken het systeem verder niet, maar hij had niet zulke goede cijfers.' Beth aarzelde. Ze dacht niet aan de teleurstellende resultaten van haar stiefzoon, of de sneue pogingen van de jongen om ze te verhullen met een serie knullige leugens, eerst over de cijfers zelf, en later door te beweren dat de school het examen opnieuw zou nakijken. Nee, ze dacht aan William die, na de voorbarige 'feest'-lunch te hebben afgezegd, Harry's vroege verjaardagscadeau, een laptop, met zo'n kracht door de zitkamer had gegooid, dat een van de hoeken een gat in de stokoude televisie van de Chapmans had geboord – precies een kogelgat, dacht Beth. De lange, angstaanjagende stilte werd doorbroken door Alfie, die in huilen uitbarstte, Harry, die naar boven stormde en William, die het huis uit rende en de deur zo hard dichtsmeet dat de lampen ervan trilden. Beth bleef met George achter in de zitkamer. Hij zei: 'Fuck', eerst tegen het tapijt en daarna tegen haar, zo hulpeloos – en zo ontegenzeggelijk terecht – dat ze, in plaats van een stiefmoederlijke reprimande, alleen maar instemmend kon knikken.

'Dus William werd boos,' legde ze aan Jill uit, waarbij ze er uit loyaliteit aan toevoegde, 'en dat was zijn goed recht, en Harry is terug naar zijn moeder.' Ze zuchtte en wist zichzelf ervan te weerhouden om te vertellen dat er nog steeds geen oplossing voor het conflict was gevonden, zelfs niet op Harry's verjaardag. Hij was die avond uitgegaan met vrienden, had Susan bericht. Ze genoot van de breuk, zei William, in plaats van dat ze haar constructieve hulp aanbood in wat toch echt een lastige situatie was.

'O schat, o schat...' Jill kneep in haar handen. 'Maar hij deed het toch juist zo goed? Oxford, zei William.'

'Ja, nou, met die cijfers zegt William dat er niets anders opzit dan herexamens. Maar – en dit is waar William echt gek van wordt – Harry weigert klaarblijkelijk ooit in zijn leven nog een examen te doen. Belachelijk natuurlijk, en ik weet zeker dat hij wel weer bijdraait... maar, hé, weet je wat? George heeft gisteren zíjn cijfers binnengekregen en dat waren echt alleen maar negens en tienen!' Beth klapte in haar handen. Ze had medelijden met George (normaal toch de moeilijkste van de drie om aardig te vinden), omdat zijn eigen onverwachte academische prestaties zo werden overschaduwd door de schande van zijn oudere broer. William had wel een paar keer gezegd dat hij het goed gedaan had, maar dat haalde het niet bij een feestlunch in een restaurant.

Maar Beth had met zichzelf nog het meest medelijden. Ze vond de intensiteit van deze familieperikelen vervreemdend en verschrikkelijk. Erger nog, ze slaagden er niet alleen in om haar man ongelukkig te maken, maar ook nog eens onbereikbaar. Sinds de dag van Harry's uitslag waren er meerdere deursmijtsessies geweest, waarbij hij het huis uit was gelopen. Telkens kwam hij stinkend naar rook weer terug, en met een frons die zo diep in zijn voorhoofd zat geëtst, dat Beth begon te vrezen dat hij nooit meer zou verdwijnen. Niets wat zij kon bieden kon hem nog opbeuren: geruststellende woorden, troostrijk eten, zelfs seks hielp niet, wat, ook al gebeurde het met de gebruikelijke frequentie, niet leidde tot de postcoïtale rust die ze eens zo had gekoesterd. Ze merkte bovendien een nieuwe gretigheid in hem, bijna een wanhopigheid, die zelfs na hun hoogtepunten bleef hangen, alsof hij iets zocht dat hij niet had kunnen vinden.

'Dus hier ben je!' zei William toen hij de kleine slaapkamer in kwam.

'Beth heeft me net over Harry verteld,' zei Jill meteen. 'Het spijt me, lieverd, wat vreselijk voor je.'

'Ja, dat is het,' zei William kortaf. 'Maar weet je, ik heb het echt gehad om dat joch maar mijn leven te laten bepalen. Beth en ik zijn nota bene op vakantie...' William sloeg een arm om haar middel en gaf haar een kus op haar hoofd. '... en dat was ik bijna vergeten. Dus wat wij allebei heel erg nodig hebben, mam, is die geneeskrachtige lucht hier in Yorkshire waar jij en pa altijd zo over opscheppen, en al helemaal jouw geneeskrachtige kookkunsten. Of niet, schat?' William gaf Beth nog een kus, deze keer met meer tederheid. Zijn gezicht rimpelde tot een lach.

'Nou, dat hebben we zeker...' Beth merkte dat ze bijna te verstikt was om te kunnen praten. Dit was haar man, hij was weer terug, haar geliefde, liefhebbende, attente man. Als de lucht hier in het noorden van het land zo'n verandering in nog geen tien minuten teweeg kon brengen, dan was zij het de rest van haar leven dankbaar.

'En de cijfers van George waren echt ongelofelijk...'

'O, ja,' zei Jill enthousiast, 'dat heeft Beth ook verteld. Ik heb toch altijd al gezegd dat hij de slimste is, de underdog die het goed zou gaan doen? De middelste, daar moet je altijd goed op letten. Net als die zus van je – een eigen talenschool in Frankrijk, ik bedoel maar, terwijl Lizzy nooit zo ambitieus was... hoewel ik niet wil zeggen dat jij geen enorme prestaties hebt geleverd, lieverd – al die opties waar je het de hele tijd over hebt. Ik zal er nooit wat van begrijpen, hoe vaak je het ook uitlegt,' zei ze warm, waarna ze zich naar Beth omdraaide.

'En waar sta jij in de pikorde van de familie, schat? Ik weet zeker dat William dat verteld heeft, maar ik ben bang dat ik het weer vergeten ben.'

'O... nou, eigenlijk ben ik helemaal alleen.'

'Dat kan ook heel goed zijn.' Jill keek naar het raam en frunnikte aan het bloemetjesgordijn. 'O, kijk, Will.' Ze wees door het raam naar buiten. 'We hebben bezoek.'

William keek over zijn moeders schouder. 'O god, niet Henriëtta. Daar heb ik echt geen zin in, echt niet.'

'En wie is Henriëtta?' begon Beth. Met enig verlangen keek ze naar de heerlijke witte stapel versgewassen beddengoed naast haar. Ze bedacht hoe aanlokkelijk het eruitzag in vergelijking tot het vooruitzicht van Britse thee met te veel melk en het gezwoeg van converseren met mensen die ze amper of helemaal niet kende.

'Dat is de dochter van de Purleys, de eigenaars van de boerderij hiernaast,' legde Jill uit. Ze streek haar bos witte haren glad met haar handpalmen en liep langs Beth om de deur open te doen. 'Ze zijn op vakantie en zij is hier om op het huis te passen. Zij en William zijn samen opgegroeid – verjaardagsfeestjes en de Pony Club. Lizzy was meer van haar leeftijd, maar ze konden het nooit echt met elkaar vinden, die twee... Kom op, William, lieverd, ze wil vast wel een kop thee, en ik denk dat je vader al met de jongens naar de rivier is. De vissen springen vroeg, zegt hij, nu de dagen korter worden.'

William trok een komisch, geruststellend gezicht en volgde zijn moeder de kamer uit. Maar Beth, alleen achtergelaten om zich weer een weg door de gang en van de trap af te werken, voelde zich kinderlijk alleen. Een gast met een onaangename scherpe stem, zo had ze bepaald nog voor ze bij het gezelschap was aangekomen in de keuken, waar ze werd geïntroduceerd aan een lange, potige vrouw met een obsceen strakke paardrijbroek en een T-shirt vol met moddervlekken en takjes stro. Ze bewoog zich blindelings door de keuken. Achteloos haalde ze bekers en borden en cakevormen uit de kastjes, haar bruine paardenstaart zo dik en zwierig als het ding waar het zijn naam aan ontleent, haar rossige, mooie gezicht energiek bewegend terwijl ze praatte en glimlachte. Ze had een mannelijkheid over zich waar Beth alleen maar blij mee kon zijn, maar haar ogen waren groot en felblauw en leken, tenminste als ze naar William keek, te dansen van plezier.

'Je bent met haar naar bed geweest,' beschuldigde Beth hem toen ze eenmaal alleen waren. Misschien was het wel omdat ze zo lang had moeten wachten tot ze eindelijk alleen waren, met al die plakken vruchtencake die ze moest eten terwijl ze mensen en dingen bespraken waar ze nog nooit van had gehoord, gevolgd door een sessie groenten snijden en tafeldekken waar ze zich maar vol overgave in had gestort om zo over te komen als de plichtsgetrouwe schoondochter die ze eigenlijk helemaal niet was.

Met drie fazanten in spek in de oven, de bijgerechten op het vuur en de aarzelende Henriëtta die werd overgehaald om terug te komen voor het eten, waren ze eindelijk naar boven gevlucht om zich 'op te frissen' voor het eten. Beth had een net zwart rokje en een koraalkleurig shirt aangetrokken en deed eindelijk waar ze al drie uur eerder zo naar had verlangd – ze ging op het schoon opgemaakte bed liggen, met haar slechte voet op een kussen. William leunde tegen het raam en rookte een sigaret.

'Met Henriëtta?' Hij lachte, sliertcn rook verdwenen uit zijn mondhoeken. 'Nou, nee, dank je.'

'Nou, iets dan... íéts,' mompelde Beth. Ze draaide haar hoofd weg, ze haatte zichzelf. Uit de gang hoorde ze klotsende geluiden uit de enige badkamer in het huis, waar de jongens de modder van zich af wasten. Het vissen had meer plezier opgeleverd dan vis, met een lang, ingewikkeld verhaal over hoe beide jongens half gekleed in de ijskoude rivier waren beland en vervolgens door hun grootvader allerlei hardloopopdrachten opgelegd kregen om op te warmen. Het trio was nat en uitgeput thuisgekomen, met een plezier dat duidelijk doorklonk in het klossen van hun schoenen door de gangen en dat, in plaats van Beth op te vrolijken, haar alleen maar nog meer het gevoel gaf dat ze hier niet thuishoorde, zelfs niet bij William. 'Lief, ik vind het vreselijk dat je de behoefte hebt om te roken,' begon ze, in een poging om het gevoel weg te drukken. William schoot zijn peuk de grijze avondlucht in en dook weg van het raam de kleine slaapkamer in. 'Als je gestrest bent moet je dat op mij afreageren.'

William lachte. 'En waarom zou ik dat in godsnaam doen?'

'Omdat dat mijn taak is – net zoals die van iedere vrouw – om een steun en toeverlaat voor haar man te zijn.'

'Dat is heel lief, Beth, maar ik denk dat jij zelf wel genoeg te verwerken hebt. En hoeveel ik ook van je hou, nicotine geeft me een kick die jij niet kan geven.'

William had het vriendelijk bedoeld, maar in Beths onzekere geestestoestand voelde het als een klap in haar gezicht, een openlijke verklaring van haar onkunde. 'Heb je überhaupt gekeken naar dat boek dat ik voor je heb gekocht?' snauwde ze. '*In één dag stoppen met roken*... Heb je dat überhaupt ingekeken?'

William, die de tenen van haar zere voet masseerde, stopte abrupt. 'Nee, Beth, dat heb ik niet. Hou er nu maar over op, goed? Hou er maar over op.'

Beth hield haar adem in. In gedachten zag ze weer de vliegende laptop, de glazen parels van het tv-scherm voor zich. Het was niet zozeer de gewelddadigheid waar ze zo van was geschrokken, besefte ze, als wel het gevoel dat er iets brak, iets speciaals en onherstelbaars, iets tussen haar en William. 'Ik zeg het alleen maar omdat ik om je geef,' mompelde ze, terwijl ze langzaam de adem weer uit haar longen vrijliet. 'Ik kan me de stem van mijn vader niet meer herinneren, of zijn gezicht, zelfs, maar ik kan mij nog goed zijn gehoest herinneren, elke ochtend, William, om ruimte te maken voor het pakje van die dag.'

William stond stil. Hij deed zijn best om meelevend te kijken, in plaats van geïrriteerd. Hoewel Beth slechts zelden verwijzingen naar haar ongetwijfeld zware jeugd maakte, had hij het verhaal over de hoestende vader al veel vaker gehoord. Een drinker, een gokker, een rokkenjager; Beths vader was op haar vijfde voorgoed vertrokken, zonder geld of dierbare herinneringen achter te laten. Na een telefoontje van een ziekenhuis, een paar jaar later, bleek hij om het leven te zijn gekomen op een manier die net zo beroerd was als hij had geleefd, bij een ongeluk met een vrachtwagen op een snelweg in Missouri. Toen hij zich dit herinnerde verstrakte de uitdrukking op zijn gezicht, hij vocht tegen de drang om aan te tonen dat hoesten geen zonde was noch een teken van de onontkoombare aanstaande dood. Maar Beth was al weer verder in de conversatie en zei iets over Harry en de tragedie om zo jong al verslaafd te raken.

'Harry?' William lachte scherp en minachtend. 'Dat hij zijn cijfers verkloot is tot daaraan toe, maar zoals ik je al heb verteld, dat kind is zich veel te bewust – veel te ijdel wat dat betreft – van zijn fitheid en zijn rugbyspel om ooit met roken te beginnen.'

Beth keek naar haar handen. Haar vingers lagen verstrengeld in elkaar op haar buik, haar nagels geknipt in perfecte halve cirkels en glanzend met haar favoriete, lichtroze nagellak. Op de bank hangen was goed voor je manicure, zo had ze ontdekt. Ze vond het fijn als haar handen er mooi en verzorgd uitzagen. Anders dan andere lichaamsdelen – om over mensen niet te spreken – lieten handen je nooit in de steek. William leunde tegen het kozijn, duidelijk wachtend op haar antwoord, armen en benen over elkaar geslagen als teken van ontspanning die totaal niet strookte met de spanning in zijn gezicht. Dit geruzie was nieuw, hatelijk, maar erger nog, dacht Beth, zou het zijn om niet de waarheid te spreken. Harry zat al zo diep in de problemen, dat het amper nog een verschil zou kunnen maken. En William kon maar beter boos op Harry zijn dan op haar. Alles was beter dan dat. 'Die dag dat ik mijn enkel verstuikte...' Ze ademde diep in voor ze de details opsomde die ze tot nu toe verborgen had gehouden: Harry's nonchalante omgang met zowel de sigaret als het Gothic vriendinnetje.

'Waarom heb je me dit niet eerder verteld?' William duwde zich van de vensterbank af richting het bed.

'Ik weet het niet... ik denk... nou, ik had Harry eigenlijk beloofd dat niet te doen.'

'Je hebt het Harry beloofd? Nou, dat is lekker.' William draaide vol afschuw zijn hoofd weg.

'Het spijt me,' riep Beth, op een toon die eerder beschuldigend dan verontschuldigend klonk. 'Ik dacht gewoon niet dat het zo erg was.'

William vouwde zijn armen over elkaar en keek haar aan. 'Daarover verschillen wij dan van mening. Hij is mijn zoon. Als hij zich zo anders gedraagt dan normaal, dan is dat zeker erg, en ik denk dat de recente ontwikkelingen dat wel aantonen. En dat jij loyaal bent naar hem, in plaats van naar mij...' William schudde zijn hoofd en lachte droog en verbitterd: 'Noem me maar kleinzielig, maar dat lijkt me ook niet echt onbelangrijk.'

'Ik probeerde alleen maar vrienden met hem te worden,' zei Beth, geschokt over de ruzie en de houding die William daarin aannam. 'Je weet wel... proberen om niet de gemene stiefmoeder te zijn. En bovendien,' ging ze verder, de frustratie begon inmiddels de boventoon te voeren, 'het is niet alsof het echt iets had uitgemaakt, of wel soms? Hij is achttien, jezus man, een leeftijd waarop hij kan doen wat hij wil, wat jij er ook van vindt. Waar je eigenlijk boos om bent, denk ik, zijn die lage cijfers. Of wil je mij daar ook de schuld van geven...?' Ze stopte toen ze een vage, trillende stem van beneden het eten hoorde aankondigen. 'O William, niet boos zijn,' fluisterde Beth. 'Ik begrijp het wel, echt waar. En natuurlijk had ik die afspraak niet met Harry moeten maken... dat zie ik nu ook wel.'

'Het eten is klaar, we moeten maar naar beneden.'

'William...' Beth probeerde zijn arm vast te pakken toen hij langs het bed liep. 'Alsjeblieft, schatje, ik heb geen zin om ruzie te maken...'

'Het spijt me als ik te heftig heb gereageerd. Het is nogal een zware week geweest.'

'Ik hou zoveel van je.'

'En ik hou van jou,' antwoordde William, met een matte stem. Hij hield de deur open tot ze op haar benen stond maar liep toen voor haar uit de gang door.

Beth liep achter hem aan maar stopte toen. Ze werd overvallen door een plotseling hevig verlangen om terug te zijn in hun eigen ruime, opgeruimde huis, met het mooie dak en de nette tuin, en de hoge bomen die het als een privéleger beschermden. Darien stond algemeen bekend om zijn uitstekende scholen, waardoor de keuze voor die locatie nogal wat verbaasde reacties opriep bij haar collega's die tevens haar vrienden waren en daarom Beth goed genoeg kenden om te vermoeden dat kinderen niet hoog op haar en Williams verlanglijstje zouden staan. Maar Darien lag ook midden in de staat die ze al sinds haar jeugd prachtig had gevonden – landelijk maar getemd, met een paar van de mooiste huizen van de wereld; een echt landelijk paradijs, vol parken en vijvers, die, net als de beeldschone randen van Long Island Sound aan zijn kust, vol lagen met jachten en motorboten, soms zo groot als kleine huizen. Jarenlang had Beth kwijlend boven foto's in tijdschriften gehangen en had ze zichzelf beloofd dat als het ooit zou kunnen, ze daar zou gaan wonen.

Hoe, vroeg ze zich nu af, had ze ooit kunnen instemmen dat wildvreemden zulke heilige grond betraden? Sophie en Andrew Chapman, op haar geliefde plek, nog maar zo kort in haar bezit, zo gekoesterd – en met hun kinderen nog wel, die ongetwijfeld een bende van het huis zouden maken. Was ze niet helemaal goed bij haar hoofd geweest?

Ze keek omlaag en zag dat haar enkel, ook al voelde hij iets beter, nog steeds over de randen van haar mooie hoge hakken uitstulpte. In warmere, drogere temperaturen had het minder pijn gedaan, dat wist ze zeker. Beneden werd het stevig kloppen op de voordeur gevolgd door Henriëtta's zelfverzekerde, hoge stem die door de gang schalde.

Beth trok zich strompelend terug in de slaapkamer en pakte haar telefoon onder uit haar tas. Er was nog maar net iets meer dan een week te gaan, maar het leek een eeuwigheid. Ze moest tenminste even naar een Amerikaanse stem luisteren, wat nieuws van het thuisfront horen, ook al kwam dat nieuws uit Florida in plaats van Connecticut. Ze was niet zichzelf in Engeland, constateerde Beth. Het paste niet bij haar. En ook niet bij William. Het was slecht voor hen, heel erg slecht. Ze begon het nummer van haar moeder in te toetsen maar stopte weer toen ze zich Williams vrolijke vermelding herinnerde dat er geen signaal was in deze heuvels en dalen – of wat het dan ook waren. Hij had de omgeving beschreven als een geografische samenzwering tegen alles wat maar technisch was en Beth had er toen nog om gelachen. Ze had zich nooit gerealiseerd hoe persoonlijk die samenzwering kon voelen, hoe vijandig.

'Dit godvergeten land!' Ze gooide de telefoon op het bed. Hij stuiterde van het matras en kwam met een hoop lawaai terecht in een kale hoek van de kamer op de houten vloer, tussen de twee dunne tapijten in die moesten doorgaan voor vloerbedekking. Heel even hield Beth haar adem in. Ze beeldde zich in hoe het gesprek beneden stopte, hoe de hoofden omhoogkeken naar het plafond, de ogen rollend in wederzijdse zorg om wat die buitenlander nu weer voor gekke dingen aan het doen was.

Veel waarschijnlijker was dat ze haar afwezigheid helemaal niet hadden opgemerkt, concludeerde ze bedroefd. Ze voelde de te strakke banden van haar rokje terwijl ze zich vooroverboog om haar telefoon te pakken en gromde bij het zien van haar eigen spiegelbeeld in de smalle spiegel die aan de muur hing. Ze kon er niet onderuit: ze was een hele maat gegroeid – en natuurlijk allemaal aan de onderkant van haar lichaam, zoals gebruikelijk: heupen, buik, kont. Haar rokje was zo erg uitgerekt dat de stiksels in de zoom zichtbaar waren. Het was een wonder dat William er nog niets over had gezegd, echt een wonder. Hoewel ze altijd in het donker vreeën, tegenwoordig... zou dat de reden zijn? Was ze afzichtelijk geworden?

Beth dwong zichzelf nog eens in de spiegel te kijken, deze keer bekeek ze zichzelf van de zijkant en trok ze haar buik in. Ze ademde diep in en hield haar hoofd omhoog. Ze putte uit oude, hard bevochten lessen die ze had geleerd om kalm te worden, lessen die ze al jaren niet meer nodig had gehad. Nee, niet afzichtelijk, vermaande ze zichzelf, maar... mooi, net als alle andere schepsels van God. En over amper een week zou deze kille, klamme, haatvolle ervaring voorbij zijn. Dan zouden de herinneringen veilig weggestopt worden, zoals je dat kon doen met herinneringen als je er maar hard genoeg aan werkte.

Bij de bovenste trede stopte ze weer toen ze een wild gelach uit de keuken hoorde. Ze had haar kledingkeuze moeten bespreken met William. Misschien waren haar rok en shirt wel te formeel. Waarom had ze het niet met William besproken? Hij droeg een broek en een schoon shirt. Maar dat droeg William altijd. Voor vrouwen was het anders... Het was altijd anders voor vrouwen.

Beth ademde nog een keer diep in en hield zich voor dat haar zakelijke schoonmoeder zich vast wel had omgekleed voor het eten, net als die verschrikkelijke, overdreven amicale Henriëtta, zelfs al zou het een outfit zijn die net zo'n nadruk legde op haar peervormige reet als die smerige rijbroek. Natuurlijk was haar rok mooi. Zíj was mooi. Beth spreidde haar armen om balans te zoeken bij het naar beneden lopen.

Ze greep met een hand de leuning vast en drukte de andere tegen de muur. Haar enkel mocht dan beter aanvoelen door de rust, maar met andere, oudere, diepere kwalen die opkwamen, was er niets te veel om zichzelf te beschermen.

Het leven was ineens weer gecompliceerd, bedacht William verbitterd. Hij liep over de heuvelrand heen die de vallei reduceerde tot een groene vouw in de aarde. De huizen waren niet groter dan kiezeltjes en de rivier leek een glazige snee, die vanaf deze afstand slechts een centimeter voor de voordeur van zijn ouders leek te stromen, in plaats van de kilometer die er eigenlijk tussen beide lag. Schapen waren als kleine stipjes verspreid over de omliggende velden, met de onschuld van een kindercollage van watjes op groen vilt. In de lucht trokken wolken, in de vorm van oorlogsschepen uit een stripboek voorbij, de zon scheen tussen hun stalen boegen door scheen als een parmantige boei die zijn briljante licht wilde laten stralen.

'Hé, pap, moet je kijken.'

William draaide zich net op tijd om te zien hoe Alfie een gehavende tennisbal wegsloeg met een oude golfclub van zijn opa, die hij mee had genomen tijdens de wandeling. De bal steeg hoog op en dreef af met de wind. Hij kwam terecht in een bed van gele paardenbloemen rond een eenzame boom, die de horizon domineerde als een schip met volle zeilen. Alfie kon de wilde schoonheid van de omgeving niet zien, wist William, net als hij dat niet had gekund op die leeftijd. Het was gewoon een omgeving waar het gemakkelijk was om gelukkig te zijn, een open plek die groot genoeg was om al het geluid en alle energie op te slokken die hij kon produceren.

'Mooi schot!' riep William zwaaiend, waarna hij zijn aandacht weer op het uitzicht vestigde. Hij dacht met weemoed aan dagen dat het nog van levensbelang was hoe ver je een bal kon wegslaan, toen kijken naar de spikkeltjes van de menselijke beschaving in een vallei nog geen verlangen opriep naar een gelijkwaardige afstand tot zijn eigen leven. William wist nu dat hij iets van die onschuld had teruggevonden toen hij Beth leerde kennen; verliefd worden – het genot van de ontdekking dat hij dat nog steeds kon – had de wereld weer zo mooi gemaakt, zo gemakkelijk te vergeven en in te geloven. Het kopen van het huis in Darien had praktisch al zijn geld gekost, maar het was het waard vanwege het plezier dat hij had om Beths plezier, om het waarmaken van haar allergrootste droom, waaraan ze altijd toevoegde dat die droom pas compleet was omdat ze er samen woonden.

Maar sinds ze naar Engeland waren gekomen kon hij niet langer ontkennen dat iets van die glans was verdwenen. Beth mocht dan een nieuwe start zijn, de laatste paar weken hadden William duidelijk gemaakt dat hij haar niet weg kon houden van alles wat vóór haar was gebeurd, hoe graag ze dat beiden misschien ook wilden. Het verleden leek dan misschien uit het zicht te verdwijnen, het bleef altijd bestaan, altijd verbonden aan het heden. Of dat nu betekende dat Harry zijn examens verprutste, Susan (ongelooflijk, midden in deze nieuwe crisis) om meer geld vroeg of Henriëtta die ineens aan de eettafel kwam zitten, al na een glas of drie begon te flirten in de onterechte veronderstelling dat een manke, sikkeneurige vrouw voldoende aanleiding was om William over te halen wat oude banden aan te halen.

Ooit, niet zo lang geleden, was het misschien zelfs leuk geweest om te biechten in plaats van te liegen over de korte, ontegenzeggelijk wanhopige, pre- en post-Susan-fases waarin hij het met zijn jeugdvriendin had gedaan – altijd wanneer ze te veel gedronken hadden en meestal (tenminste wat William betrof) tot ontnuchterende ontevredenheid. Haar vaardige manier van schapen tackelen om ze te kunnen wassen bleek geen garantie voor erotische atletiek onder de lakens of interessante gesprekken na de daad. Al even teleurstellend was de ontdekking hoe snel Henriëtta's handelsmerk van zelfverzekerde, opgewekte onafhankelijkheid in elkaar klapte bij een gelijktijdige aanval van alcohol en intimiteit, waarbij een droevige afhankelijkheid achterbleef die William even afschrikwekkend als zielig vond.

In haar huidige staat wist William dat Beth de grappige kant van zulke openbaringen niet zou kunnen zien. Sterker nog, haar wrokkige afkeer van Henriëtta tijdens het eten de avond ervoor, was bijna beschamend opzichtig geweest – zelfs nadat hij oprechte excuses naar haar had gefluisterd over de ruzie om Harry. Ze was duidelijk (ook al ontkende ze het zelf) klaar om haar rug naar Engeland en het hele huizenruilproject te keren. En William kon het haar amper kwalijk nemen: met haar enkelblessure, de spelletjes van Susan en het gedoe over Harry was hun vakantie uitgelopen op een ramp die hun leven in Connecticut nog roziger deed lijken dan voor ze vertrokken. Denkend aan Darien kon hij geen stressvollere momenten bedenken dan de vriendelijke onenigheden over bij welk steakhouse ze die avond uit eten zouden gaan en of ze twee of toch drie films zouden huren.

Alleen een dwaas zou er niet naar verlangen om naar dat soort eenvoudige geneugten terug te keren. Maar deze lange periode in Engeland had William er ook weer aan herinnerd hoe gek hij nog steeds was op zijn thuisland: cricket, kroegen, echt bier, de mogelijkheid om tv te kijken zonder reclame, om het niet eens te hebben over het prachtige landschap, dat zich die ochtend als een schitterend feest onder zijn voeten uitstrekte. Maar de echte, cruciale band, die veel verder ging dan zulke oppervlakkige pleziertjes, waren natuurlijk zijn zonen. Om de kans te krijgen zoveel tijd met hen door te brengen was geweldig en nooit vertoond: hij had ooit twee hele weken gekregen, maar nooit vier, en nog nooit in zulke logistiek zorgeloze omstandigheden. De gedachte dat daar een eind aan moest komen, dat hij weer terug moest naar het vluchtige, ongeregelde patroon van e-mails en vaak onbevredigende telefoongesprekken, zeker met de onopgeloste problemen met Harry, sneed als een mes door zijn hart.

'Raad eens!'

William sprong op toen een paar modderige handen zich over zijn ogen vouwden. 'Tiger Woods? Een commando? Een vervelende dertienjarige die zijn vader een hartaanval wil bezorgen?' William draaide zich om, pakte zijn jongste onder zijn uitstekende, jongensachtige ribben en worstelde hem op zijn rug tegen de grond waar hij hem onder een knie neergedrukt hield. 'Geef je je over?'

Alfie draaide zijn hoofd van de ene kant naar de andere, zijn bril schudde heen en weer, hulpeloos van het lachen.

'Geef je je over?' herhaalde William, maar heser deze keer. Zijn aandacht was afgedwaald naar de sproeten op zijn zoons neus, naar het dons op zijn bovenlip, de nieuwe spieren onder de ribben. Alleen de armen en benen waren nog kinderlijk mager, en aandoenlijk bezaaid met de bewijzen van een goede zomervakantie: schrammen, blauwe plekken, viezigheid, onderbroken door groepjes muggenbeten. 'Mijn god, je bril is echt te vies,' mompelde William, verbaasd dat de ogen die hem door zulke vieze glazen aankeken nog steeds zo ondeugend, hartverscheurend blauw konden zijn.

'Maar ik geef me niet over,' zei Alfie. Hij merkte dat een belangrijk onderdeel van het spel ineens het gevaar liep genegeerd te worden.

'Dan moet je sterven,' riep William plichtsgetrouw, waarna hij hem op zijn buik draaide en een meedogenloze kietelsessie begon die pas stopte nadat een onbedoelde elleboog zijn kaak raakte.

Naderhand lagen ze met zijn tweeën zij aan zij op hun rug in het gras. Ze keken naar de oorlogsschepen, die inmiddels uitgespreid waren en aangevuld tot continenten.

'Ik wil niet dat je weer naar Amerika gaat, pap. Ik vind het leuker als je hier bent.'

'Ik ben nog lang niet weg.'

'Acht dagen. Je blijft nog maar acht dagen.'

'En dan ga ik naar een enorm huis met een enorme tuin waar jij in de kerst op bezoek komt en alle vakanties daarna.' William hield zijn adem in en hoopte dat Alfie niet opzij zou kijken en de eenzame traan zou zien die uit zijn ooghoek over zijn wang gleed. George, Harry – de idioot – kon hij hebben, maar dit niet, dit niet.

'Als we dan langskomen, dan hoeven we haar toch niet "mama" te noemen?'

'Natuurlijk niet.'

'Nooit?'

'Echt helemaal nooit.'

'En ga je echt een zwembad laten bouwen, zoals je had beloofd?'

'Absoluut.' William kwam overeind en prikte speels met zijn vinger in de opening tussen Alfies korte broek en zijn T-shirt. 'Oké?'

'Oké.'

'Goed. Ik ben blij dat we daar uit zijn gekomen.' William stond op en knipperde met zijn ogen om de weinig behulpzame beelden van zijn meest recente creditcardrekeningen weg te krijgen. Zijn eindejaarsbonus zou het weer recht moeten trekken, zoals het die altijd deed, maar tot dan was het krap leven, wat hij met steeds toenemende moeite aan Susan probeerde uit te leggen. 'Kom kerel, we moeten weer terug.'

'Misschien nog niet... Kijk.' Alfie wees naar het dal.

'Jezus...' William hield zijn hand boven zijn ogen en kneep met zijn ogen toen de zon door een van de nu steeds dunner wordende wolken scheen. Beth kwam naar hen toe lopen. Ze baande zich een weg door de bosjes gras en distels met behulp van de wandelstok van zijn vader. Williams hart bonsde in zijn keel. Het was een verschrikkelijke wandeling, zelfs voor iemand die helemaal fit was. Hij was vergeten hoe sterk ze wel niet was. 'Hé, Beth... Beth.' Hij zwaaide met beide armen boven zijn hoofd, maar ze bleef klimmen. Ze trok zichzelf op met lange, scheve passen, zonder op te kijken. 'Wauw.' William grinnikte en bracht met zijn hand Alfies toch al warrige haardos nog meer in de war. 'We kunnen naar haar toe rollen, wat dacht je daarvan?'

'Rollen?'

'Een wedstrijd?' William had zichzelf al weer in het gras gegooid en had zijn lichaam in positie gelegd voor een race over de heuvel.

'Maar het prikt...'

'Mietje.'

Een paar seconden later rolden ze allebei over de heuvel, een paar meter uit elkaar, hun armen over hun borst gevouwen, hun gezichten samengetrokken tegen mogelijke vijandigheden in het veld. Lachend, botsend, opnieuw beginnend, weer botsend, het duurde een paar minuten voor ze dichtbij genoeg waren voor William om te kunnen zien dat de vastberaden stappen van zijn vrouw neerslachtig waren, in plaats van vrolijk. Alfie was alweer aan een nieuwe rolpartij begonnen, maar William bleef zitten waar hij zat. Zijn eigen vrolijkheid verdween langzaam in het besef dat ze boos was. Nee, niet boos... overstuur. Ze veegde af en toe over haar gezicht... ze huilde.

'Beth... lieverd... wat is er?' William strompelde naar haar toe, bijna verstuikte hij zijn eigen enkel in zijn haast. Zijn hart ging tekeer van angst. Zijn moeder? Zijn vader? Harry, god nee? Hij had haar nog nooit zo overstuur gezien.

Alfie, die besefte dat het spel nu echt over was, stond op met een zucht en begon weer de heuvel op te lopen om de golfclub te halen.

'Beth, lieverd, wat is er? Wat is er in vredesnaam gebeurd?'

Ze stopte om op hem te wachten, gooide de stok naar de grond. Haar schouders hingen omlaag. 'Ze is weg! Ze is weg. Ze zijn haar kwijtgeraakt! Ze is al DAGEN weg en ze hebben nooit iets gezegd... ze hebben NOOIT IETS GEZEGD. Die klootzakken... ze zijn haar KWIJT GERAAKT. Ze hebben een boodschap achtergelaten op de telefoon. Ik ben met je moeder naar de winkel geweest en kreeg toen ineens weer ontvangst en...' Ze viel op haar knieën, snikkend.

'Bedoel je...?'

'DIDO! Wie zou ik anders kunnen bedoelen, William? O god, we hadden dit nooit moeten doen... die mensen zomaar in ons huis laten. Ik wist dat er iets mis zou gaan, in mijn hart wist ik het en ik heb het nooit gezegd...'

'Hé, lieverd, rustig aan...' William kroop naast haar en streelde over haar schouders. Vanbinnen was hij opgelucht maar hij merkte dat dit niet het moment was dat duidelijk te maken. 'Laten we het een beetje in perspectief zien, goed? Je bent overspannen en boos en dat is ook niet gek, maar als Dido is weggelopen kan ze altijd nog terugkomen en...'

'Ik moet nu terug.'

Heel even dacht William dat ze het had over het grijze bakstenen huis van zijn ouders, zijn donkeren leistenen dak, amper zichtbaar tussen de bomen in de vallei beneden.

'Ik moet haar gaan zoeken. De Chapmans moeten ons huis uit.' Ze was gestopt met huilen en praatte met een kalmte van iemand die in haar eigen woorden geloofde.

'Beth, in vredesnaam...'

'Ik móét, William. Ik bel wel met Virgin... ik weet zeker dat ik het nummer in mijn tas heb... zou ik hierboven ontvangst hebben?' Ze stond op en rommelde door haar tas, die ze als een soort knapzak om haar borst had gehangen.

William ademde diep in. Boven hen kwam Alfie weer van de heuvel naar beneden lopen. Hij sloeg met de golfclub naar graspollen. 'Lieverd, je kunt nu even niet helder nadenken.'

'O, dat kan ik zeker wel... heel erg helder zelfs, helderder dan ik in weken heb kunnen denken.' Beth slikte. Haar mond was droog en smaakte nog steeds smerig van het overgeven na het ontbijt, dat voorafgegaan was aan de excursie naar Skipton. Een drastische maatregel waar ze al in geen jaren naar gegrepen had. Maar de opluchting na het uitbraken van de onweerstaanbare worsten, spek en eieren van haar schoonmoeder voelde euforisch. En met het afschuwelijke nieuws over Dido was ze alleen nog maar blijer dat ze het gedaan had. Ze kon heel veel dingen hebben, maar niet dik worden... niet nu, naast al het andere. 'Ik moet Dido zoeken. Als die familie niet weg wil vraag ik wel of ik bij Carter en Nancy kan blijven, of misschien kan ik de Travellodge gebruiken. Ik moet haar roepen, William, ze kent mijn stem. Hoe langer we weg zijn, hoe meer kans dat...'

Ze stopte, de tranen weerhielden haar ervan om verder te praten. Alfie, die nu binnen gehoorsafstand was, bloosde en liep snel een andere kant op. Hij sprong over molshopen in de hoop dat het net leek of hij niet doorhad dat er iets mis was.

'Beth, lieverd...' William omhelsde haar, geamuseerd, maar ook bezorgd om de hevigheid van haar reactie. Het was gek, maar ook lief. Dat ze zo'n groot hart had was een van de redenen waarom hij zo van haar hield. Het was immers hetzelfde hart dat zo verschrikkelijk gek was op hem. En Dido had haar naam niet voor niets gekregen, een koningin van de katten zou een groot verlies zijn in hun kleine huishouden, zeker voor Beth, van wie het beest duidelijk het meeste hield. 'Je gaat absoluut niet eerder terug. Dit is onze vakantie en ik heb je nodig. En we kunnen onmogelijk de Chapmans eruit zetten, of wel? En we kunnen dat ook niet aan Nancy en Carter vragen... het duurt nog maar een paar dagen. En bovendien weet je toch dat katten erom bekendstaan dat ze altijd weer hun weg naar huis vinden? Mam kent een verhaal van een kat die vast kwam te zitten in een verhuiswagen en die van Clapham helemaal naar Lands End is gelopen.' Hij hield zijn arm stevig om haar schouders geklemd. Hij wilde haar ondersteunen, maar ook in beweging brengen voor de terugtocht.

Beth, kalmer dan voorheen maar nog steeds mompelend, leunde zwaar op hem. Ze liet zich door hem leiden. 'Men zei nog zo dat ik haar nagels moest laten weghalen, om te voorkomen dat ze weg zou lopen, maar het was zo'n huiskat geworden in die twee jaar in mijn appartement, toch? Ik dacht gewoon dat het niet nodig zou zijn... en hoe vreselijk ook om de nagels van een beest weg te halen... Dat kon ik gewoon niet doen, en zoveel krabde ze nou ook weer niet, toch?'

'Nee, lieverd, dat deed ze niet. Hé, weet je wat? Dido had waarschijnlijk gewoon genoeg van de Chapmans en zit ergens in een hol in de buurt haar tijd uit.'

Beth kon een kleine glimlach op haar gezicht toveren. 'Ja, misschien... Het spijt me, lieverd, het zou ook wel heel gek zijn om nu terug te gaan, maar ik ben gewoon zo verdrietig, zo hulpeloos...'

'Natuurlijk schat,' troostte William direct, uit angst dat er meer tranen zouden komen, 'maar we zijn snel weer thuis en dan is alles weer bij het oude, en Dido ook... zeg, wat dacht je ervan om de rest van de weg op mijn rug te zitten?'

'Op je rug? Dat denk ik niet.'

'Kom op, dat is veel sneller... en veel beter voor je arme enkel.'

'Maar, William, ik weeg een ton.'

'Doe niet zo gek, je bent zo licht als een veertje. Klim er maar op.' William zakte door zijn knieën en pakte haar benen vast zodat ze op zijn rug kon klimmen. 'Hé, Alfie, kun jij de wandelstok pakken, alsjeblieft?'

Alfie gehoorzaamde en probeerde niet te kijken naar de opgezwollen ogen van zijn stiefmoeder, maar de stok was aangenaam glad en zwaar met een gekromde, koperen handvat en al snel rende hij de berg af terwijl hij de golfclub en de wandelstok de lucht in gooide.

'Ji-haa!' riep William, terwijl hij begon te rennen.

'Je bent gek,' gilde Beth, zich vastklampend. Ze moest lachen, ondanks haar stemming.

William begon sneller te galopperen, vol van een plotseling besef dat zijn wereld weer in orde zou komen; dat de mensen van wie hij hield ook van elkaar zouden gaan houden; dat zorgen over geld, katten en examens net zo snel weer zouden verdwijnen als ze kwamen.

Toen ze eindelijk bij de weg aankwamen brandden zijn benen en armen. 'Daar zijn we, mijn schat.' Hij zette Beth voorzichtig neer en ademde snel. 'Uw ridder staat altijd voor u klaar.' Alfie gaf uit zichzelf de wandelstok terug en rende vooruit om het hek te openen dat naar een snellere route leidde via een bospad dat uitkwam op de achtertuin van zijn grootouders. De zon was ondertussen in volle kracht tevoorschijn gekomen, waardoor het asfalt glinsterde als honing en de struiken vol parels leken te hangen in plaats van gewoon nat te zijn. William was blij dat hij op het tempo van Beth en haar stok kon lopen. Hij haakte haar arm aan haar goede kant en genoot van zijn hernieuwde vertrouwen in de wereld.

Ze kwamen bij de poort aan en zagen Alfie over een groot spinnenweb gebogen zitten, dat tussen twee stenen gespannen was. 'Hij is halverwege zijn lunch.' Hij wees met een glimlach op de bewoner van het web, een beest zo groot als een hazelnoot, dat druk bezig was een dikke vlieg in zijn draden te spinnen.

'O-mijn-god.' Beth boog zich voorover, haar hand tegen haar mond. 'Wat smerig... zie je dat, William?' Ze greep naar haar keel en keek met rollende ogen, net als Alfie.

William keek, maar niet naar het web. Het waren zijn vrouw en zijn zoon die zijn aandacht trokken, samen voorovergebogen, samen gevangen in de eenvoudige eenheid van gedeelde verwondering. Zijn vrouw en zijn zoon... Terwijl het beeld op zijn netvlies brandde ontplofte een idee in Williams hoofd, een idee dat zo groot was, zo juist, dat hij duizelig werd door er alleen maar over na te denken.

'Hé, pa, wil je het niet zien?'

'Ja, natuurlijk. Ik... ik had gewoon gehoopt dat ik mijn camera bij me had gehad... jullie tweeën en die spin... dat zou echt een mooie foto geweest zijn,' blufte William, terwijl hij dichterbij kwam om het beter te kunnen zien.

'Maar ik heb al wat foto's gemaakt met mijn telefoon.'

William lachte. 'O, heel goed. Natuurlijk heb je dat.'

Een paar minuten later waren ze bijna thuis, Alfie buiten gehoorsafstand.

'Beth?'

Ze draaide zich om, haar gezichtsuitdrukking was gespannen en afgeleid, het moment bij het hek was duidelijk weer vergeten.

'Ik hou van je,' bewoog William met zijn lippen. Hij slikte zijn werkelijke woorden in. Het was immers een enorm idee, iets wat alles op zijn kop zou zetten, in feite. Hij zou het moment heel zorgvuldig moeten uitzoeken en haar heel voorzichtig overhalen.

# 8

'Een witte donut,' was Olivia's commentaar over het Guggenheim terwijl ze haar moeder uit de foyer naar de straat volgde. Door de glazen muur waren Andrew en Milly nog net te zien, midden in de lange rij voor de kassa van de museumwinkel. En dat voor drie kaarten – een kartonnen sculptuur, een Van Gogh en een Jackson Pollock – die met zoveel zorg waren uitgezocht dat Sophie zich afvroeg of het de recente reizen naar de oude Europese steden waren geweest die haar jongste kind zo plotseling een duidelijke overtuiging had gegeven van haar eigen culturele voorkeuren. De tour had inmiddels al een aandoenlijk zorgvuldig bijgehouden plakboek opgeleverd, waarin niet alleen de voorspelbare foto's van vriendinnetjes op hostelbedden en aan cafétafels waren opgenomen, maar ook de programma's en tickets van musea, afgewisseld met foto's van monumenten en nette blokjes handgeschreven tekst.

Olivia leek daarentegen een nieuwe vastberadenheid te hebben ontwikkeld om helemaal nergens meer van onder de indruk te zijn. 'Een donut, hè?' Sophie draaide zich weg van de glans van de witte museummuren om haar zonnebril op te zetten.

'Ja, een witte, lelijke donut.'

'Dus je had liever dat klassieke spul in Wenen en Salzburg?' Ze liepen van de drukke ingang naar een leeg stuk trottoir, waar Olivia haar telefoon uit haar broekzak haalde en met haar benen over elkaar gevouwen tegen de muur ging zitten. 'Hè?' Ze keek verveeld op.

Sophie lachte. 'Milly kan er maar niet over ophouden en jij hebt amper een woord gezegd. Het is bijna alsof jullie op twee hele andere vakanties zijn geweest.' Ze keek over de rand van haar bril liefhebbend naar haar oudste dochter. Ze genoot van de hechtheid van het gezin dat weer op volle sterkte was teruggekeerd in de laatste week van hun vakantie. Aan de overkant van de weg glinsterde de vijver in Central Park aanlokkelijk tussen de bomen door. Ze dacht aan Carters zwembad, aan die lange, geheime middagen vol gesprekken over ijsthee en drugs. Het voelde ineens zo vreemd, alsof dit het gedrag was van iemand die ze helemaal niet kende.

Ze had de Amerikaan niet meer gezien sinds de dag dat alles uit de hand was gelopen. Een bijzondere dag om meerdere redenen, maar de belangrijkste was toch dat zij en Andrew – nadat ze de zwerm vleermuizen hadden overleefd – de liefde hadden bedreven. Ze hadden elkaar omhelsd met een intimiteit die alleen nog maar intenser voelde vanwege de lange afwezigheid ervan. Sophie was sindsdien meerdere keren gaan zwemmen, maar telkens bij Pear Tree Point, een plek die zij en Andrew, na de hernieuwing van hun band, samen hadden ontdekt en die ze vervolgens aan hun dochters hadden laten zien. Het was een adembenemend mooie plek aan Long Island Sound op nog geen vijftien minuten rijden van de Stapletons, met meer dan genoeg parkeerruimte en een eigen, rustig strandje. Er kwamen alleen vriendelijke mensen uit de buurt, maar het was er nooit te druk om geen ruimte te kunnen bieden aan vier extra, ietwat vale Britse handdoeken. Sophies gelukkigste herinneringen aan hun vakantie lagen inmiddels daar, een herinnering in haar eigen hoofd dat alle problemen voorbij waren, aan het evenwicht – haar eigen en dat van haar familie – dat weer hersteld was.

'Andere vakanties? Wat is dat nou weer voor rare opmerking.' Olivia pakte een handvol van haar lange haren en draaide aan de uiteinden. 'Ik ratel gewoon niet zo over alles als Milly, meer niet. En bovendien kan ik dat beter over jou en pap zeggen, jullie lijken net op andere vakanties te zijn geweest. Jij bent bijna zwart, terwijl hij nog steeds spierwit is.'

Sophie keek haar dochter streng aan. 'Pap moet voorzichtig zijn met de zon, dat weet je best. Het is dat of derdegraads brandwonden.'

Maar, natuurlijk, in zekere zin hadden ze inderdaad allebei een andere vakantie gehad. In elk geval de eerste helft van de vakantie, dacht Sophie. Ze keek weer naar het park terwijl een kleine rilling van schaamte over haar rug liep bij de gedachte aan hoe gretig ze op de Amerikaanse vriendelijkheid was ingegaan. Vanaf die eerste, zachte havermoutmassage van haar brandende handen was het alsof iets in haar zich had overgegeven, iets wat al heel lang heel erg moe en moedeloos was. Het voelde verkeerd, maar ook erg therapeutisch. Attent, ouder, warm en vol wijsheid, leek Carter net een soort groot vat, klaar om alle emoties op te vangen die ze erin wilde gieten. En ze had er gretig gebruik van gemaakt, omdat ze voelde dat hij dat wilde en omdat het zo goed voelde voor haar.

Maar toen, toen het eenmaal uit de hand was gelopen, was al die goedheid ineens weer verdwenen. En hoewel het Sophie tot nu toe verbazingwekkend goed was gelukt om het uit haar geheugen te bannen, geholpen door de heerlijke avond van verzoening met Andrew en de komst van de meiden, op deze laatste dag op Amerikaanse bodem werd ze overvallen door flashbacks van die rampzalige middag. Op het eerste gezicht had ze niets verkeerds gedaan. Zij en Carter hadden een van hun inmiddels gebruikelijk lange, diepzinnige gesprekken, zij aan zij liggend op de zonnebedden. De Amerikaan had haar ervan beschuldigd een 'verzorger' te zijn – een type mens dat, zo stelde hij, notoir slecht is in het verzorgen van zichzelf. 'Tamsin heeft je recht om te klagen weggenomen,' zei hij, als een volleerd analist, terwijl hij haar betekenisvol aankeek onder zijn wenkbrauwen, samengeknepen tegen de zon. 'Ze was zo ziek dat jij er niet tegenop kon. Dat bouwt langzaam op met de tijd, en soms komt het er op de meest vreemde momenten uit. Zoals bij de angst die je voelde toen dat joch inbrak in je huis. Misschien is er toen ook wel iets in jou gebroken, iets wat volledig los stond van de inbraak.'

Sophie was opgestaan van het ligbed en naar de rand van het zwembad gelopen. Ze overdacht deze gedurfde analyse en vroeg zich af of het zo gemakkelijk kon zijn om een heel leven uit te leggen. Sophie schrok toen ze merkte dat Carter plotseling achter haar was komen staan.

'O, Sophie...' Nog voor ze zich kon bewegen ging hij met zijn vingers door haar haren, liefkozend haalde hij de lokken uit haar gezicht.

In plaats van zich te verzetten, leunde Sophie naar achteren, tegen hem aan. Ze liet haar rug tegen zijn buik leunen. Ze vond dat een man die zo vriendelijk was – zo vrij van angst, zo wijs – niets minder verdiende. Een moment later beroerde zijn mond haar nek, haar lippen, en zijn tong zocht gretig naar de hare. Voor een paar minuten – vijf? tien? – had Sophie toegegeven aan de zonde en zijn toenadering beantwoord, zo verbaasd was ze over de kracht waarmee de Amerikaan haar begeerde dat het niet meer dan terecht leek om te proberen het te evenaren. Tot ze merkte dat de fysieke drang die in haar bestond, na maanden weg te zijn geweest, niet naar de grote, gretige handen uitging die inmiddels onder de uitgerekte stof van haar badpak verdwenen waren, maar naar de vriendelijker, vertrouwde aanraking van de man met wie ze was getrouwd.

'Maar ik houd van je,' had Carter gekreund, toen ze eindelijk de kracht had zich van hem af te draaien. 'Dat moet je toch geweten hebben, dat móét wel.'

Ze had verkeerd gehandeld, dacht Sophie nu, ze wachtte tot haar hart zou stoppen met bonzen in haar keel terwijl ze keek hoe de dunne muzikantenvingers van Olivia als een bezetene over het toetsenbord van haar telefoon gleden, maar het had wel goede dingen opgeleverd. Carter wist waar hij stond – dat had ze meer dan duidelijk gemaakt terwijl ze haar boek en haar zonnebrand bijeenraapte. Ze had uitgelegd dat het niet langer kon, ook al was ze dankbaar voor hun vriendschap; wat er net was gebeurd was nooit haar bedoeling geweest en het speet haar als ze ooit een andere indruk had gewekt. En haar beloning was Andrew, die die avond thuiskwam van zijn repetitie met een nieuw licht in zijn ogen, een licht dat haar leek te zien, in plaats van dwars door haar heen te kijken, een licht dat, toen zijn lippen de hare raakten, de onderdrukte, misplaatste fysieke drang van die middag weer op de juiste plek zette.

En nu, in minder dan vierentwintig uur, zouden ze terugkeren in de vertrouwde, welkome greep van hun eigen huis. En de Stapletons naar dat van hen. Sophie keek omhoog naar het stukje lucht dat nog boven de wolkenkrabbers uit stak – dezelfde donkere kleur die het al die vier weken was geweest – ze beeldde zich in hoe de twee vliegtuigen elkaar boven de Atlantische oceaan zouden kruisen. Als Engeland maar half zo magisch was geweest als Darien voor haar en Andrew, dan zouden zij ook zeker gelukkig van hun vakantie terugkeren. William Stapleton, die de week ervoor nog had gebeld voor meer details over de vermiste kat, klonk in elk geval erg gelukkig. Hij zei dat ze zich geen zorgen hoefden te maken en dat zulke dingen nou eenmaal gebeurden en hoe perfect hun huis had voldaan aan hun verwachtingen.

'Hé.' Sophie prikte met haar teen in Olivia's been. 'Ik zou maar een beetje voorzichtig zijn met dat ding. We zijn nog steeds in Amerika, en volgens mij is je telefoonrekening al gigantisch.'

'Nee hoor, je betaalt immers per sms, toch? Dus heb ik de hele vakantie extra lange sms'jes geschreven.'

'Oké, heel slim.' Sophie trok een gezicht. Ze vroeg zich af hoe ze het ooit zover had kunnen laten komen dat ze het enthousiasme voor het prachtige, energieke werk van een ouder zijn had kunnen verliezen. Normaal zijn – wie had ooit gedacht dat dat zo bijzonder kon voelen?

Een moment later kwam Andrew het museum uit lopen, zijn handen in zijn zak, fluitend. Milly liep achter hem aan. Ze draaide een kleine, plastic tas met haar kaarten rond aan haar hand.

'Naar het schijnt heeft Olivia een vriendje opgedoken tijdens haar tripje,' fluisterde hij, toen ze dichterbij kwamen. 'Milly heeft me er net alles over verteld.'

'O god.'

'Een zorgwekkende ontwikkeling inderdaad. En een drummer nog wel... die zijn nooit te vertrouwen.'

Sophie giechelde. Ze haakte haar arm in de zijne toen ze weer verder liepen, de meiden een paar stappen voor hen uit.

'Nou... een laatste winkeltocht voor jullie terwijl ik mijn laatste repetitie doe? Ik heb drie stoelen gereserveerd op de voorste rij, had ik dat al gezegd?'

'Ja, dat had je al gezegd.' Sophie kneep in zijn arm. Ze had hem zelden zo opgewonden gezien. Het maakte niet uit waarom hij ooit akkoord was gegaan met de opdracht, het liefdadigheidsconcert van die vervelende Ann was uiteindelijk een echte bron van vreugde voor hem geworden. 'Andrew, deze vakantie, je hebt het echt geweldig georganiseerd.'

Hij glimlachte. 'Dat weet ik.'

'En hoe ik me voelde... hiervoor... ik denk dat het een soort fase was die natuurlijk samenging met mijn slechte immuunsysteem, zoals dokter Murray zei, maar het was ook iets anders... iets wat misschien vrijkwam toen dat verschrikkelijke joch in ons huis inbrak...'

'Dat heb ik altijd gezegd, toch?' Andrew kneep in haar hand en keek de straat over op zoek naar een taxi.

'Ja, ja, dat klopt...' Sophie slikte en pakte zijn arm nog steviger vast. Ze moest de rest ook vertellen – niet Carters versie van het verhaal, maar haar eigen versie. 'Ik denk dat ik me er verschrikkelijk onveilig door voelde... maar ook – en dit is echt verschrikkelijk, Andrew – dat ik de schuld ervan voor een heel groot deel op jou afschoof...'

'Mij?' Hij keek haar met een glimlach aan. 'Natuurlijk gaf je mij de schuld. Ik heb die etter naar binnen gehaald, of niet soms? Heb hem zelfs een glas water gegeven... Jezus...' Hij keek weer naar de weg, vol met auto's, maar geen taxi's, en hij mompelde: 'En ik dacht dat er voor elke auto in New York minstens een taxi rondreed.'

'Het was nog zo'n jongetje, snap je,' ging Sophie verder, 'dus ik denk dat het ouderwetse in me had verwacht dat je hem tegen de grond zou gooien en dan...'

'Met een mes in zijn handen? Ik ben dan misschien een romanticus, maar ik ben niet gek.'

Nee, zij was degene die gek was, zag Sophie nu in. Ze wilde een ridder te paard in plaats van een echte man – een man die verstandig genoeg was om bang te zijn. Het maakte niet uit wanneer het mes tevoorschijn was gehaald: de dreiging van een mes was er de hele tijd al geweest. Andrew was rustig en behulpzaam gebleven, en als moeilijke situaties een test van iemands karakter zijn dan was het haar karakter dat had gefaald – misschien wel om wat Carter had gezegd: een te ver uitgerekt deel van haar dat plotseling instortte.

'Vergeef me,' drong ze aan, terwijl ze aan zijn arm trok. 'Andrew, zeg me hardop dat je me vergeeft... dat je me alles vergeeft.' Ze had die laatste woorden met kracht willen uitspreken, maar ze stierven een zachte dood op haar lippen toen ze een bekend figuur het park uit zag komen lopen, aan de andere kant van de straat. Zijn armen hingen losjes langs zijn grote lichaam, de lichte kromming in zijn benen was duidelijk zichtbaar, zelfs nu hij een lange broek droeg in plaats van een korte.

'Hé! Wacht!' riep Carter, terwijl hij zich een weg baande door het verkeer, lichtvoetig als altijd, ondanks zijn omvang.

Als Andrew zijn vergiffenis had gemompeld, dan had Sophie het in elk geval nooit gehoord. Hij had het te druk met naar voren lopen om hun vakantiebuurman te begroeten. De verbazing was van zijn gezicht te lezen, gevolgd door trots toen hij zijn dochters aan hem voorstelde. Sophie was wat achtergebleven, ze keek naar het midden van Carters voorhoofd, in plaats van naar zijn smekende ogen. Ze zwaaide naar hem met een ruitenwisserbeweging, bij wijze van groet.

'Ik heb een paar keer gebeld om te vragen of jullie kwamen zwemmen, maar jullie moeder zei dat jullie het te druk hadden,' grapte Carter tegen de meiden.

'En dat was ook zo!' riep Andrew, waarna hij er vriendelijk aan toevoegde: 'Maar wat een toeval, dat we jou hier tegenkomen.'

'Nou, meneer, New York is een hele kleine stad.'

Sophie keek naar de stoep en vroeg zich af of haar familie de intensiteit in zijn stem kon oppikken.

'Jullie gaan morgen weg, toch? Nou, Nancy en ik gaan jullie missen hoor. Hé, Sophie,' hij likte zijn vingers, alsof hij zich iets herinnerde. 'Je hebt een boek bij ons laten liggen, wat ik nog wilde terugbrengen. Ik leg het vanavond wel even bij jullie voordeur, is dat goed?'

Sophie keek hem streng aan. Al haar boeken waren al ingepakt, tussen de lagen kleren om het gewicht te verdelen. 'Oké, dank je.'

'Is er soms een trucje om hier een taxi te krijgen?' vroeg Andrew, met een angstige blik op zijn horloge. 'We hebben er twee nodig – een naar *downtown*, aangezien deze meiden daar gaan winkelen, en een naar de Upper West Side, waar ik mijn laatste repetitie heb.'

'Winkeltherapie, dames?' lachte Carter naar de meisjes, zijn handen in zijn zakken en heen en weer wiegend op zijn hakken, alsof ze alle tijd van de wereld hadden. 'Ik wens jullie veel plezier, hoewel de pond-dollarkoers niet echt meewerkt op dit moment, of wel? Wat de taxi's betreft...' Hij haalde een hand uit zijn zak en keek op zijn horloge met meerdere knoppen, aan een zware schakelketting. Sophie had het op zijn aanwijzingen ooit gebruikt om te timen hoe lang hij over vier baantjes in het zwembad zou doen. Hij had haar gevraagd om hem weer bij hem om zijn arm te doen, herinnerde ze zich nu, waarbij hij zijn arm had gedraaid waardoor er zachte, jongensachtig witte huid tevoorschijn kwam met lange, zwarte haren. Ze had met moeite het horloge weer vast gekregen en hij had gelachen.

'Sorry mensen, maar het is kwart voor vier, de tijd waarop de ploegen wisselen, dus het kan wel eens zijn dat jullie lang moeten...'

'Daar heb je er een!' gilde Sophie. Ze omhelsde Andrew van opluchting toen hij erop stond dat zij en de meisjes de eerste namen.

Terwijl ze wegreden bleef ze strak door de voorruit kijken. Geflankeerd door de glanzende wolkenkrabbers leek de drukke straat meer op een tunnel dan een weg. Zelfs toen de meiden zich omdraaiden om naar hun vader te zwaaien bleef ze haar nek kaarsrecht houden, uit angst dat als ze maar een klein beetje zou bewegen, Carter naast haar zou wachten met zijn grote, beerachtige lichaam, stralend van wanhoop.

Sophie wenste met haar hele hart dat ze op weg waren naar het vliegveld. Een groeiende rusteloosheid om terug naar huis te gaan broeide al langer in haar, maar nu voelde die rusteloosheid meer als paniek. De Amerikaan mocht dan een belangrijke rol hebben gespeeld in haar hernieuwde vertrouwen, maar deze toevallige ontmoeting had haar doen inzien dat hij ook de macht had om het allemaal weer weg te nemen. Zo overduidelijk, intens verloren, liegen over een boek – wie weet wat hij nog meer zou doen? Misschien was het wel helemaal geen toevallige ontmoeting geweest.

Carters beeld achtervolgde haar die hele middag: iedere winkelende man leek ineens een kaal hoofd te hebben en losse, zwaaiende armen. Toen ze drie uur later de concertzaal op de campus van Columbia binnenliep, scande ze nerveus de rijen af terwijl ze naar hun gereserveerde stoelen liepen. Zelfs in het restaurant, na afloop, wachtend op de obers, die druk met tafels en kleden in de weer waren om ruimte te maken voor de acht, in plaats van zes man die op de reservering stonden (de solist Meredith en haar moeder waren overgehaald om mee te eten met wat Geoff en Ann inmiddels hadden omgedoopt tot het Chapmans Afscheidsdiner), bekeek Sophie de gezichten van de andere gasten onderzoekend. Ze verwachtte Carter achter iedere waterfles, achter elk peper-en-zoutstel.

Pas na een paar glazen wijn begon de wereld weer tot rust te komen, geholpen door uitstekend eten en een onweerstaanbare atmosfeer van wederzijdse opgewektheid. Andrew was de held van het moment, op de voet gevolgd door Ann (de opbrengst was klaarblijkelijk fantastisch) en Meredith, wier stemkwaliteit (zo werd met algemene stemmen aangenomen) ver boven die van haar drie medesolisten uit kwam. Ze had de zaal in vuur en vlam gezet. Zelfs Olivia leek een beetje ondersteboven van de jonge sopraan, die, met haar lichtblauwe ogen en hese stem, voor iedereen tijd leek te hebben en die er zo ontegenzeggelijk prachtig uitzag in haar lange, donkere jurk en met haar glanzende haar. Het was Milly, die aan de linkerkant van Meredith zat, die de meeste tijd van de zangeres opslokte. Ze bombardeerde haar met een vragensalvo dat het hele diner duurde en trok op een zeker moment een programma vol ezelsoren uit haar zak en vroeg om een handtekening.

'Jíj,' zei Ann, terwijl ze een vriendelijke, beschuldigende vinger naar Sophie wees toen de andere drie volwassenen met elkaar in gesprek waren, 'bent een andere vrouw dan die hier een maand geleden aankwam.'

'Dat ben ik zeker,' gaf Sophie toe, schaapachtig lachend. Ze merkte dat het een stuk gemakkelijker was om aardig tegen Ann te doen nu ze wist dat ze haar na morgen niet meer zou zien. En hoe kon je iemand nu niet aardig vinden die zoveel moeite deed voor zwerfkinderen? Ze had een geweldige toespraak gehouden na afloop van het concert, ze zag er bijna net zo stralend uit als de stersolist, op hoge hakken en in een zwarte, zijden cocktailjurkje, afgemaakt met een zwarte, fluwelen choker die de aandacht vestigde op de indrukwekkende driehoek van haar decolleté. Andrew moest gekidnapt worden, had ze gegrapt naar het publiek, zo graag wilde zijn adoptiefkoor en -orkest dat hij zou blijven. Ze had afgesloten met een dankwoord uit haar hart voor iedereen die een kaartje had gekocht, niet alleen omdat ze daarmee het chicos perdidos-project hadden gesteund, maar omdat ze zo bewezen hadden dat het meest beroemde koorwerk ter wereld ook buiten het gebruikelijke seizoen tot zijn recht kon komen.

'En jij en Geoff hebben Andrew echt de tijd van zijn leven gegeven,' zei Sophie, in hoop de aandacht zo van zichzelf af te kunnen wenden. 'Hij is zo anders... zoveel gelukkiger.'

'Maar hij heeft ons ook gelukkig gemaakt,' zei Ann. 'Die kidnapgrap was wel oprecht bedoeld, snap je. Als het zou kunnen zouden we hem hier houden.' De wijsvinger zwaaide weer heen en weer. 'Jij hebt maar geluk met zo'n man, Sophie, ik hoop dat je dat weet.'

Ze herinnerde zich deze opmerking tijdens de taxirit terug naar Connecticut (een vooraf betaald cadeautje van Ann om de avond af te sluiten) en kreeg een rilling van irritatie over zich heen. Hoewel ze niet kon ontkennen dat Andrew gezien door de ogen van anderen haar had helpen herinneren welke begaafde en uitzonderlijke man ze had getrouwd. Toen ze na het eten het restaurant uit liepen en de meisjes druk waren met het vluchtig uitwisselen van e-mailadressen, hadden hij en Geoff elkaar omhelsd als geliefden die elkaar vaarwel zeiden, waarna eerst Ann, toen Merediths moeder en daarna Meredith zelf hem overstelpt hadden met omhelzingen en woorden van lof en dank.

Toen hun taxi de snelweg opreed, liet Sophie haar hoofd naar achteren vallen en sloot haar ogen. De meisjes, een aan elke kant, legden hun hoofden op haar schouders.

'Ik zou wel in Amerika willen wonen,' zei Milly, in een geeuw.

'Is dat zo, schat?' Sophie gaf een kus op haar hoofd.

'Dan kan ik naar Juilliard School, net als Meredith.'

'Ja, túúrlijk...' sneerde Olivia slaperig.

'Juilliard, hè?' Andrew, die naast de chauffeur voorin zat, had zich omgedraaid en keek zijn jongste dochter met een glimlach aan. 'Dat is nog moeilijker dan het Royal College, Millikins.'

'Dus?' Milly drukte zich nog dichter tegen haar moeder aan. 'Ik google het wel als ik thuis ben.'

De meisjes waren allebei in diepe slaap toen ze de oprijlaan op reden. De buitenlamp sprong meteen aan, waardoor de glans van de zachtgele buitenmuren in het maanlicht alleen maar versterkt werden. 'Kom op, lieverds.' Sophie gaf haar dochters een zachte duw en strekte zich over hen heen om de deur te openen. 'Een gelukkig huis,' mompelde ze, en ze bleef staan terwijl haar familie naar de voordeur rende. Ze voelde de behoefte om een dankwoord aan het huis te geven voor de genezende krachten van de vakantie en ze wist dat hun vertrek de volgende ochtend te hectisch zou zijn voor zulke vriendelijkheden.

'En dit moet je boek zijn,' zei Andrew. Hij hield een tas in de lucht. 'Dat was aardig van hem, of niet? Welk boek is dit dan?' Hij opende de tas, maar werd afgeleid door Olivia, die in de hal stond te gillen dat ze een kakkerlak had gezien.

Sophie pakte de tas, maar weerstond de drang om erin te kijken tot de meiden in bed lagen en Andrew luidruchtig in de weer was in de badkamer, fluitend tussen het tandenpoetsen door.

Het boek was een doodnormale, oude paperback met een nietszeggende titel door iemand van wie ze nog nooit had gehoord. Verbaasd, maar opgelucht – ze vroeg zich zelfs heel even af of Carter een fout had gemaakt – stond Sophie op het punt om hem in haar open koffer te gooien toen een stuk opgevouwen papier tussen de pagina's uit op de grond viel.

*Sophie, je hebt mijn hart gestolen. Weet je nog toen ik zei: 'Liefde heeft niet altijd de aanwezigheid van de ander nodig'? Nou, ik loog. Ik heb je nodig, en zal je voor altijd nodig hebben. Carter.*

Het leek voor Beth de laatste, onvermijdelijke belediging dat de dag van hun vertrek net de mooiste dag van de hele vakantie moest zijn. Terwijl ze voor de laatste keer, zo hoopte ze vurig, de vale, loshangende gordijnen van de slaapkamer opentrok, kon ze zichzelf er maar net van weerhouden om dit hardop te zeggen. William was al defensief genoeg over de vakantie, daar hoefde zij niets meer voor te doen. En het weer kon haar toch niets meer schelen. Ze wilde alleen nog maar het vliegtuig in, naar huis. Het verlangen brandde al dagen in haar; een constant, onzichtbaar, beschamend vuur, dat elke mogelijkheid om ergens van te genieten verschroeid had. Zelfs de drukke week vol met sightseeing, waar William hoffelijk op had aangedrongen – de National Gallery, de uitgestelde boottocht op de Theems, de Tower of London, George en Alfie met zich meesleurend – was aan haar voorbij gegaan als een diashow in plaats van een echte ervaring.

'Lieverd, ben je wakker?' Ze sprak zacht. Een rilling van onuitspreekbare, verschrikkelijke droevigheid ging door haar heen toen ze William zag, nog steeds in bed, een kussen tegen zijn borst als een kind met een duimdoek. Hij zag er zo kwetsbaar uit. En sinds ze terug waren uit Skipton was hij zichtbaar neerslachtig geweest. En het roken was ook erger geworden, hoewel ze op haar tong gebeten had en er niets over had gezegd. Hij moest immers zijn kinderen achterlaten, hield ze zich voor, bij een ex die, met al haar gevoel voor stijl en moraal, niets meer dan een geldverslindende, zeikende trut was. En dan was er nog zijn laatste gesprek met Harry, een wedstrijd schreeuwen over de telefoon de avond ervoor, waar William schor van was geworden. Beth wilde niets liever dan hem hieruit halen, terug naar de plek waar hij zijn eigen, opgewekte zelf kon zijn, waar hij gelukkig wakker kon worden alleen maar omdat hij haar had.

Toen William geen antwoord gaf keek ze weer naar het raam. Het zou vandaag warm worden, dat kon ze zien aan de doffe kleur van de lucht. Zonder erbij na te denken pakte ze de foto van de Chapmans waar ze eens zo van onder de indruk was geweest. Ze realiseerde zich hoezeer haar gevoelens waren veranderd, niet alleen voor Engeland, maar voor dit vriendelijke, rommelige leenhuis en zijn bewoners. Vooral die vrouw, Sophie. Beth hield de foto dichter bij haar gezicht, fronsend. De scherpe blik en hoge jukbeenderen, de prachtige dochters en romantische muzikale echtgenoot, de stoffige doos met liefdesbrieven die zo argeloos was opgeborgen – hoe gretig had ze het allemaal tot zich genomen. Maar nu wist ze beter. Nu wist ze dat de vriendelijke, lachende foto's, het rommelige comfort van het huis, onderdeel uitmaakten van een subtiel complot – een complot om haar vertrouwen te winnen en het dan kapot te trappen. Vier weken hel. En Dido... Beth liet de foto vallen en veegde haar handen af aan haar nachtjapon, alsof ze bang was voor besmetting. Het hele huis was vervloekt. Ze kon niet wachten om te vertrekken, tot ze haar eigen huis kon claimen, tot ze haar geliefde huisdier weer zou vinden en kon vergeten dat deze hele reis ooit had plaatsgevonden.

Een vliegtuig was in de lucht verschenen, angstaanjagend dichtbij. Niet ver erachter vloog het volgende vliegtuig al. Er waren te veel vliegtuigen in west-Londen, had William onlangs nog gemopperd, maar Beth had in het geniep besloten dat ze van elk vliegtuig hield – geluid en al – omdat ze haar eraan herinnerden dat de wereld klein was, dat de ontsnapping aan wat een van de meest verschrikkelijke maanden uit haar leven was geworden nabij was.

'Je kunt maar beter opstaan, schat, we hebben een auto besteld om halftien, weet je nog?' Beth begon zich aan te kleden met de kleren die ze de avond ervoor had klaargelegd voor de reis. Met een schok van geluk merkte ze dat het elastiek van haar broek losser om haar middel zat. Haar enkel was beter, haar gewicht was beter, de taxi kwam over een uur. Het leven kwam duidelijk langzaamaan weer in zijn rails terecht. Ze boog zich voorover om haar sportschoenen te strikken (uitgekozen omdat ze wist dat haar nog steeds kwetsbare enkel zou opzwellen in het vliegtuig) en keek naar de schoenendoos onder het bed om zeker te weten dat ze niet gedroomd had dat ze hem weer op zijn oude plek had teruggezet, tussen de spinnenwebben. Ze had zelfs een nieuw elastiek om de brieven gebonden, iets dikker, maar dezelfde kleur rood als het oude, dat tussen haar vingers was verbrokkeld.

Aangekleed en klaar om te gaan, stond ze met een wanhopige maar liefdevolle blik naar William te kijken, die zijn gezicht nog steeds diep in zijn kussen begraven had, toen de deurbel ging. 'William... dat moet de taxi zijn. William!' Ze sloeg op de deken en hobbelde naar beneden.

Maar het was een jonge vrouw in politie-uniform, jong genoeg om zomaar te verwachten dat ze tegen de eigenaar van het huis sprak en die daarom Beth direct verzocht om deel te nemen aan een identiteitscontrole op het bureau.

'We hebben een jonge man opgepakt voor een soortgelijke inbraak als de uwe in januari. Het staat allemaal op video,' voegde ze er behulpzaam aan toe, omdat ze de lege uitdrukking op Beths gezicht verkeerd had geïnterpreteerd als een aarzeling. 'U hoeft hem niet in persoon aan te wijzen.'

'Nee, u begrijpt het niet, ik ben niet mevrouw Chapman, ik ben... een huisgast.'

Op dat moment nam William het over – hij was nog bezig zijn T-shirt aan te trekken – en bood aan om een briefje voor de Chapmans achter te laten om de ontwikkelingen uit te leggen, ook al bleef de politievrouw, zichtbaar vernederd door haar vergissing, erop aandringen dat ze toch persoonlijk contact zouden opnemen.

'Ik vind dat ze ons dit hadden moeten vertellen,' zei Beth, terugkomend op het onderwerp toen ze eindelijk over een lege snelweg koers zetten naar Heathrow. 'Ik bedoel... een inbraak? Als toekomstige huurders hadden we alle recht om dat te weten. Moet je je voorstellen dat zoiets gebeurd was terwijl wij er waren... en met jouw kinderen erbij?' voegde ze er nog aan toe, met een toon die meer te maken had met haar gevoelens over het huis – en de vakantie in het algemeen – dan met bezorgdheid om het welzijn van haar stiefzoons. 'William? Denk je niet dat we dan nog eens goed hadden nagedacht over het hele huizenruilplan?'

'Dus, beter dat we het niet geweten hebben,' mompelde William, die al de hele weg verdoofd uit het raam keek, zonder echt deel te nemen aan dit gesprek, of een van de andere. 'Het spijt me dat het niet beter was,' zei hij zacht, 'de vakantie... Je had er zulke hoge verwachtingen van, dat weet ik.'

'Doe niet zo dom... het was fantastisch.' Beth kon er nog net een glimlach uit persen. 'Een paar hordes hier en daar, misschien...' Ze probeerde een grappig gezicht te trekken, maar hij keek de andere kant op.

Eenmaal in de terminal, merkten ze dat ze een van de eerste passagiers waren die incheckten, een geluk dat al snel omsloeg in ongeluk, toen de omroepcentrale meldde dat hun vlucht, vanwege een klein technisch probleem, minstens twee uur vertraagd zou zijn. Beth zocht troost in drie chocoladecroissants. Kort daarna liet ze William achter om ze op de wc weer uit te kotsen, een proces dat flink wat tijd in beslag nam, aangezien ze het geluid moest maskeren met het doortrekken van de wc, waarna ze haar tanden moest poetsen en haar gezicht en lippen moest bijwerken.

'Ik dacht dat je nooit meer terug zou komen,' zei William, toen ze eindelijk terug was.

'Ik ben een meisje, weet je nog?' zei Beth, blij dat ze weer een echo van de oude speelsheid in zijn stem hoorde.

Hij had zijn iPhone op zijn schoot en bladerde door zijn berichten. 'Ik heb Harry net een e-mail gestuurd, dat ik misschien wel een werkstage voor hem kan regelen in New York. Mijn poging tot een olijftak. Wat denk jij?'

'O, lieverd, wat een goed idee. Denk je dat je dat zou lukken?'

William haalde zijn schouders op. 'Zoals het er nu voor staat zal het zeker niet eenvoudig zijn. Maar het is de moeite van het proberen waard... Alles is de moeite van het proberen waard, aangezien Harry alleen maar op zijn drumstel lijkt te willen spelen en een uitkering wil trekken.'

'Speelt Harry drum?'

William keek chagrijnig. 'Slecht, maar ja. Dat is waar ons gezellige gesprek van gister voornamelijk over ging. Hij heeft net – god bewaar me – een rockband opgericht. Susan heeft hem zijn drumstel zo lang in de kelder laten bewaren – tussen haar dozen en kluwen wol – dat ik dacht dat hij zijn interesse was verloren. Althans, dat hoopte ik.' Hij glimlachte pijnlijk. 'Maar misschien is hij wel de volgende Ringo Starr en heb ik het helemaal niet in de gaten.'

'Misschien.' Ze keken elkaar aan en moesten lachen. Ze wisten allebei dat dit soort momenten de laatste tijd zeldzaam waren geworden. Williams ogen werden vochtig – van vrolijkheid, nam Beth aan, tot er plotseling, tot haar grote verbazing een paar echte tranen over zijn wangen gleden. 'Lieverd? Mijn god, William, wat is er? Is het Harry? Het komt echt allemaal wel goed met hem. Hij is gewoon een kind dat zijn eigen weg probeert te vinden.' Beth pakte zijn handen op en drukte ze tegen haar lippen, zelf nu ook bijna in tranen. 'O, weet je wat wij nu nodig hebben? Een vakantie...'

En toen moesten ze allebei weer lachen en omhelsden ze elkaar als de beginnende geliefden die ze waren, twee instrumenten in dezelfde toonsoort, die dezelfde melodie speelden.

'O, kijk, kijk, dit is mijn favoriet,' zei William, terwijl hij met een glimlach zijn neus ophaalde, zichzelf lostrok uit de omhelzing en de foto's op zijn telefoon tevoorschijn haalde. 'Die. Kijk. Mooi hè?'

Beth was een beetje verbaasd dat ze niet naar een foto van haar en William keek, maar naar een van haar en Alfie en George, zittend op de muur buiten het Tate Modern. Ze had haar armen om de jongens heen en hun hoofden leunden tegen haar aan. Het was een mooie, heldere foto, waar ze alle drie lachend op stonden maar er nog steeds normaal uitzagen. 'Ja, dat is een hele mooie. Wat zijn het toch een geweldige jongens... ik vond het heerlijk om hen beter te leren kennen...'

'En je bent zo leuk met hen, zo goed...'

'Dat weet ik zo net nog niet. Ik ben gewoon mezelf, denk ik.'

'Precies.' William draaide zich naar haar toe en vouwde zijn vingers in de hare. 'Beth, luister, er is iets wat ik met je wilde bespreken, maar ik moet weten dat je het me allemaal kunt vergeven voor ik het je zeg.'

'Je vergeven?' Ze glimlachte onzeker. In haar hoofd raasden verschillende horrorscenario's voorbij.

'Niet dat er echt iets te vergeven valt,' zei hij, toen hij aan haar uitdrukking zag dat hij haar dreigde kwijt te raken voor hij überhaupt begonnen was. 'Behalve dan dat we iets hadden afgesproken en dat ik daar nu op wil terugkomen – althans, ik wil het erover hebben. En ik weet dat je geschokt zult zijn, dus doe alsjeblieft je best om dat niet te zijn.'

'William, als je op deze snelheid doorgaat missen we onze vlucht nog,' mompelde Beth, nog steeds nerveus maar ergens ook wel opgelucht.

'Een baby. Onze baby. We kunnen er een krijgen. Misschien. Dat maakt ons compleet.'

In de stilte die volgde kon Beth haar lege maag horen rommelen. Het kwam zelfs in haar op dat een van de andere angsten misschien gemakkelijker was geweest om te beantwoorden. Een affaire met die peervormige Henriëtta, misschien... een sekspartij met Susan, om herinneringen op te halen... ja, dat zou een stuk gemakkelijker geweest zijn. 'Maar... we zijn toch al compleet,' zei ze eindelijk, met een zachte stem.

William liet zijn hoofd voorover vallen. 'Ja, dat zijn we. En ik heb je overstuur gemaakt. Maar het is gewoon dat...' En in plaats van voorzichtiger te doen, ging hij vol in de aanval. 'Je kunt je niet voorstellen hoe het is om een kind te hebben... de liefde, de vreugde. Dat is de pijn zo ongelooflijk waard. Ik wil dat je die liefde kent, Beth. Je verdient het om die te kennen. Dat brengt echt je hele hoofd op hol. Maar nog belangrijker dan dat, ik moet de hele tijd denken aan hoe geweldig het zou zijn om het deel van jou in ons kind te zien en het deel van mij in jouw kind. Met Susan was het zo'n puinhoop, maar met jou kan ik – kunnen we – het goed doen...' Hij trok plotseling zijn handen terug en ging overeind zitten. 'Oké, dat is het. Nu hou ik op. Zeg maar niets,' voegde hij er nog aan toe, terwijl hij zich op zijn dijen sloeg, op een manier die Beth deed hopen dat daarmee de zaak af was.

Maar toen begon hij weer, zijn stem kalm, met een vurige blik in zijn ogen. 'Zeg nu nog maar niets, bedoel ik. Ik had beloofd dat het iets was wat we nooit zouden hoeven bespreken en ik heb die belofte gebroken en dat spijt me. Maar er zijn redenen waarom ik de belofte gebroken heb en dus is alles wat ik je nu vraag, Beth, lieverd, dat je erover nadenkt. Denk er gewoon over na. Oké?'

Beth knikte, ze dacht er nu al niet aan. Hij had het niet mogen vragen en ze was boos op hem dat hij het toch gedaan had. Maar hij was zo opgewonden, zo emotioneel, dat het oneerlijk leek om het hem al te kwalijk te nemen. Ze hadden alleen tijd nodig, terug op hun oude plek, in hun eigen huis.

Toen hun vlucht eindelijk werd omgeroepen liepen ze langzaam naar de gate, William vanwege de tegengestelde emoties die aan hem trokken en Beth omdat ze overcompenseerde voor de verschrikkelijke behoefte om weg te rennen.

'Hé, je vergeeft het me toch, of niet?' mompelde hij. Hij legde zijn handen in haar schoot terwijl het vliegtuig naar de startbaan taxiede, stuiterend over de hobbels in het asfalt. 'Wat ik je op het vliegveld vroeg... je bent toch niet boos?'

'Ik was verbaasd, meer niet.' Beth kuste de zijkant van zijn gezicht. Hoe kon ze nu boos zijn, nu het vliegtuig naar huis ging? Ze ontspande in haar stoel, zo erg genoot ze van het duwen van de motor tegen haar borst dat ze al in de lucht hing met hoofdpijn, voor ze zich herinnerde dat ze eigenlijk een kauwgum uit haar tas had moeten pakken.

# Deel 2

# 9

Aan: Bethstapleton@aol.com
8 september
Van: Sophiechapman@hotmail.com

Beste Beth,

Ik wilde je alleen nog persoonlijk even HEEL erg bedanken (ik weet dat Andrew al een e-mail aan William heeft geschreven) dat jullie zo goed voor ons huis hebben gezorgd en dat wij de meest fantastische vakantie in jullie huis mochten hebben. Wat is jullie huis mooi! Ik kan niet onder woorden brengen hoe heerlijk we het daar hebben gehad. Het was gewoon echt perfect – en zoveel beter dan in een hotel. (En natuurlijk een stuk goedkoper!) We hebben oude vrienden in New York opgezocht en heel veel dingen gezien, maar ook de rust van Darien opgeslokt... Ik kan in alle eerlijkheid zeggen dat we het allemaal enorm naar onze zin hebben gehad.

Het grote verdriet van de vakantie was natuurlijk het verdwijnen van je geweldige kat, Dido. Ik weet gewoon echt niet wat er met haar gebeurd kan zijn en ik kan niet genoeg zeggen hoezeer het me spijt. Elke keer dat ik eraan denk voel ik me weer zo verschrikkelijk. Ik weet dat Perzische katten heel erg duur zijn dus ik wilde toch graag zeggen dat als je haar niet meer kunt vinden, en je toch graag een andere kat zou willen, dat Andrew en ik ons vereerd zouden voelen als je ons daarvoor zou laten betalen. Laat het maar weten.

William heeft mij over de telefoon bevestigd dat ons eigen, veel bescheidener stulpje jullie goed is bevallen, dus daar ben ik echt heel erg blij mee. Ik begrijp dat het weer verschrikkelijk was, wat vooral voor jou erg vervelend moet zijn geweest – de natste augustus ooit, volgens onze weerberichten. Het is dan ook vreselijk oneerlijk om te moeten opbiechten dat ik bij jou de mooiste kleur heb gekregen (die ik nog steeds heb!). En mijn meisjes zijn ook prachtig bruin, maar zelfs Andrew, die de bleekste huid heeft die je je maar kunt indenken en die nooit in de zon zit, heeft meer dan een hint van een gezonde kleur! Dus DANK JE. De vakantie van mijn leven. We zullen er altijd met veel plezier aan terugdenken.

Met de warmste groeten,
Sophie Chapman

PS Als we iets hebben achtergelaten, dan spijt me dat – ik mis nog niets, maar we zijn nogal rommelig! Zou je losse sokken misschien op de post kunnen doen? We betalen je er uiteraard voor.

Aan: Zoewatson@btinternet.com
8 september
Van: Sophiechapman@hotmail.com

Beste Zoë,

Ik kan gewoon NIET geloven dat het alweer acht maanden geleden is dat we elkaar voor het laatst echt hebben gesproken. Waar is dat jaar gebleven? Natuurlijk hebben we niet meer zoveel mogelijkheden om elkaar tegen het lijf te lopen, nu de meiden ouder zijn en niet meer zoveel begeleiding nodig hebben... maar toch, dat mag geen excuus zijn! Nu ik net terug ben van een geweldige familievakantie (in Darien, Connecticut – we hebben een HUIZENRUIL gedaan met een paar Amerikanen!) heb ik besloten om een nieuw hoofdstuk te schrijven en mijn best te doen voor de mensen om wie ik echt geef. En daarom; kunnen Peter en jij misschien op vrijdag

26 september langskomen voor eten, zeg acht uur? Laat het maar weten.

Voor nu het allerbeste,
Sophie

PS Ik heb Karen en Jeremy ook gevraagd. Ik weet dat ze naar het zuiden gingen verhuizen, maar ik dacht dat de crisis die plannen overhoop heeft gegooid, toch?

Aan: WFCCollege@tiscali.co.uk
8 september
Van: Sophiechapman@hotmail.com

Beste Gareth,

Heel erg veel dank dat je zo begripvol was over de telefoon. Ik schrijf je nu, zoals we waren overeengekomen, om te bevestigen dat ik erg graag weer zou beginnen met lesgeven op WFC komend trimester, op dezelfde freelancebasis als voorheen, d.w.z. twaalf uur per week. Maar, zoals ik al zei, ik wil graag meer of minder doen dan dat, afhankelijk van wat je nodig hebt. Dat is volledig aan jou! Ik begrijp natuurlijk dat je, zo laat in het schooljaar, de vervangers al in de rij hebt staan en ik wacht rustig af wat je me kunt bieden.

Ik wilde je ook graag bevestigen dat (afkloppen) mijn gezondheid weer helemaal in orde is. Ik begon het jaar met wat nu een vorm van uitputting blijkt te zijn, maar zoals ik aan de telefoon al zei, na zes maanden vrij – samen met een fantastische vier weken durende vakantie in de VS – ben ik weer helemaal uitgerust.

Alvast heel erg veel dank,

Vriendelijke groet,
Sophie Chapman

De computer, net als de rest van het huis, was extreem – schrikbarend – schoon, merkte Sophie, toen ze de uitknop indrukte en met haar vinger zachtjes over het scherm streek op een manier die, vijf weken geleden, zeker een vinger vol stof had opgeleverd. Toen haar vinger een piepend geluid maakte, leunde ze achterover in haar stoel. Ze lachte uit verwondering dat hun fantastische vakantie kon eindigen in zo'n prachtige finale, waarin ze terugkeerde in een huis dat straalde in alle hoeken. Beth Stapleton moest uren hebben gezwoegd, of ze hadden een van die peperdure schoonmaakbedrijven ingehuurd.

Zelfs Andrew, normaal toch blind voor dit soort huiselijke veranderingen, was onder de indruk van de nieuwe, brandschone staat van hun huis; terwijl de meisjes hun kamers uit waren komen stormen en klaagden over verplaatste spullen en wie het lef had gehad om dat te doen. Iemand die trotser op haar huis was dan Sophie had misschien hun ongenoegen gedeeld. Maar zij kon niet anders dan genieten van de moeite die Beth Stapleton had genomen. Hoewel ze niet had kunnen wennen aan de veel te schone staat van het huis in Connecticut, was het terugkeren in een veel schonere versie van haar eigen huis op een of andere manier de perfecte onderstreping van de verse start waar zij en Andrew – tot haar grote plezier – aan waren begonnen. En het was een zinvolle tip van vrouw tot vrouw, alsof je ziet hoe iemand zijn sokken optrekt en er zo achter komt dat je eigen sokken ook rond je enkels hangen.

Sophies vinger zweefden boven het toetsenbord. Ze speelde met de gedachte om Beth nog een e-mail te sturen om haar apart te bedanken voor het schoonmaakwerk. Bij haar eigen vertrek uit Darien had ze niet veel meer gedaan dan een doek door de keuken halen en een borstel door de wc's. Niet dat ze lui was maar vanwege een kleine vrouw met pluizig haar genaamd Ana die – geheel volgens Beth Stapletons instructies – het huis twee keer in de week kwam schoonmaken en de was kwam doen. Het was pas tijdens het laatste bezoek van de schoonmaakster – op hun laatste ochtend – dat Sophie erachter was gekomen dat het loon van de arme vrouw haar vijf kinderen in de Filippijnen moest onderhouden, een gegeven dat haar haastig naar haar laatste dollars liet zoeken in haar tas, terwijl Andrew zich beklaagde dat het niets anders was dan een goed getimed zielig verhaal en dat ze niet goed snik was dat ze erin trapte.

Vertrouwen in mensen: dat was wat telde, besloot Sophie. Vijf minuten later trok ze de voordeur dicht en liep ze met een opgewekte stap richting het politiebureau. Het was een goede anderhalve kilometer, maar het was een te mooie ochtend om niet te gaan lopen. De zon stond hoog aan de hemel en er hing nog net een beetje frisheid van de ochtend in de lucht. Niet lopen was een van de weinige nadelen geweest aan hun familieweek in Connecticut. Ze hadden het een keer geprobeerd, in een rij vanwege het gebrek aan een 'stoep'. Maar de meisjes raakten achterop en ze zweetten alle vier hele rivieren, dus voelden ze zichzelf niet eens meer toeristen maar meer een stel buitenaardse wezens – een bedreigde diersoort, dankzij de voorbijrazende auto's en de blikken van hun geboeide maar verbaasde inzittenden.

Toen de vierkante, betonnen voorkant van het politiebureau in zicht kwam, had Sophie haar sjaal afgedaan en baalde ze dat ze geen slippers had aangedaan, in plaats van sokken en schoenen. De frisheid was verdwenen en de zon was volop aan het stralen. Een nazomer, noemden de kranten het, een revanche op een zwaar teleurstellende augustus. Sophie lachte in zichzelf en hoopte maar dat die beschrijving het niet tot *The New York Times* zou halen.

Carter had liever de *Washington Post*, herinnerde ze zich plotseling. De liefdesbrief in de paperback was een enorme schok geweest. Toen ze het in de prullenbak van de slaapkamer wilde gooien, leek hij aan haar vingers te blijven kleven. Hij hing nog steeds in de lucht toen Andrew terugkwam van het tanden poetsen. Hij droogde zijn gezicht af met een handdoek en zong 'Unto Us A Boy Is Born' met een komische maar toonvaste perfecte falset. Elke vage notie van opbiechten wat er was gebeurd, verdween op dat moment voorgoed. Andrews geluk – haar geluk – leek eenvoudigweg te vol, te rauw, te kwetsbaar om te riskeren. En het was niet alsof de situatie met Carter makkelijk viel uit te leggen. Het zat vol gecompliceerde elementen, sommige goed, sommige slecht, sommige haar schuld, andere weer niet. 'Ik kan niet wachten om weer thuis te zijn,' had ze in plaats daarvan gezegd. Ze viel tegen haar man aan en bad voor een snelle, voorspoedige terugkeer naar Engeland de volgende dag. Ze bedacht hoe de enorme, prachtige buffer van de Atlantische Oceaan haar zou beschermen tegen Carters ongewilde passie – het was het enige aan de vakantie waar ze verschrikkelijk veel spijt van had.

Eén gebed verhoord, nog één te gaan, zei Sophie nu tegen zichzelf, terwijl ze de zware deuren van het politiebureau openduwde en zichzelf met duidelijke stem aankondigde bij de balie, zonder angst. Toen een graatmagere jonge politieagent met een geschoren hoofd haar door de gang begeleidde, volgde ze hem met haar schouders naar achter en haar kin omhoog. Ze zou een video van politiefoto's te zien krijgen, met nummers erop, om te zien of ze de jongen eruit kon pikken die in januari bij hen naar binnen was gekomen. De jongen zelf tegen het lijf lopen was onmogelijk, was haar verzekerd, aangezien hij op een andere locatie werd vastgehouden.

Het zou heel gemakkelijk zijn. Sophie balde haar vuisten en vervloekte de noodzakelijke voorschoolse bijeenkomst die ervoor had gezorgd dat Andrew een dag later zou gaan. Hij was zo druk geweest sinds hun terugkeer dat hun meeste gesprekken in de gang of over de telefoon plaatsvonden. 'Wat nou als ik het niet zeker weet?' vroeg ze aan de politieagent. 'Betekent dat dan dat hij vrijuit gaat?'

'Niet per se. Een slachtoffer van een meer recente misdaad zal dezelfde band te zien krijgen. En dan komt uw man ook nog. We hebben maar twee positieve identificaties nodig om een goede kans te maken hem veroordeeld te krijgen.'

Sophie ging zitten op een paarse stoel in een kleine, grijze kamer, terwijl haar rechthoekige metgezel de afstandsbediening van een grote televisie en dvd-speler bediende. Ooit zo bedreigend, nu kon ze zich het gezicht van de binnendringer niet eens meer voor de geest halen, realiseerde ze zich ineens in paniek; de magere bouw, de volle mond – het leek allemaal niet meer echt. Maar toen begon de band te lopen en daar was hij, de eerste foto. Veel zieliger kon je je een politiefoto niet indenken.

'Dat is hem.' Ze wees met haar vinger en voelde zich fantastisch.

'Weet u het zeker?'

'Honderd procent. Nummer twaalf. Dat is hem.' Sophie leunde dichter bij het scherm en fronste. 'Waarom is nummer twaalf niet nummer een, als hij toch de eerste is?'

'We verwisselen de nummers bij elke identificatiesessie, om zo uit te sluiten dat er overleg plaatsvindt, zoals met uw man, bijvoorbeeld.'

'Wow, dat is slim.' Sophie ademde uit, de opwinding raasde door haar lichaam heen. Het leven ging natuurlijk door slechte fases, maar nog nooit was ze uit een fase gekomen die zo slecht was als deze of had ze zo zeker geweten dat een fase voorbij was. Een paar dagen ervoor had ze een bezoek gebracht aan de zuid-Londense begraafplaats waar haar jongere zusje begraven lag. Ze wilde Carters theorie testen. Als haar naamloze crisis over verdriet en schuld ging, dan zou ze dat daar zeker weten. Ze had een kleine wintercyclaam meegenomen, die ze met haar blote handen in de grond plantte. Toen ze klaar was leunde ze achterover en haalde ze voorzichtig het vuil onder haar nagels vandaan. Ze was zich niet zozeer bewust van verdriet of begrip, maar meer van een nieuwe vastberadenheid. Wat de elementen ook waren geweest die tot al die maanden van ongeluk hadden geleid – de afstand tussen haar en Andrew, de inzinking in de bossen van Darien – het was een fase van haar leven geweest die nu voorbij was, zo besloot ze dolgelukkig. Ze was er sterker uitgekomen, zoals zo vaak met slechte dingen in het leven.

En nu zou deze kindercrimineel, die zo duidelijk verbonden was aan die fase, naar de gevangenis gaan – of naar Borstal, of waar ze jonge wetsovertreders tegenwoordig ook maar naartoe stuurden. Het was het perfecte einde. Sophie pakte haar tas. Ze glimlachte naar de politieagent.

'U moet de hele film afkijken.'

'O, ja, natuurlijk, wat u wilt.' Ze ging weer achterover zitten, zo comfortabel als ze maar kon in de harde, paarse stoel.

'Er zit thee of koffie in de machine.'

'Nee, dank u. Ik hoef niets, maar heel erg bedankt.'

Er zat een klein raam in de kamer dat uitkeek op een steegje dat vol stond met vuilnis en dozen. Terwijl de grauwe gezichtenparade zich op het scherm voltrok, bleef Sophie af en toe naar het raam kijken, niet naar het vuilnis, maar naar het kleine vierkantje blauwe lucht in de rechter bovenhoek. De lucht werd steeds donkerder van kleur, naarmate de ochtend voortschreed. Ze zou andere schoenen aantrekken en dan naar Richmond gaan, besloot ze, koffie drinken op een terrasje, misschien een nieuw rokje voor zichzelf kopen – dat zou ze zeker nodig hebben als ze weer aan het werk zou gaan – en misschien ook een topje, iets wits of crèmekleurigs om haar bruine huid zo optimaal mogelijk tot zijn recht te laten komen. Die laatste middag in New York had ze haar dochters meegenomen op een winkeltocht langs alle grote warenhuizen. Maar met de schaduw van Carter nog steeds om haar heen was ze niet in de stemming om ook aankopen voor zichzelf te doen.

En misschien zou ze ook iets voor Andrew kopen. Hij was hopeloos in kleren kopen – te ongeïnteresseerd en ongeduldig. Ze zou misschien een nieuw overhemd voor hem kunnen kopen, iets nets maar niet voor zijn werk, een mooie kleur, iets wat hij misschien naar hun kleine dinertje zou kunnen dragen, speculeerde Sophie dolgelukkig. Contact met oude vrienden opnemen was allemaal onderdeel van haar nieuwe leven en ze had er heel erg veel zin in. Lang geleden kwamen zij, Karen en Zoë constant bij elkaar over de vloer, waar ze hun persoonlijke verhalen met elkaar deelden bij de thee met koekjes. Waar waren die dagen gebleven? Sophie vroeg het zich ineens af. Waarom had ze hen laten gaan?

Nadat haar magere bewaker haar terug door de gang naar de ontvangstbalie had geleid, liep Sophie weer terug de zon in. Ze kocht een kleine fles water bij een kiosk en liep terug naar huis. Af en toe stopte ze even om te kijken of Andrew al opnam. Nu het weer goed ging moest ze zich er ook bij neerleggen dat ze hem met de buitenwereld moest delen, hield ze zich voor. Ze liet een bericht achter bij haar achtste poging om te zeggen dat de identificatiesessie heel goed was gegaan en of hij haar kon terugbellen.

# 10

Sinds ze getrouwd waren en naar Connecticut waren verhuisd, was het ontbijt samen met William een van Beths meest geliefde momenten van de dag. Dan zaten ze door de glazen deuren naar de tuin te kijken en had ze de tafel perfect gedekt – een kan sap, een mandje verse broodjes, een pot dampend hete koffie, yoghurt, een schaal fruit, aardbeien, mango, kiwi, wat er die week ook maar aantrekkelijk uitzag in de uitstekende groentezaak bij hen in Darien. Het was de beste start van de dag die ze kon bedenken, met haar liefje tegenover zich die gezellig commentaar leverde op de krantenkoppen voor hij haar de binnenkaternen overhandigde en zijn aandacht op de aandelenkoersen richtte. Doordat William forensde moesten ze altijd vroeg op, maar dat vond ze geen probleem omdat ze dan lekker kon gaan hardlopen. William was degene die soms wat achter de vodden gezeten moest worden. Dan wilde hij zijn bed niet uit, die snoezige slaapkop, die zijn duik onder de douche altijd zo lang mogelijk wilde uitstellen.

Maar twee weken na hun terugkeer uit Engeland leek het of er iets van de glans – of iets van de onschuld – van zulke geliefde dagelijkse dingen was verdwenen. Ze tikte haar knieën tegen elkaar onder de ontbijttafel en plukte wat aan een stukje kiwi. Er hingen nu schaduwen tussen hen in, wolken voor het ooit zo onbezoedelde canvas van hun liefde.

De vakantie met zijn diverse ongelukkige voorvallen was daar uiteraard verantwoordelijk voor. Er waren problemen geweest en het zou wel even duren voor de kreukels weer gladgestreken waren. En toch was Beth ervan overtuigd dat er nog een veel zwartere oorzaak aan ten grondslag lag, en dat kwam door een vaag maar onmiskenbaar besef dat de tijdelijke bewoners van hun huis de boel hier voorgoed hadden verziekt. Ana had zoals gewoonlijk uitstekend werk geleverd – elke kamer was opgeruimd en brandschoon, en er stonden maar een paar dingetjes op de verkeerde plek (voornamelijk in de keuken) – er was verder niets veranderd, en toch voelde het wel degelijk anders in huis. En het ergste was nog wel dat Beth steeds maar levendige beelden voor zich zag van Sophie, die in deze ruimte was geweest, deze lucht in had geademd, en daarmee alles had veranderd. Ze zou soms zelfs zweren dat ze haar kon ruiken, in de badkamer of in hun slaapkamer. Dat haar parfum nog in een handdoek hing, of zich diep in een van hun kussenslopen had genesteld.

Wat ook niet hielp was dat door een wreed toeval de hittegolf precies was geëindigd op de dag dat zij terugkwamen – ze hadden hun koffers nog niet in de hal staan of het was gaan plenzen. Het leek wel alsof de regen had gewacht op het moment dat William zijn sleutel in hun voordeur stak. Het was drie dagen lang met bakken uit de hemel gekomen, en ging vergezeld van een snoekduik van de temperatuur en een zwarte hemel. Toen de zon eindelijk weer tevoorschijn kwam was het nog maar een waterige veeg. Ingehouden of opgebrand, en voortdurend schuilgaand achter de wolken die steeds maar weer samenpakten. Die ochtend beukten dikke regendruppels tegen de tuindeuren terwijl de wind aan de dakpannen en deurklinken rammelde als een onverschrokken vreemde die vast van plan was om zich een weg naar binnen te banen. William hield de krant hoog, alsof hij zich wilde afschermen van die aanblik, en kauwde ondertussen afwezig een banaan weg.

'Nog wat koffie, schat?'

'Nee, ik moet gaan.' Hij vouwde de krant op en stak hem in zijn koffer en klopte op zijn zak om te controleren of hij zijn portemonnee en mobiel bij zich had. 'Heb jij iets te doen vandaag?' vroeg hij.

'Ja hoor.' Beth keek uit het raam. Vandaag had ze eigenlijk bodysculpting, maar ze had al besloten om niet te gaan.

'Want...' – William aarzelde en zijn gezicht vertrok gespannen – '... ik vind dat je niet nog een hele dag op zoek moet. Je hebt nu toch alles geprobeerd. Briefjes opgehangen, bij het asiel navraag gedaan... meer kun je echt niet doen. Dido is weg, Beth. Dat kun je maar beter onder ogen zien... en jezelf met iets anders gaan bezig houden. Misschien zelfs...' hij zweeg en beet op zijn lip, '... misschien zou het zelfs een goed moment zijn om op zoek te gaan naar een nieuwe baan.'

'Oké, goed. Maar moet dat voor- of nadat ik zwanger word?' Beth hield haar adem in, verbijsterd door hoe ze dat eruit had gegooid als een ongecontroleerd schot. Was ze nou helemaal gek geworden dat ze het onderwerp dat hij juist moest vergeten toch weer aansneed?

William liep rond de keukentafel en stootte met zijn koffertje tegen de stoelen. 'Dus je wilt het? Liefje, zeg je nu dat je wilt?'

'Nee, ik wil niet...'

Hij bleef stokstijf staan en ze zag in zijn ogen hoe hij zijn best deed zijn hoop weer te beteugelen. 'Maar je denkt er dus nog wel steeds over na, hè? Zeg me alsjeblieft dat je er wel nog steeds over nadenkt.'

'Misschien.' Beth vouwde haar armen over elkaar en keek weer naar de regen. William kon zeggen wat hij wilde over Dido. Dat weerhield haar er niet van om zodra hij weg was in haar auto te stappen en met open raam rond te rijden, door alle straten met haar bril op haar neus, zodat ze zeker wist dat ze nog niet de minste beweging zou missen, en dat ze elke grasspriet kon zien. Elke keer dat de verleiding groot werd om ermee op te houden, dacht ze aan haar geliefde kat die nu trillend ergens in een hoekje zat omdat hij de weg kwijt was, met een doffe vacht en sombere ogen.

'Ik snap het gewoon niet,' mompelde ze, kalm genoeg om haar aandacht bij William te houden, die zich aan de stoelleuning vasthield alsof zijn leven ervan afhing. 'We waren toch allebei heel zeker van onze zaak. We wilden toch helemaal geen kinderen?' Ze fronste bij de gedachte aan de vreselijke schrik door zijn stuiptrekking toen op het vliegveld, en dat evangelische vuur in zijn blik. 'Wat is er dan nu anders?'

William hopte van de ene voet op de andere. 'Ik... ik weet niet zo goed hoe ik het onder woorden moet brengen... Dat is me waarschijnlijk ook niet goed gelukt...' Hij ging met zijn vinger langs het hartje dat uit de rugleuning van de stoel was gesneden. 'Ik denk dat ik gewoon toch liever een gezin ben dan alleen maar een stel...'

'Alleen maar een stel? Nou, bedankt, dat is echt leuk om te horen.' Beth begon met veel misbaar hun borden op te stapelen en beende ermee naar de afwasmachine. 'Dus ik had gelijk. Ik ben niet meer genoeg voor je.' Ze liet de fruitvork met de tanden naar beneden in het bestekbakje vallen, waar het bleef steken. 'En bovendien...' ze wierp een steelse blik op hem vanonder haar wimpers '... hoe zit dat dan met geld? Sinds we weer terug zijn heb je het er alleen nog maar over hoe krap we zitten. Leg me dan eens uit hoe er nog een kind bij kan?'

'Maar dit is toch veel belangrijker,' riep William uit. 'En met dat geld komt het binnenkort wel weer goed. Het is een kwestie van uitzingen tot de bonus valt. Jij bent al zoveel meer dan ik ooit had kunnen dromen, Beth,' drong hij wat zachter aan, 'maar met een kind van ons tweetjes hebben we nog meer samen, snap je dat dan niet? Een kind dat bestaat uit delen van jou en delen van mij, dat is zoiets gewoons dat mensen vergeten wat voor wonder het eigenlijk is... Ik was zelf vergeten wat voor wonder het is. Hé. Hou daar nou mee op en kom eens even hier.'

Hij hield zijn armen uit en zij liet zich met een zucht omhelzen. Ze was dunner geworden, merkte William toen hij haar ribben onder zijn handpalmen voelde. Dat kwam waarschijnlijk van al die uren dat ze op kattenjacht was geweest. Want ze was bepaald niet minder gaan eten, sinds ze weer terug waren van vakantie – ze schepte soms zelfs een tweede keer op, terwijl ze ooit lachend had gezegd dat zoiets volstrekt uit den boze was. Het verlangen om haar te beschermen, om haar gelukkig te maken, zwol in hem aan. 'Ik weet dat je verdriet hebt om Dido. Het is ook heel erg. Ik mis haar ook...' William zweeg, en slikte de neiging in om haar erop te wijzen dat haar vermogen zo te treuren om een huisdier juist de perfecte garantie was – mocht ze die nodig hebben – dat ze ook in staat was om heel veel van een kind te houden.

Hij bedacht dat hij geduld moest hebben toen hij nadacht over hun gesprek terwijl zijn trein twintig minuten later het station van Darien uit reed en langs de parkeerplaats gleed, de beboste buitenwijken van het stadje in. Beth was pas achtendertig – piepjong dus, als je naging hoe oud vrouwen nog kinderen kregen – in de veertig, soms wel tot dik in de vijftig. En er moest wat tijd overheen voor ze er anders over zou gaan denken, want ze zat nog zo vast aan de beelden van haar eigen jeugd: hoe verlegen ze was, en met die liefdeloze wegloper van een vader van haar, en die verbitterde, eenzame moeder, om maar te zwijgen van de oom die de boel daar had overgenomen. Geen wonder dat het verlangen om niet te weten wat het was om zelf ouder te zijn – iets wat ze al vroeg in hun relatie had gezegd, toen ze elkaar hun geschiedenis vertelden – er zo diep ingebakken zat.

Het was hem duidelijk dat daarmee vergeleken zijn eigen jeugd, met liefhebbende, no-nonsense ouders een paradijs was geweest. Om daar weer naar terug te keren was voor William het grootste genoegen van hun vakantie geweest. Het verlangen om nog eens de kans te krijgen een goede vader te zijn was daar als vanzelf uit voortgevloeid. Hij had zoveel fouten gemaakt met Harry, George en Alfie. Dus hoe logisch en onweerstaanbaar was dan de wens om het nog eens over te doen, en dan beter, met een vrouw van wie hij echt hield? Het enige werkelijk verbazingwekkende was dat het zo lang had geduurd voor hij dat was gaan beseffen.

Hij zou Beth wel zo ver krijgen, dat bezwoer hij. Wel had hij spijt van de slecht getimede suggestie dat ze weer aan het werk zou moeten gaan. Hoe haalde hij het in zijn hoofd om haar nog gestrester te maken dan ze al was? Ze leek sinds hun reis zo kwetsbaar, en haar humeur was zo onbestendig. Ze barstte bij het minste in tranen uit en was totaal over haar toeren van dat gedoe met Dido. En Susans grimmige vastberadenheid om haar eigen bedrijfje op te zetten tussen het borstvoeden en verschonen door was immers een van de eerste dingen geweest die het begin van hun einde inluidde. Als hij thuiskwam bij zijn oververmoeide, hongerige en bekvechtende peuters omdat zijn vrouw het te druk had met haar 'werk', leidde dat steevast tot een ruzie die het huis deed schudden op zijn grondvesten.

Nee, Beth had afleiding nodig, maar niet in de vorm van een baan...

William sloot zijn ogen en glimlachte bij zichzelf terwijl hij speelde met een kinderlijk eenvoudig plan om de gele pilletjes die ze in haar nachtkastje bewaarde te verstoppen. Die glimlach ging over in een zucht terwijl hij voor zich zag hoe zijn ranke echtgenote getransformeerd werd tot een rondborstige, voluptueuze schone door haar zwangerschap – dat was de eerste keer met Susan zo opwindend geweest dat zij hem wel eens plagend had uitgemaakt voor viezerik.

Hij haalde zijn telefoon uit zijn zak en belde eerst naar huis en toen naar Beths mobieltje, maar op beide nummers kreeg hij de voicemail. 'Hé schat, met mij...' fluisterde hij. Door het raam kwam het bruin met grijze landschap van New Rochelle in zicht, veel somberder dan anders door het scherm van regen. 'Ik belde je alleen om te zeggen dat je helemaal gelijk had, over dat werken. Dat was stom van mij. Sorry, liefje. Het zou heel stom zijn, gezien al het andere. Je vergeeft het me toch wel? Ik ben bang dat het vanavond weer een latertje wordt, trouwens... ik heb om vijf uur nog een vergadering en die zal wel flink uitlopen... het is zwaar weer, en we hebben heel wat in te lopen enzovoort. Maar jij bent mooi en heerlijk, en ik hou van je, dat mag je nooit vergeten.'

De laatste twintig minuten van de reis schreef William e-mails aan zijn zoons, en ondanks zijn bezwaarde hart lukte het hem om luchtig te doen tegen de jongste twee (die hij schreef dat ze zulke hopeloze penvrienden waren, en dat hij maar eens een Facebook-account moest nemen, omdat hij hen dan tenminste nog een beetje kon volgen – voor hij een iets ernstiger toon aan moest slaan tegen Harry:

> Aangezien jij op geen van mijn mailtjes hebt gereageerd, ben ik zo vrij geweest eens wat rond te vragen naar stageplekken bij ons – en daar zou ik maar dankbaar voor zijn, als ik jou was. Want al wil jij dat nog zo graag, Harry, je krijgt in dit leven niets cadeau – je moet hard werken en je stinkende best doen.
>
> Misschien kan je moeder voor je rondkijken naar iets dat wat dichter in de buurt is – dat vind ik ook prima. Ondertussen ben ik absoluut niet van plan om 'de geldkraan helemaal dicht te draaien' zoals jij dat zo

dramatisch zei toen we elkaar de laatste keer in Londen spraken. Je zult begrijpen dat ik heel wat liever door zou betalen terwijl jij iets NUTTIGS deed, in plaats van zinloos met je vriendjes op drums te rammen. (Zoiets is wat mij betreft namelijk een hobby... leuk voor 's avonds of in het weekend.)

Het spijt me als ik streng overkom, maar als je eigen vader je al niet op de harde realiteit wijst, wie zal het dan wel doen? Overigens denk ik nog steeds dat je herexamen moet doen (en daarna moet gaan studeren). Er zijn in Londen zat opleidingen die je zou kunnen volgen, maar de tijd begint wel te dringen. Zie het zo: met deze recessie is het heel moeilijk om aan een baan te komen dus is dit bij uitstek de tijd om lekker aan de studie te gaan. En jij zou het ook geweldig vinden, dat weet ik zeker. Waarom schrijf je je niet in voor een studie Engels in plaats van geschiedenis? Dat vond je toch altijd zo gemakkelijk? Het is maar een suggestie.

Papa

PS Ik wil dit keer wel graag antwoord, vriend. Je hebt je punt nu wel gemaakt, dus overdrijf het maar niet.

Na een zoektocht van twee uur kwam Beth moedeloos en doorweekt thuis. Ze was in haar wanhoop allerlei weilanden in geweest en had alleen een dun regenjasje aan, maar zonder capuchon of regenlaarzen. Ze was ook nog even snel naar het winkelcentrum geweest om in winkels te vragen of ze iets hadden gezien, en ze deed haar best om zich niet uit het veld te laten slaan door het medelijden in de ogen van degenen die niet net deden of ze het te druk hadden om haar te woord te kunnen staan. Toen ze de drogist uit liep, was ze meteen tegen Carter en Nancy op gelopen die onder een paraplu over de parkeerplaats schoten met tassen vol boodschappen en hun dikke, oude hond in hun kielzog.

'Nog nieuws?' vroeg Nancy meteen, terwijl ze Beths pols theatraal als altijd vastgreep voor ze het gesprek weer op haar nieuwe 'heerlijk uitdagende' rol in een soap wist te brengen.

'We staan hier te verzuipen, schat,' onderbrak Carter haar uiteindelijk, en hij schonk Beth een blik die aangaf dat hij haar donkere gedachten deelde. 'Het waren goeie lui, die Chapmans,' had hij nog gezegd en hij dook onder de paraplu vandaan om zeker te zijn dat Beth hem zou horen. 'Ik kan je verzekeren dat ze zich vreselijk rot voelden dat de prinses is weggelopen, vooral Sophie. Ze heeft elke dag uren lopen zoeken en roepen.'

Terwijl ze druipend in haar hal stond na te denken over dat gesprek, voelde Beth een nieuwe, irrationele haat opkomen jegens Sophie. Wat had het voor zin om te zoeken als ze niks had gevonden? En wat wist iemand als Sophie Chapman – zo mooi, zo bevoorrecht en met zo'n sprookjesachtig leventje – eigenlijk van je rot voelen?

Beth deed haar jas en schoenen uit, maar gleed toen uit op haar natte sokken, waarbij ze haar nog altijd zwakke enkel verdraaide en met haar heup pijnlijk in botsing kwam tegen de trapleuning. De antipathie zwol aan met de pijn, en ze was weer terug bij het duistere, niet te onderdrukken vermoeden dat haar tijdelijke vervangster het nog niet genoeg had gevonden om haar lange haren achter te laten op de onderkanten van kussentjes en in het putje van de douche, maar dat ze ook een deel van het geluk uit dit huis had opgezogen – dat ze het met zich mee had genomen naar Engeland, samen met de foute souvenirs uit New York en een koffer vol vuile kleren.

Ze klampte zich aan de leuning vast terwijl de pijnscheuten en de krankzinnige gedachten langzaam wegtrokken. Ze moest heel diep ademhalen om kalm te blijven. Er was haar de laatste tijd veel te veel door de vingers geglipt, dat was het probleem. Ze moest overgeven. Ja, dat zou helpen, dat hielp altijd: die heerlijke leegte, die totale controle. Sinds de reis had ze geprobeerd om het te minderen, maar wat kon er nu slecht zijn aan iets wat zoveel voordelen bood? Ze hoefde de achterkant van haar keel maar even aan te raken met haar vingertop. Het was niet meer zoals vroeger, een jaar of twintig geleden, toen ze nog een tandenborstel moest gebruiken, en de kraan moest laten open terwijl al haar zenuwen gespannen het geluid van oom Hals ademhaling aan de andere kant van de deur afwachtten.

Ze wilde naar de veiligheid van haar eigen badkamer en dus hees ze zich naar boven, zich aan de leuning vastklampend net als toen haar enkel op zijn allerergst was. In haar badkamer liet ze zich op haar knieën vallen en sloeg ze haar armen om de pot. Even later kwam haar hele ontbijt eruit – pitjes van de kiwi, wist ze inmiddels, want die had ze wel vaker zo gezien. Bij de tweede heftige golf sprongen de tranen haar in de ogen. Beth ging op haar hurken zitten, knipperde en wachtte op de euforie die dit allemaal de moeite waard zou maken – die korte, heerlijke golf van opluchting, die verrukkelijke leegte. Maar in plaats daarvan deed haar keel pijn en begon het bloed steeds sneller en heftiger te kloppen in haar slapen, wat aanvoelde als het aftellen voor er iets afschuwelijks zou gebeuren, nog voor het beeld van haar oom bij haar opkwam.

Die enorme vette pens van hem, zo gigantisch dat je zijn riem niet meer kon zien. Beth jammerde, maar het beeld was te dichtbij, en de film draaide zich verder voor haar af.

*Ben je ziek, Bethan?* Het toilet in de flat was zo klein dat ze recht tegen zijn gulp aan keek. Ze wist zo zeker dat ze de deur op slot had gedaan – ze had het haakje er zorgvuldig opgedaan toen ze de deur dichtdeed – en toch stond hij daar, met zijn rits zo dichtbij dat het koper wazig werd voor haar ogen. Ze voelde dat hij daar van genoot – de macht van zijn nabijheid – maar ze wist nog niet waarom.

*Als je ziek bent moet je naar de dokter. Of is het soms iets anders? Bethan, is er iets anders? Heb je andere symptomen? Ben je een stout meisje geweest? Want als je een stout meisje bent geweest dan moet je dat aan ome Hal vertellen, hoor...*

Hij ademde altijd al zwaar – zijn dikke lippen waren er droog van, en schilferend rond de randen. Als hij zijn eten kauwde kwam de lucht met horten en stoten uit zijn neus. Als hij sliep hoorde je zijn gesnurk door de dunne muren van het appartement heen. Maar dat was de eerste keer, ze was toen veertien jaar, dat Beth die snelle ademstoten achter uit zijn keel hoorde komen, zo amechtig dat hij nauwelijks verstaanbaar was.

*Nee, ik ben niet ziek.* Ze had zich een weg naar het nauwe gangetje gevochten, half in de hoop en half in angst dat ze haar moeder zou zien opduiken uit de slaapkamer waar ze in die dagen leefde. *Ik had gewoon te veel gegeten, nou goed? Een hele zak koekjes... en daar ben ik misselijk van geworden.*

Toen lachte hij en greep haar elleboog, terwijl zij zich los worstelde. *Jij moet niet magerder worden. Je bent prima zoals je nu bent.* Met zijn vrije hand had hij naar haar taille gegrepen, en de lelijke rollen in haar zij gepakt op een manier waardoor het pijn zou doen als ze zich van hem los zou maken. Hij noemde dat kietelen, maar het deed Beth altijd pijn.

Beth stond op en duwde op de glanzend chromen doorspoelknop van het toilet. Het geruis van het water verstomde het gebonk in haar hoofd. Het zou wel weer goed komen. Oom Hal was een eikel. De hele wereld was vergeven van eikels en ze had geleerd om die verder te negeren. Haar wereld draaide nu om William. William, die na hun lastige gesprek van die ochtend het allerliefste berichtje had ingesproken dat een vrouw zich kon wensen. Ze veegde haar haren uit haar gezicht en scheurde een stukje toiletpapier af om haar mond af te vegen. Terwijl ze dat deed, zag ze dat de prullenmand in de slaapkamer op de een of andere manier onder de wastafel terecht was gekomen. Het was een mooie rieten mand, met een voering van zijde, die los was gekomen. Beth pakte hem op, stak hem onder haar arm en liep ermee naar de slaapkamer. Ze voelde zich duizelig worden waardoor ze met haar natte sokken de vloer moest aftasten waar het tapijt begon, want ze was bang dat ze zou vallen. Ze moest misschien maar even gaan liggen, dacht ze, of misschien een kopje kruidenthee zetten en wat winkelen op internet. Daar werd ze altijd rustig van.

Er stak een stukje van een briefje uit een plooi in de voering van haar prullenmand, waar het zo vast tussen het zijde en het vlechtwerk zat dat het zowel Sophies als Ana's poging om de mand leeg te schudden had overleefd. Terwijl ze het lostrok, alleen met de bedoeling om een verdwaald stuk papier bij het afval te gooien waar het thuishoorde, was het het onbekende handschrift dat als eerste Beths aandacht trok. En bij nadere inspectie gingen haar gedachten automatisch naar de meeslepende liefdesbrieven van Andrew Chapman: Sophie Chapman – dat irritante, benijdenswaardige voorwerp van zijn aanbidding – vierde alweer triomfen. Toen de naam van de afzender tot haar doordrong, bleef Beth – die haar eigen geestelijke staat nog niet helemaal vertrouwde – er een poosje naar staren voor ze naar de rand van het bed schuifelde en ging zitten.

Gek dat ze het een paar keer moest overlezen voordat het echt tot haar doordrong. Carter – die saaie, dikke, chagrijnige, ouwe Carter, met net zulke kromme poten als zijn hond – en Sophie Chapman... Beth viel achterover op bed, met haar armen gespreid en ze schreeuwde het uit. Een paar minuten geleden was ze er bijna aan onderdoor gegaan, maar nu was ze weer helemaal de oude. Dus ze was helemaal niet zo perfect, die Engelse dame, en helemaal niet zo slim... nee, totaal niet slim, zelfs. Om zo achteloos te zijn – dat hij zijn naam onder het briefje had gezet, godbetert. O, dat was om te gillen.

Beth kwam overeind terwijl de hysterie weer wegzakte. Ze putte altijd kracht uit de stommiteiten van andere. Wat nu, dat was de vraag. Ze tikte met het briefje tegen haar been en zette het toen tegen de lamp op haar nachtkastje voor ze naar beneden liep om water op te zetten.

Aan: chapmanandrew@stjoseph.sch.org.uk
25 september
Van: annhooper@googlemail.com

Lieve Andrew,

Wat fijn om van je te horen. Ik weet dat het inmiddels al een poos herfst is, maar ik overdrijf niet als ik zeg dat men het nog steeds vol ontzag heeft over 'die geweldige dirigent uit Londen'! Echt waar, het benefietconcert was zo'n enorm succes en dat was allemaal aan jou te danken. Geoff mist je ook – hij is nog minder communicatief naar zijn vrouw toe dan anders – en hij heeft zich weer op zijn werk gestort zoals hij dat altijd doet als hij niet lekker in zijn vel zit.

Dus je kunt je voorstellen hoe blij ik was met je voorstel. Ja! Ja! Ja! (zoals Meg Ryan zou zeggen). Ik ben al met mensen aan het overleggen over mogelijke locaties – middelbare scholen is de meest voor de hand liggende optie, maar ik hoop dat ik ook wat meer uitdagende optredens voor jouw koor kan regelen. A capella is hier zo'n populaire zangvorm – hoewel dat meestal gebeurt in 'barbershop'-koren met alleen mannen. Dus het feit dat jouw koor gemengd is zal wel extra aantrekkelijk gevonden worden, vooral gezien de combinatie van moderne en klassieke stukken die je in het programma wilt opnemen. De data die je noemt laten ons niet veel tijd om dingen te regelen – en de kerstvakantie is altijd zo druk – maar ik ga een uitdaging niet uit de weg! Je zult wel geld moeten regelen, sponsors zoeken en zo... tenzij het muziekbudget van St. Joseph zich tot zulke dingen uitstrekt? (Ik herinner me dat je mij vertelde over hoe goed de school was, dus het zou me niet eens verbazen.)

En nu over Juilliard en Milly – ik zal uiteraard met alle plezier voor je uitzoeken hoe dat zit met 'buitenlandse' aanmeldingen. Wat heerlijk dat ze dit zo graag wil. Zoveel kinderen zijn tegenwoordig bereid om de gemakkelijke weg te gaan. Dat is ook een van de redenen waarom wij zo blij waren dat Katherine wilde promoveren in de biochemie – ze heeft een aantal hele goede banen laten lopen maar haar onderzoek is haar passie, en wij respecteren dat volkomen. En wie zou de kans laten schieten om naar Harvard te kunnen – wat jij? Wat betreft je vraag om ervoor te zorgen dat Sophie hier allemaal geen lucht van krijgt – daar kun je op vertrouwen. Zoals je zegt is het nu allemaal in een wel heel pril stadium, toch? Dus ik gebruik voortaan dit e-mailadres, zoals je al voorstelde.

Ik mis je, Andrew. Mag ik dat zeggen, of klinkt dat raar? (Ik hoop van niet, aangezien ik het nu al heb gezegd.) Ik beloof om zo snel mogelijk weer iets van me te laten horen.

Veel liefs, als altijd
Ann x

Andrew liet zijn blik van zijn computerscherm afdwalen naar het uitzicht op het schoolplein, twee verdiepingen lager. Door het asfalt en het hoge hek eromheen leek het net een soort gigantische kooi. En in feite was het dat ook, overpeinsde hij, aangezien je de kinderen op het plein altijd scherp in de gaten moest houden en gezien alle regeltjes over rennen en tegen een bal schoppen. Een groep jongens zat in de ene hoek voetbalplaatjes te ruilen terwijl in de andere hoek enkele meisjes een dansje leken te oefenen. Oudere leerlingen, zowel jongens als meisjes – onder wie Olivia, zag hij, want zijn dochter viel op tussen de horde giebelende dames – waren met minder inspannende zaken bezig: de meesten van hen hadden een koptelefoontje op of een telefoon aan hun oor. Sommigen, Milly bijvoorbeeld, waren op hun lunchclubje – St Joseph stond zich voor op allerlei dingen en dit was er een van: het brede scala aan buitenschoolse activiteiten, uiteenlopend van spelletjesclubjes tot schermen, en de leerlingen werden gestimuleerd om daar zoveel mogelijk gebruik van te maken.

Het was een fantastische school, bedacht Andrew, en hij wendde zijn blik af van het gekooide schoolplein en keek naar de vervaagde poster van de *Waterlelies* van Monet die boven zijn bureau hing. Het was een school waar het draaide om prestaties. Een school met de reputatie dat het op alle denkbare gebieden hoog scoorde, muziek was maar een aspect. Het was ook een school die hij nooit had kunnen betalen als zijn positie niet een aanzienlijke korting op het schoolgeld met zich mee had gebracht. Dat was zelfs een van de belangrijkste redenen waarom Andrew op deze baan had gesolliciteerd. De jongenskostschool waar hij hiervoor had gewerkt als hoofd van de muzieksectie had een man met twee dochters geen financieel voordeeltje te bieden. Dat was nu zeven jaar geleden, en het gerucht ging inmiddels dat als de huidige directeur zou vertrekken (en dat scheen niet lang meer te gaan duren) zijn positie voor Andrew zou zijn.

Andrew fronste naar de *Waterlelies*. Het was niet prettig om ergens op te moeten wachten, vooral als je niet eens zeker wist of het ooit wel echt zou gebeuren. Het bestuur zou vast een advertentie plaatsen. En daar zou een hele stroom veel geschiktere kandidaten op af komen. En als hij de baan toch zou willen, dan zou hij iemand anders moeten aanstellen om de muzieksectie te runnen. En daarmee zou hij afgesneden zijn van dat wat altijd zijn grote kracht was geweest, zijn bron van vreugde, ook al was het tegenwoordig geleende vreugde van de talenten onder zijn leerlingen en kwam er niets meer uit hem zelf. Hij had al een bemoedigend aantal inschrijvingen voor de tour. Milly wilde gelukkig ook mee, maar Olivia was nog niet overtuigd. Ze waren gezegend met een perfect gehoor en Andrew wist dat zijn meisjes een cruciale bijdrage aan zijn koor konden leveren en was dus vastbesloten te zorgen dat ze allebei meegingen.

'Wat ben je allemaal aan het doen?' vroeg Sophie zodra hij de telefoon opnam.

'O, niet zoveel, eigenlijk...' Andrew wierp nog een blik om het omheinde asfalt van het schoolplein. 'Ik voel me een beetje opgesloten, geloof ik. De inspectie loopt ons in de nek te hijgen, het rooster is een puinhoop, ouders die zeuren, gewoon de dagelijkse geneugten van een afdeling aanvoeren aan het begin van een druk semester. Ik zou er momenteel alles voor geven om de klok terug te kunnen draaien en weer aan de andere kant van de oceaan te zitten.'

'Nou, daar zit je toch ook snel weer?' zei Sophie. 'Met die koortournee van je?'

'Dat is zo.' Andrew sprak op dezelfde luchtige toon als zij, want hij wilde verder geen discussie over een onderwerp dat al heel wat ontmoedigende verbijstering aan zijn vrouw had ontlokt. Dan waren ze meteen terug bij het punt waar ze nu juist van weg waren geraakt, alleen dan met het gezeur over financiën en hoe hij dacht dat hij vijftien pubers onder de duim zou kunnen houden. Of hij soms niet goed bij zijn hoofd was. Hij moest het ijzer smeden nu het heet was, had Andrew daar tegenin gebracht, en hij beriep zich op de logica om iets te verklaren wat hij zelf nauwelijks begreep. Hij wist alleen dat hij niet kwijt wilde wat hij in augustus allemaal had meegemaakt, die hernieuwde inspiratie, dat hervonden geloof in zichzelf – het was alsof er een valhek omhoog was getakeld. Eentje waarvan hij niet eens wist dat het er was geweest.

'Nou, mijn nieuws is dat Karen en Jeremy net hebben afgebeld voor het etentje. Blijkbaar is haar moeder ziek,' zei Sophie monter om het onderwerp verder met rust te laten.

Andrew lachte. 'Hoezo "blijkbaar"? Zoiets zouden ze toch niet zeggen als het niet waar was?'

'Ik weet niet. Ze klonk een beetje raar aan de telefoon en mensen verzinnen van alles als ze ergens onderuit willen, of niet soms? Maar goed,' zei ze snel. 'Ik heb Gareth maar voor hen in de plaats gevraagd... en zijn nieuwe partner... dat kon ik moeilijk weigeren, toch?' riep ze uit, toen Andrew kreunde. 'Hij is tuinarchitect en hij heet Lewis en hij is vast hartstikke leuk. En trouwens, ik had al zes lamsteaks gekocht, dus het zou zonde zijn als die bleven liggen.'

'We hadden toch zelf twee keer op kunnen scheppen,' zei Andrew droogjes.

'Sorry? O, je bedoelt als Lewis er niet bij was?' Het was Sophies beurt om te lachen, want ze was weer helemaal zichzelf na de vakantie zodat Andrew iets van zijn eigen rusteloosheid voelde wegebben. De rust was weergekeerd en hij zou er alles aan doen om dat zo te houden.

'O ja, en die aardige politieagent heeft nog gebeld,' kletste ze door, 'die ene kale, jij hebt hem ook nog gezien. Hij zegt dat ze nu genoeg bewijs hebben om die verschrikkelijke jongen voor de rechter te slepen. Wij hoeven verder niets meer te doen.'

'Dat is zeker geweldig nieuws.'

'En Gareth vroeg of ik morgenochtend voor iemand kon invallen – een uurtje Shakespeare voor tien pond meer dan vroeger. En hij zegt dat er bijna een van zijn bijlesmensen met zwangerschapsverlof gaat, dus er is heel veel werk als ik daar zin in heb.'

'Wauw... geweldig. Ik neem vanmiddag nog ontslag.'

Sophie moest giechelen. 'Nou, daar zou ik nog een paar maanden mee wachten, als ik jou was. Maar ik vind het wel een kick, eerlijk gezegd. O, en trouwens, Milly heeft aangeboden om vanavond als serveerster op te treden – tegen betaling, uiteraard. Ze is aan het sparen voor de tournee, zei ze. Lief hè?'

Andrew bracht de rest van zijn lunchpauze door met het omzetten van het repetitieschema voor het Brahmsproject van het komend semester, en maakte een lijst met extra zangrepetities, stuurde wat zeurmailtjes van ouders door naar de juiste personen en schreef uitgebreid commentaar met rode pen op Olivia's poging een samenvatting te geven van de muzikale invloeden die de Barok had gehad.

Tegen de tijd dat hij Anns e-mail kon beantwoorden had hij nog maar vijf minuten voor hij weer voor de klas moest staan.

Lieve Ann,

Heel erg veel dank voor je e-mail en al die positieve reacties op alle fronten. Ik verheug me op verdere mededelingen. (Als je denkt dat het voor jou al een uitdaging is, dan zou je eens een van mijn repetities bij moeten wonen!)

Doe alsjeblieft het hele team mijn hartelijke groeten – zowel het orkest als de zangers. Je kunt hun misschien ook in vertrouwen vertellen dat Engeland nog altijd wat in de schaduw staat bij de geweldige tijd die wij samen hebben gehad. Toen ik in New York aankwam dacht ik dat ik lekker wilde uitrusten (wat ik natuurlijk ook echt wilde), maar wat ik in werkelijkheid wilde – dat zie ik nu in – was weer leren houden van muziek. Vergeef het me maar als het melodramatisch klinkt, Ann, maar je hebt daarmee meer voor mij betekend dan jij ooit zult begrijpen.

Dus bedankt. (Maak je geen zorgen over Geoff – hij geniet ervan om een beetje de ouwe zeurpiet uit te hangen, maar ik zal hem een e-mailtje sturen om hem wat op te vrolijken.)

De zon schijnt hier nu, en als het internet de waarheid spreekt dan kunnen we dat bij jullie deel van de wereld niet zeggen. En dat terwijl ik eigenlijk nooit zo'n bezwaar heb tegen regen...

Haastige maar lieve groeten,<br>Andrew

# 11

Aan: Stapleton@latouchedawson.com
25 september
Van: alfie1234@sky.net.co.uk

Hé pa, het gaat oké op school, goed zelfs, behalve dat George op mijn bril is gaan staan en ik hem met supersterke lijm heb willen maken maar dat werkte niet dus nu hebben we plakband gebruikt tot ik naar de opticien kan. Het is hier nog steeds heel warm. Sorry dat ik je niet veel schrijf maar ik heb het zo druk op school. Jake is gisteren komen eten en we hebben Mario gespeeld want dat is mijn lievelingspel, zoals je weet. Ik mis je, pa.

PS Hoe gaat het met het zwembad daar? Hier is mijn tekening voor de vorm want dan past er ook een duikplank bij.

PPS Ik heb Harry gevraagd of hij je ook wil schrijven maar hij heeft nog niet gezegd dat hij dat zou doen en mama wordt knettergek van hem vanwege zijn drumstel maar ik vind hem supergoed.

William keek langs zijn computerscherm om te zien of er mensen op kantoor waren die hij wilde spreken of juist niet. De markten waren nu drie uur open maar de handel liep nog steeds moeizaam, gespannen, ondoorgrondelijk. Steeds weer doken ze naar beneden en krabbelden dan toch weer overeind. Ze hadden lak aan de normale patronen en aan het gezonde verstand zoals steeds sinds het begin van de recessie. Het was bijna niet te geloven dat het nog geen jaar geleden was dat hij in deze zelfde draaistoel hing te kijken naar ditzelfde scherm met het vertrouwen van een goochelaar met een hele hoge hoed. Vergeleken met die tijd was het nu een jungle, een jungle waar hij zonder kompas in verzeild was geraakt.

De sfeer op zijn afdeling van het asset-managementteam was ook totaal anders. De grappen, de kameraadschap en de galgenhumor vierden nog altijd hoogtij, maar onder de oppervlakte was ook iets van de openheid verloren gegaan. Wat niet hielp was het feit dat er in de kantoortuin nogal wat lege werkplekken waren van de mensen die waren ontslagen na de officiële bevestiging van de verliezen die ze de afgelopen twaalf maanden hadden gedraaid. Onder degenen die de ontslagronde hadden overleefd heerste niet bepaald een gevoel dat ze geluk hadden gehad, en zelfs geen schuldgevoel. In plaats daarvan waarde er een zekere agitatie door de gangen, een gevoel dat je steeds over je schouder moest kijken en jezelf moest beschermen. Je kon geen informatie meer delen of tips geven aan anderen zoals vroeger, zelfs niet als het algemeen belang daarmee gediend was.

Omdat het kalenderjaar bijna ten einde liep begon ook de gebruikelijke spanning toe te nemen wat betreft de eindejaarsbonussen, wat nu een vies woord was buiten het bankwezen, maar waar mensen binnen de bank nog altijd door geobsedeerd waren. Het ging tenslotte om hun jaarinkomen. Voor fondsmanagers als William was het al duidelijk dat het gangbare aandeel van de winst van de handel op bepaalde accounts praktisch nul zou zijn, maar het bedrijf had elders wel wat verdiend en die winst werd altijd verdeeld over iedereen. En dan bestond de bonus ook nog uit een derde component – de prestatiegerelateerde bonus, erkenning voor alweer twaalf maanden bloed, zweet en tranen. Dat zou dit jaar natuurlijk ook veel minder zijn dan voorheen, maar William lag er tegenwoordig voor hij in slaap viel steeds aan te denken. Dan maakte hij slaperige berekeningen van wat hij over zou houden als hij de creditcards had afbetaald en de maandelijkse hypotheekbetalingen eraf had getrokken. Een hypotheek die toen hij hem afsloot zo verstandig had geleken, met de vaste aflossing die hij betaalde, maar die in deze nieuwe wereld van sterk verlaagde premies steeds hoger voelde. Veel te hoog, zelfs.

'Wat zie jij deze ochtend in jouw kristallen bol, Bill?'

'Wolken... mijn advies: vroeg gaan lunchen.' William keek zijn buurman even grijnzend aan, een donkere wervelwind genaamd Walt, die graag opschepte over de gewichten die hij omhoog stootte en het aantal vrouwen dat hij wist te scoren. Hij won het van William, niet op ervaring maar wel op energie, en zijn bonus was gewoonlijk een paar duizend dollar lager dan die van hem. Kurt, daarentegen, de Duitser die links van hem zat, bleef William doorgaans een paar streepjes voor. Ze noemden nooit de werkelijke bedragen, maar op de een of andere manier kwamen de globale feiten over verwachte en werkelijke bonussen toch altijd wel aan het licht, tijdens de gesprekken op de zeldzame momenten dat het even rustig was – als de Europese beurzen waren gesloten, of bij een biertje op vrijdagmiddag. Dit jaar was daarvan geen sprake. Dit jaar hield iedereen zijn verwachtingen voor zich. Niemand gaf ook maar iets prijs.

'Het werkt me echt op de zenuwen,' bekende William aan Geoff, toen ze samen voor de lunch aan de sushi zaten. 'Ik bedoel, wie zijn goed, wie slecht, wie moeten eruit, wie mogen blijven, ik heb gewoon geen idee. Ik zorg dat ik mijn klanten tevreden houd – voorzover dat tenminste mogelijk is in het huidige klimaat – en ik presteer niet beter of slechter dan de anderen, en toch, nu de winst zo is gedaald, heb je gewoon helemaal geen zekerheid meer.' Hij zette zijn glas water met een smak op tafel, waardoor de kleine schaaltjes met saus rammelden. Zijn makker had een groot glas witte wijn besteld. William was jaloers, maar hield vol.

'Dat is het mooie van scheidingen,' antwoordde Geoff gladjes, terwijl hij zijn neus in het glas stak voor hij een slok wijn nam. 'Het raakt nooit uit de mode en het kost altijd tien keer zoveel als de betrokkenen vermoedden.' Hij stak een worstje van rijst en garnaal met gember in zijn mond, en bromde waarderend bij het kauwen. 'Maar om het over iets vrolijkers te hebben...' vervolgde hij, misschien omdat hij oprechte zorg op Williams doorgaans zo vrolijke, stoere gezicht zag, '... ik hoop dat mijn huizenruilplan voor jullie even leuk was als voor Sophie en Andrew.' Hij zweeg om een blokje rauwe tonijn op te vissen met zijn eetstokjes. 'Die twee hebben het zo geweldig gehad dat ik even dacht dat ze nooit meer zouden weggaan.'

'O ja, zoals ik al aan de telefoon zei, Beth en ik hebben het ook erg naar ons zin gehad, dus nog bedankt... Het was fantastisch om mijn jongens zoveel te kunnen zien, dat kun je je wel voorstellen...' William zweeg ineens, en zijn maag draaide om bij de gedachte aan Harry. Het was nu vijf weken geleden en hij had nog altijd niets laten horen. Hij had gebeld, gesms't, Alfie had er iets van gezegd – hij had alles geprobeerd wat hij maar kon verzinnen. Zelfs een baantje in Manhattan had hem niet kunnen verleiden, hoewel dat maar goed was, want William had niks voor hem kunnen vinden. Susan, die hij een paar keer aan de lijn had gehad, begon ook steeds wanhopiger te klinken. Harry kwam aanwaaien en vertrok dan weer, zei ze, en hij weigerde meestal om te vertellen waar hij uithing.

Het leek hem onmogelijk om die treurige omstandigheden op te biechten bij deze verfijnde Japanse gerechtjes. Geoff was tenslotte niet meer dan een vriend van een vriend – hartelijk, dat wel, maar vooral zo'n ambitieuze, onvermoeibare netwerker zoals je die in Manhattan overal tegenkwam: niet in staat om een gesprek te voeren zonder een element van competitie. Zijn dochter, wist William, was een hoogvlieger – Harvard, iets medisch. Hij deinsde terug voor de gedachte dat hij de onfortuinlijke Harry ter sprake moest brengen, met een dochter die zo'n toonbeeld van succes was. Harry die tot voor kort zelf zo'n toonbeeld van succes was geweest. 'Hoewel, je weet hoe dat gaat als je naar huis gaat voor je vakantie,' zei hij en hij slikte zijn aanzwellende spanning weg, 'je bent verplicht bij al je familie op bezoek te gaan – als je niet oppast ben je de hele tijd door Engeland aan het crossen om iedereen te vriend te houden.'

Geoff rolde met zijn ogen. 'Ach man, praat me er niet van. Het kostte Ann en mij een paar jaar voor we eindelijk ophielden met dat soort spelletjes. Gelukkig hoeven we niet meer zo vaak de oversteek te maken, nu Katherine, onze dochter hier in feite om de hoek woont. Wij hebben daar geen wortels meer,' grijnsde hij. 'Wij zijn rasechte Yankees.'

William glimlachte maar niet met dezelfde overtuiging. Hij wees naar Geoffs glas. 'Ik denk dat ik er toch ook maar zo een neem.'

'Goed zo...' Geoff gebaarde naar de ober. 'Maar dat met die kat was wel jammer, hè? Ik neem aan dat hij nog steeds niet boven water is.'

William schudde zijn hoofd. 'Ik vrees van niet. De Chapmans hebben wel aangeboden een nieuwe kat te betalen.'

'Ik zou niet anders verwachten.' Geoff prikte in de lucht met zijn eetstokjes. 'Ze vonden het verschrikkelijk dat dat beest verdwenen was... echt verschrikkelijk.'

William nam een slok van de wijn, die heerlijk smaakte – droog en ijskoud. 'Ja, dat zei onze buurman ook al. En het is een vriendelijk aanbod, maar we gaan er geen gebruik van maken.' Hij liet de wijn ronddraaien in zijn glas en keek naar het citroenkleurige kolkende vocht. Beth wilde helemaal geen nieuw katje, zelfs geen Pers. Het was alleen maar omdat ze hun schuldgevoel wilden afkopen, had ze gezegd. Een gemakkelijke manier om ervan af te komen voor de Chapmans. Dieren kon je niet zomaar 'vervangen', had ze er met betraande ogen aan toegevoegd. William, die een beetje verbaasd was over de felheid van haar afwijzing, vond het allang best, en niet alleen omdat huisdieren hem niets konden schelen, maar omdat hij zich vaag meende te herinneren dat katten en baby's in de maak geen ideale combinatie waren. Susan, die een zwerfkat had weggestuurd toen ze pas zwanger was van Alfie, had hun twee teleurgestelde peutertjes uitgelegd dat katten een onzichtbare bacterie bij zich droegen waar ongeboren baby'tjes heel erg ziek van konden worden.

Toen de rekening kwam, begreep William met een gevoel van moedeloosheid dat het aan hem was om die te betalen. Geoff was dan wel degene die deze lunch had voorgesteld, maar hij had bemiddeld voor de vakantie. Maar toen hij de kosten van hun zes glazen wijn zag, die ze stom genoeg per stuk hadden besteld, in plaats van een hele fles te nemen, talmde hij een beetje in de hoop dat zijn disgenoot zou ingrijpen. Geoff zwom per slot van rekening in het geld – dat zijden maatpak, die zacht lederen portefeuille, de suède instappers: zijn rijkdom stroomde uit al zijn poriën. Want, zoals hij net al pochte, scheiden raakte nooit uit de mode.

Maar Geoff stortte zich tactvol op zijn BlackBerry en gaf William de gelegenheid te overwegen op welke van zijn creditkaarten hij nog voldoende saldo open had staan.

Sterker nog, Geoff zei verder geen woord meer tot ze op straat waren, en gaf alleen nog een knikje om te bedanken. Ze zetten hun kragen op tegen de wind die klam aanvoelde ondanks het feit dat het gelukkig niet regende. 'Hij komt trouwens weer terug.'

'Wie?'

'Andrew Chapman. Hij komt met een of ander koor van die dure school van hem voor een tournee door New York, vlak voor kerst. Ann is helemaal in haar nopjes. Zij regelt de locaties namelijk.' Geoff trok een grimas. 'En mijn vrouw is dol op dat soort projectjes. Hé, als hij inderdaad komt, dan moeten we eens met zijn allen afspreken – Beth en Ann en wij twee en Andrew. Wat vind je ervan? Ik bel je wel,' beloofde hij, en hij maakte met zijn hand een telefoongebaar terwijl hij wegliep.

Of niet, dacht William die grimmig lachte bij de gedachte aan Beths reactie op zo'n bijeenkomst. Dat hele gedoe met Dido had ervoor gezorgd dat ze zo'n hekel had aan de Chapmans dat hij zich niet kon indenken dat zij hen ooit zou willen ontmoeten. Toch leek ze andere dingen wel weer goed op te pakken – het hardlopen, nieuwe cursussen, pilates bijvoorbeeld, en aquarelleren: ze had al een volkomen acceptabel zeegezicht geschilderd dat nu op de piano stond en dat kennelijk geïnspireerd was door een groepsuitje naar Pear Tree Point.

Haar steun met betrekking tot Harry was ook nog steeds hartverwarmend. Toen ze gisteravond zag hoe somber hij was na Susans telefoontje had ze zelfs aangeboden om zelf contact te zoeken met Harry, vanuit de gedachte dat hij haar misschien nog een klein beetje vertrouwde na het pact dat ze in augustus hadden gesloten. William was diep geroerd en ook onder de indruk, want dit aanbod had het laatste restje verzuring na een van de ergste ruzies sinds hun huwelijk weggenomen. Hij had het idee afgeslagen – omdat hij dacht dat het tegen hen zou kunnen werken als Harry het gevoel had dat hij van alle kanten werd belaagd – maar het resultaat was wel dat die closeheid van voor de ruzie weer helemaal terug was. Ze hadden de rest van de avond op de bank zitten knuffelen voor de televisie, weer even ontspannen en gelukkig als ze daarvoor altijd waren geweest. En toen – alsof dat op zich nog niet genoeg was – toen ze zich opmaakten om naar bed te gaan, had Beth ineens haar nachtkastje opengetrokken en haar pakje pillen in de prullenmand gegooid.

'Dat betekent dus "ja",' had ze gefluisterd, en ze had haar ogen strak op Williams verrukte en verbaasde blik gericht gehouden terwijl ze zich van haar kleding begon te ontdoen. Ze stopte toen ze bij haar slipje en beha was aangekomen – een oogverblindend setje van roomkleurige en zwarte kant dat hij nog nooit eerder had gezien – en toen was ze over het dekbed naar hem toe gekropen waarbij haar haren langs haar wang zwaaiden, haar lippen weken met een duidelijke bedoeling, waardoor al zijn zorgen, over zijn financiën en al het andere, volledig verbleekten.

Sophie zat aan haar bureau in de gezellige personeelskamer die oorspronkelijk een zitkamer was geweest. De kamer had een elegant hoog origineel gipsen plafond en een groot erkerraam. Ze zag Olivia staan treuzelen bij het hek. Haar haar was deels slordig met spelden opgestoken en de rest hing over haar schouders, en de rok van haar schooluniform was zo hoog opgehesen dat je bijna haar hele dijen kon zien. Sophie tikte op het raam en liep snel naar de voordeur. 'Is er iets aan de hand?'

'Nee, niks. Zat je te werken?'

'Nee, ik ben al klaar, maar ik moet nog even wat administratie doen met Gareth.'

'Dan blijf ik hier wel wachten.'

'Doe niet zo gek, kom maar mee naar de personeelskamer, dan kun je daar wachten. Er is toch verder niemand.' Sophie stuurde haar dochter voor zich uit over het tapijt in de gang, geamuseerd over het feit dat die voorzichtig om zich heen gluurde met haar schooltas tegen zich aan gedrukt. Alsof ze verwachtte dat er elk moment een leraar uit een kamer kon springen die zei: 'Dus jij dacht vanmiddag vrij te hebben?'

Olivia trok haar neus beledigd op. 'Ik heb dit jaar tussenuren op vrijdag na de lunch, weet je nog wel? En maak je geen zorgen, ik heb keurig afgetekend.' Ze plofte neer op een erkerbankje. 'Ik had geen sleutels en papa staat voor de klas, en toen bedacht ik dat jij hier zat. Ik heb nog geprobeerd je te bellen, maar je mobiel stond uit.'

'Goed. Oké. Nou, ik ben zo klaar.' Sophie liep snel naar de eerste verdieping, waar een aantal bijlesruimtes waren, en een mooie bibliotheek in een kamer die Wedgwoodblauw met wit geverfd was en uitkeek op de tuin. Aan drie van de vier muren hingen boekenplanken. Om bij de hoogste planken te kunnen komen was er een mahoniehouten ladder die je langs de kasten kon laten glijden over een koperen stang. Het enorme rozenhouten bureau van haar baas domineerde de rest van de ruimte, met drie drukke olieverfschilderijen in gouden lijsten, portretten van zijn voorouders, naar het scheen. Net als het huis zelf waren deze schilderijen afkomstig van een rijke vrijgezelle tante die Gareth zo op handen droeg dat ze hem tot enige erfgenaam had benoemd, een feit waarmee ze postuum de rest van haar familie tegen zich in het harnas had gejaagd. Dat verhaal had Sophie nu al een paar keer gehoord, en Gareth kon het ook leuk vertellen. Hij deed dan altijd net alsof het niet heel erg veel scherp zakelijk inzicht en doorzettingsvermogen had gekost om zo'n bloeiend bedrijf neer te zetten. Van de klassieke maar gezellige sfeer ging zowel naar ouders als naar leerlingen iets geruststellends uit, maar het waren de resultaten waardoor er altijd nieuwe klanten bleven komen, en die resultaten hingen af van goede leraren vinden en behouden. De vrouw die nu met zwangerschapsverlof ging was niet zo'n succes, had Gareth haar eerder die dag toevertrouwd. De zwangerschap was al vergevorderd toen ze solliciteerde, maar dat had ze niet eerlijk verteld. Pas toen het contract was ondertekend, kwam de aap uit de mouw.

'Ha, daar hebben we mijn favoriete freelancer,' riep hij uit, en hij zette zijn leesbrilletje af toen Sophie binnenkwam. 'De tragedies van Shakespeare en onnozele achttienjarigen... wat vind je, heb je die extra tien pond verdiend, of niet?'

'Tot de laatste cent,' kaatste Sophie lachend terug. Ze was doodmoe van de bijles, maar het was ontzettend leuk geweest. Om die jongelui geïnteresseerd te krijgen, om hen echt iets te leren, ze was bijna vergeten wat voor kick dat gaf. '*King Lear*... ik heb hen hun rugzakjes laten leegmaken zodat ik kon zien wie er allemaal een uittreksel van anderen had gebruikt. Ze haatten me.'

'Goed zo. En volgende week heb je Keats en Plath en Steinbeck, want dat had mijn zwangere en leugenachtige werkneemster, met haar cum laude graad uit Oxford zullen doen. Het is in elke les dezelfde groep, behalve de laatste – dat is een een-op-eensessie met die Spaanse jongen over wie ik je al vertelde. Dat is eerder een taalles, eigenlijk.'

'Lijkt me geweldig, dank je wel.' Sophie keek haar werkschema snel door, en dacht aan Olivia die beneden zat te wachten en aan het etentje. De diverse ingrediënten voor de maaltijd lagen nog altijd her en der door de keuken verspreid. 'Dus dan zie ik je rond achten?'

'Dan zie jij mij zeker. *Black tie*... tenminste, dat heb ik tegen Lewis gezegd.'

Het duurde even voordat Sophie doorhad dat hij een grapje maakte. Ze grijnsde. 'Ja, als hij graag in smoking wil komen, vinden wij dat prima... waar je je maar lekker in voelt.'

'En jij dan,' Gareth glipte achter zijn bureau vandaan en barricadeerde de deur, 'jij gaat het me wel laten weten als het je allemaal een beetje te veel wordt, hè? Beloof je dat?'

Sophie sloeg haar ogen ten hemel. 'Oké... hou er nou maar over op.'

'Als er iets mis is met ons, dan probeert ons lichaam ons iets te vertellen,' drong Gareth vriendelijk aan, terwijl hij opzij stapte om haar erdoor te laten. 'En als ze ons iets te vertellen hebben, dan moeten we altijd luisteren.'

'*Aye, aye*, kapitein.' Sophie salueerde voor de grap en liep snel naar beneden, niet zeker of ze zich nu gevleid of beledigd moest voelen door al die zorgzaamheid. Ze hoopte maar dat het etentje geen aanleiding zou geven voor nog meer van dit soort aandacht.

'Papa zit ontzettend aan mijn kop te zeuren, mam. Kun jij niet iets doen om te zorgen dat hij daarmee ophoudt?'

'Hoezo zit hij aan je kop te zeuren?' herhaalde Sophie verbaasd. Zij had altijd voetstoots aangenomen dat de meiden en Andrew heel close waren.

'Over dat ik bij dat stomme koor zonder orkest van hem moet. Ik haat dat soort gezang... het is zo dom. En trouwens, we zijn net nog in New York geweest en ik weet niet eens zeker of ik wel door wil met muziek,' flapte ze eruit. 'Al die repetities... ik ben het eerlijk gezegd spuugzat. Neem nou vanmiddag, ik weet dat ik me eigenlijk suf moet oefenen omdat ik gisteren geen noot heb gespeeld, en eergisteren ook al niet. En ik heb zoveel te doen, en dan heb ik het nog niet eens over mijn inschrijving voor het conservatorium... ik ben gewoon zo ontzettend moe, mam. Terwijl er een feest is van iemand die achttien wordt, en daar zou ik ook zo graag naartoe willen...' Ze viel even stil, inspecteerde een nagel en begon daar vervolgens op te kauwen. 'Piano gaat wel, denk ik, maar ik wilde soms dat ik nooit aan die stomme viool was begonnen.'

Sophie had genoeg ervaring met het ouderschap om te weten dat het bijna nooit zin had om toe te geven dat je geschokt was. Het hielp dat ze bezig waren om de bus uit te stappen. Ze moesten zich een weg banen langs tassen en mensen en toen moesten ze wachten tot de deuren openschoven. Tegen de tijd dat ze op de stoep stonden, voelde ze zelfs een vonkje van genoegen omdat Olivia bij haar steun zocht en niet bij Andrew, hoewel ze dat gevoel snel weer van zich af zette. Ze vond het geweldig dat hun dochters zo'n talent hadden op muziekgebied – net als haar man – maar het viel niet mee om zich niet buitengesloten te voelen. Dat gevoel lag altijd op de loer.

'Dat geeft niet,' zei ze uiteindelijk waarmee ze eerst een blik van ongeloof en toen een van achterdocht aan haar dochter ontlokte. 'Het is heel gewoon dat je je af en toe zo voelt. Muziek maakt ook zo'n groot onderdeel van jouw leven uit, en nu je wat ouder wordt wil je ook tijd voor andere dingen.'

'O, mam, dat is het dus precies. Maar papa begrijpt dat niet.'

'Maak je maar geen zorgen om de tournee. Ik zal het wel bij papa aankaarten. En wat betreft het feit dat je wenste dat je nooit met de viool was begonnen... Dat geloof ik eerlijk gezegd niet.' Ze glimlachte, en Olivia glimlachte terug. 'Je hebt momenteel gewoon heel veel te doen: de examens die eraan komen, de audities voor het conservatorium. Ga maar fijn naar dat feestje, slaap lekker uit, dat heb je verdiend, en dan voel je je zondag vast weer veel beter over alles.'

'Bedankt, mama, je bent geweldig.'

'Wie is er jarig, trouwens?'

'Een vriendin van Clare, Clare Anderson. Dan blijf ik bij haar logeren.'

Later die avond, toen de voordeur nog nagalmde van de klap waarmee hij achter Olivia's hoge hakken was dichtgevallen en Milly haar hielp de eetkamer te ontdoen van de gebruikelijke rotzooi die zich daar altijd weer ophoopte – boeken, laptops, post, verdwaalde sokken – viste Sophie naar meer informatie over de percussionist die, zo vermoedde zij, achter dit plotselinge verlangen naar meer vrije tijd schuilging.

'O, dat is alweer uit.'

'Echt?'

Milly wreef wat over een veeg op een placemat met de mouw van haar schooltrui. 'Ja, want hij had bindingsangst.'

'O ja, joh?' Sophie onderdrukte een glimlach en bedacht dat ze dit later aan Andrew moest vertellen. 'Is er nu iemand anders?'

'Ma-hám, hoe moet ik dat weten?' Milly snoof en daarmee kwam een einde aan haar mededeelzaamheid.

'En dat nieuwe koor van papa – a capella of hoe het ook heet – ik weet dat Olivia er geen zin in heeft, maar hoe zit dat met jou? Verheug jij je op de tournee?'

Milly, die bezig was de placemats op keurige afstanden van elkaar te leggen, stopte daar even mee en zoog haar wangen in, om met gesloten ogen als in extase te antwoorden: 'Superveel. Het wordt zo cool. En Meredith, weet je nog, die heeft beloofd te komen luisteren.'

'Een van de twee is geen slechte score,' verklaarde Sophie, die de gesprekken van die middag uitgebreid aan Andrew uit de doeken had gedaan terwijl ze een paar minuten over acht bezig waren in de slaapkamer, zij op zoek naar de juiste – dat wil zeggen de enige nog bruikbare – lippenstift, en Andrew zocht in de wasmand naar een schone zakdoek omdat hij een verkoudheid op voelde komen.

'Die naar het conservatorium wil, of die mee wil op tournee?'

'De tournee, rare. Natuurlijk geeft Olivia de muziek niet op. Ze wil alleen even wat rust aan haar hoofd. Tien minuten na ons gesprekje zat ze alweer te bladeren in de brochure van het Royal College of Music, dus zo erg kan het niet zijn. En het leven is nu eenmaal geen rechte lijn, toch? Ik bedoel, neem mij nou. Ik ben nooit afgestudeerd en met mij is het uiteindelijk ook goed gekomen.' Sophie wierp haar man een plagerige blik toe via de spiegel van de klerenkast, en verwachtte iets dergelijks van hem terug.

Maar Andrew, die eindelijk een zakdoek had gevonden, trok alleen een grimas. 'Toch wil ik graag dat ze meegaat op die vervloekte tournee. En jij ook, trouwens.'

'Ik?' Sophie draaide zich met één roze lip om van haar kapspiegel en keek hem verbluft aan. 'Naar New York?'

'Ja, natuurlijk naar New York. Waar anders?'

Een beeld van Carter lichtte op en doofde weer uit. Sophie keerde zich weer naar de spiegel en wreef haar lippen over elkaar om het roze te verspreiden. 'Niet om te zingen?'

'Nou, nee, dat natuurlijk niet, maar gewoon... voor de ondersteuning.'

'Aha.' Sophie schraapte haar keel. 'Weet je wat het is, en zoals ik al eerder uit heb gelegd, we komen er pas net vandaan, en de dagen voor kerst heb ik het altijd zo ontzettend druk...'

Andrew schudde de zakdoek uit en snoot zijn neus erin, een droevig getrompetter dat zijn teleurstelling in haar leek te onderstrepen.

'Sorry, schat,' voegde Sophie er vriendelijk aan toe, 'maar ik dacht dat ik al duidelijk had gemaakt hoe ik erover dacht. En je hebt mij daar toch ook helemaal niet nodig?'

'Hou jij eigenlijk van mij, Sophie?'

'Natuurlijk.' Ze klikte de lippenstift dicht en liep op hem af voor een zoen, ontroerd, maar ook een beetje verbaasd. 'Dat weet je toch best. Hoe kun je daar nu aan twijfelen?'

'Ik... ik moet je kunnen vertrouwen.'

'Andrew, waar heb je het over?'

'Ik weet het niet.' Hij drukte zijn zakdoek, die inmiddels opgepropt was, tegen zijn voorhoofd. 'Ik heb alleen het gevoel dat...'

Er werd aangebeld, en ze hoorden Milly haastig uit de keuken lopen om open te doen.

'Loos alarm,' gilde ze een paar tellen later. 'Een man die theedoeken verkocht.'

'Wat voor gevoel heb je?'

Maar het moment was alweer voorbij. 'Ik voel me niet zo lekker, om eerlijk te zijn. Beetje grieperig of zo. Volgens mij heb ik het al de hele week onder de leden.' Hij duwde met zijn vingertoppen tegen zijn slapen. 'Ik zou dit verdomde etentje met liefde missen, dat is een ding dat zeker is.'

'Ik haal wel even wat voor je,' Sophie liep snel over de overloop naar de badkamer en ze probeerde zich er niets van aan te trekken dat Andrew zo moeilijk deed over het eerst zo eenvoudige en leuke vooruitzicht van een afspraak met vrienden. De arme man had het volste recht om ziek te zijn, vooral gezien het naamloze virus waar zij het gezin eerder dat jaar mee had belast. Nee, het was de druk om mee te gaan naar Amerika die haar dwarszat, realiseerde Sophie zich, en ze schudde wat paracetamolletjes in haar hand en liep terug naar de slaapkamer. De vakantie was geweldig geweest maar ze had totaal geen behoefte om terug te gaan naar New York, en ook niet naar Connecticut trouwens. Het ging niet eens om Carter. Ze wilde er alleen niet meer heen. Nooit meer.

Toen ze langs de logeerkamer liep, zag ze dat Milly – ondanks uitdrukkelijke instructies om dat niet te doen – alle spullen uit de eetkamer op het logeerbed had gedumpt, waaronder de laptops van haar en van Andrew. Die van haar stond nog aan omdat ze nog even snel Gareths e-mail had willen checken, en hij balanceerde vervaarlijk op de rand van het bed, met flikkerend scherm. Er was een nieuw bericht binnengekomen, zag Sophie. Van Beth Stapleton nog wel – eindelijk een reactie op hun aanbod over de kat, waarschijnlijk. Sophies hart begon sneller te kloppen. Wat zou een Perzische kat wel niet kosten? Snel opende ze de e-mail.

Beste Sophie,

Dank voor het aanbod maar William en ik zijn van mening dat Dido niet zomaar te vervangen is. En trouwens, ik heb nog altijd het gevoel dat ik haar binnenkort weer terug zal vinden. En hoe zou het dan voor haar zijn, om thuis te komen en te zien dat haar plek alweer is ingenomen?

Sophie sloeg haar hand voor haar mond om een kreet van ongeloof te smoren, en slikte daarbij bijna Andrews pillen door. Waarom wilde dat mens het hen zo moeilijk maken? Als het niet zo vreselijk was, zou het hilarisch zijn. Ze riep Andrew, terwijl ze doorlas.

Wat betreft achtergebleven zaken heb ik maar een ding gevonden – een briefje van onze buurman Carter, aan jou. Dat was me wat. Ik snap nu wel waarom jij zo'n leuke vakantie hebt gehad. Maar je man, had die het wel naar zijn zin? Dat vraag ik mij steeds maar af. Hij zag er nog wel zo aardig uit op al die foto's van jou en je geweldige gezinnetje. En de brieven die hij aan jou heeft geschreven – in de doos onder jullie bed (het spijt me dat ik heb rondgeneusd, maar ze waren niet bepaald goed verstopt) – ik heb nog nooit zoiets ontroerends en romantisch gelezen. Ik dacht dat wij in het huis zaten van de allergelukkigste vrouw op aarde. Gek dat voor sommige mensen zoveel geluk zelfs nog niet voldoende is.

William zei dat je man binnenkort weer naar New York komt. Zijn vriend Geoffrey stelde voor dat we elkaar dan allemaal zouden ontmoeten. Zou dat niet leuk zijn?

Sophie ging op haar hielen zitten en klapte de laptop dicht. Andrew stak zijn hoofd om de deurpost en zei dat zijn hoofd zou barsten als hij niet heel snel iets innam. Milly riep van beneden dat er iets aanbrandde. En er werd weer aangebeld.

Sophie vouwde haar hand open. De klam geworden tabletten gaven wit af in haar handpalm. Andrew nam ze zonder een woord te zeggen van haar over en draaide zich om naar de deur. Beneden in de gang klonken allerlei stemmen – die van Gareth en Zoë – die waren elkaar vast voor de deur tegengekomen. Sophie keek naar Andrews hoofd terwijl ze achter hem aan de overloop overliep. Ze keek naar het rossige, jongensachtige donshaar dat over de rand van zijn kraag kwam, en naar zijn licht uitdunnende kruin. Ze zou hem natuurlijk alles kunnen vertellen. Schoon schip maken. Wat stelde Carter per slot van rekening voor? Hij was een kleine misstap geweest op een pad dat ze eerst niet kon volgen maar dat haar om onnavolgbare redenen toch weer op het goede spoor had gekregen.

*Lieveling... weet je nog, die buurman van de Stapletons, die oude, dikke man met die kromme benen? Nou die heb ik veel vaker gezien dan ik jou heb verteld en hij werd verliefd op me... Nou ja, dat heb ik ook eigenlijk wel een beetje uitgelokt... en ja, ik ben ook wel op zijn avances ingegaan, een beetje... ik was toen zo ontzettend down, slechter dan zo kun je eigenlijk niet voelen. Maar goed, door hem voelde ik me weer een heel stuk beter. Ik voelde me begrepen, interessant, de moeite waard...*

Nee, dat was niks. Vooral niet nu er al weer zoveel weken overheen waren gegaan, en het wederzijdse vertrouwen weer zo was hersteld, en er zoveel goede dingen waren gezegd en gevoeld. Een 'biecht' zou dat allemaal verpesten, laat staan een biecht die was uitgelokt door zo'n mes-op-de-keelmailtje van iemand die gestoord en monsterlijk genoeg was om andermans privécorrespondentie te lezen en haar prullenmanden uit te graven.

Toen hij boven aan de trap was, bleef Andrew staan om zijn pillen in te nemen – hij sloeg ze achterover en trok een gezicht omdat het moeite kostte dat zonder water te doen. 'Een, twee, drie, in godsnaam,' mompelde hij, en hij draaide zich om en schonk Sophie een grimmige glimlach voor hij de trap afdaalde.

Sophie haalde hem in en kneep even in zijn schouder. Beth Stapleton zou hier toch verder niets mee doen? Het was een geintje, het was bluf... of waanzin. Het was een bespottelijk verwend nest dat te weinig om handen had. De beste reactie was om het maar helemaal te negeren. Of misschien terug te schrijven dat het helemaal Carters probleem was en dat Andrew er alles van wist en of de uitdrukking '*get a life*' haar iets zei.

Sophies hoofd tolde terwijl ze haar gasten ontving met zoenen op de wang en vervolgens naar de keuken stormde om de oven te controleren. De lamsteaks waren donker – te donker, maar wel nog zacht en te redden. Ze werkte verwoed in de moordende hitte die vanuit de deur van de oven naar buiten kwam en lepelde bijeen wat er nog over was van de vleessappen en goot het over het vlees tot het weer glansde.

# 12

Het was volop herfst. Op de een of andere manier, in een hele reeks momenten van onoplettendheid was het groen overgegaan in geel, oranje, bloedrood en goud. In de hele streek leek het wel of de bomen in brand stonden, en staken ze als woeste toortsen af tegen de heldere hemel en de intens donkere naaldbomen.

Je zou haast in God gaan geloven, peinsde Beth, terwijl ze uit het raam van de cafetaria staarde, nog steeds een beetje licht in het hoofd van al die ademhalingsoefeningen waarmee ze hun pilatesles hadden afgesloten. Ze was nu samen met twee medecursisten en de trainster, een jonge, strakke meid genaamd Erica, die hen met haar flexibiliteit en grote glimlach allemaal het nakijken gaf.

'Maar je bent geweldig in vorm, Beth,' riep ze uit waarmee ze Beths aandacht van het raam afleidde. Ze gooide haar steile zwarte paardenstaart over haar schouder zodat die als een pijl midden op haar rug hing. 'Ben je op een of ander nieuw dieet dat je eigenlijk met ons zou moeten delen?'

'Misschien houdt ze het liever geheim,' veronderstelde een vrouw genaamd Patty. Ze klonk een beetje scherp, misschien omdat ze al het langst de lessen bijwoonde en toch nog altijd het dikst was. Ze was een zelfverklaarde calorieëntellende martelares en had net bij de toonbank nog een hele toestand gemaakt over een vetvrije muffin en dat haar latte echt met magere melk moest worden gemaakt, terwijl de anderen normale muffins en gewone melk in hun koffie hadden besteld.

'O, ik heb geen geheim,' antwoordde Beth bescheiden. 'Ik heb het gewoon altijd heel druk, en ik probeer buiten de maaltijden om niks te eten.' Ze keken allemaal naar hun muffin en schoten in de lach. 'En daarbij,' ging Beth verder en ze glimlachte, vooral naar Patty, met wiens dubbele kin en tonronde lichaam je onmogelijk geen medelijden kon hebben, 'ik heb nooit kinderen gehad.' Ze sloeg haar blik snel neer. Het was zo heerlijk om het gevoel te hebben dat ze bij dit groepje hoorde (haar schilderclub was zo afstandelijk dat ze al overwoog om dat op te geven) en ze was vastbesloten om de boel niet te bederven door zich beter voor te doen dan de anderen. En het was ook moeilijk om een goed figuur te houden na een zwangerschap, dat wist ze en ze wilde laten zien hoezeer ze hen hier om respecteerde.

Patty, die vier kinderen had, mocht graag haar jongste de schuld geven van haar dikke buik – Stewart heette hij, en hij was bij zijn geboorte zo zwaar geweest dat hij het record van het plaatselijk ziekenhuis had verbroken. Cathy, die naast haar zat, had er drie, en het was haar gelukt om nog een beetje redelijk in vorm te blijven door zich uit te sloven op de crosstrainer die ze in de logeerkamer had staan. Zelfs de vederlichte Erica has pas een kind gebaard, een ongelofelijk schattige, bolronde baby die ze een keer naar de les had meegenomen om aan iedereen te showen – tegelijk met haar herstelde taille – een paar weken na de geboorte. De streek rondom Darien stond bekend om de uitstekende openbare scholen en de ruimte, en dus kwamen de gezinnen erop af als vliegen op de stroop. Beth wist wel waar ze aan begon maar ze had nooit echt begrepen wat het precies inhield voor ze hier kwam wonen – geen baan, en geen vrienden. Het feit dat ze geen moeder was maakte het ook heel moeilijk om aansluiting te vinden.

'Zou je dan wel kinderen willen?' vroeg Patty, ondanks het feit dat de twee andere vrouwen haar afkeurende blikken toewierpen vanaf de andere kant van de tafel.

'Nou, nu je het vraagt, we zijn het wel aan het proberen,' antwoordde Beth zachtjes.

'O, schat.' Cathy legde een hand over die van Beth. 'Het heeft Howard jaren gekost, jaren, maar toen ik er eenmaal klaar voor was, kwamen de meisjes meteen. Of eigenlijk kwamen die toen ik er niet meer klaar voor was...'

En als snel vertelden ze elkaar hun conceptie- en geboorteverhalen – over het wachten, de miskramen, de valse hoop, de vroeggeboortes, de pijn. Beth keek hen nu allemaal in de ogen, knikte, luisterde, glimlachte, fronste en had het gevoel of ze meespeelde in een toneelstuk – een geweldig toneelstuk dat ze zelf had bedacht, met zichzelf in de hoofdrol als de tragische vrouw die zo graag een kind wilde, maar wier vurige hoop bijna zeker vruchteloos zou blijken. Maar dat wisten de anderen natuurlijk niet, deze vlot babbelende, goedbedoelende vrouwen met wie ze bevriend wilde raken. En William wist het al helemaal niet, en zijn liefde had ze even hard nodig als zuurstof.

De warmte van het gezelschap hing nog om haar heen toen ze naar huis reed. Haar verzoek om discretie met betrekking tot haar onthulling werd met natte ogen begroet. Er volgde snel een uitnodiging om zitting te nemen in een comité dat een benefietevenement organiseerde voor kankeronderzoek, en de dames smeekten haar om het telefoonnummer van haar schilderleraar en beloofden haar een recept voor walnootbrownies die nooit te droog konden worden. Maar het heerlijkste van alles was wel het gevoel dat ze ergens bij hoorde. En het enige wat daarvoor nodig was geweest, begreep Beth inmiddels, was een klein zetje in de goede richting. Ze moesten weten welke plek ze haar in hun midden konden toebedelen, waar ze inpaste.

Je hield in het leven nooit op met leren, bedacht ze, terwijl ze langzaam aan de laatste paar kilometer naar huis begon, uit gewoonte, om langs de kant van de weg te speuren naar een verdwaald poezenbeest. Dido was nu een paar maanden zoek en iedereen, zelfs William, nam aan dat het boek gesloten was. Maar voor Beth was dat boek helemaal nog niet dicht. Een klein deel van haar stond dat gewoon niet toe. Dat was een deel dat niet zozeer uit optimisme voortkwam, maar uit een met pijn en moeite verworven gehardheid die nodig was voor haar zelfbehoud. Als je iets maar graag genoeg wilde, dan kon je het bereiken. Had ze dat niet al zo vaak bewezen? Neem nou al die lastige gevolgen van die verschrikkelijke huizenruil. Haar wereld had heel even op zijn kop gestaan, en haar weer teruggebracht naar plekken die ze nooit meer wilde bezoeken – maar nu was ze weer aan het vechten, voor haar geluk, voor William. Ze zou alles doen wat maar nodig was.

Het cadeautje dat haar in de schoot was geworpen om Sophie Chapman eens flink te laten schrikken was het keerpunt geweest: het besef dat zij maar een dom mens was, met fouten, en dat ze machteloos was, en het feit dat zij de moed had gevonden om dat Sophie eens flink in te peperen. Het moment waarop ze op 'verzenden' drukte nadat ze de e-mail had afgerond over dat belachelijke liefdesbriefje dat ze had gevonden was heel bijzonder – het was louterend, het was wraak, zoete wraak. Maar ze had er vooral heel veel kracht uit geput. Beth kon zich niet meer voorstellen dat ze ooit zo tegen dat mens had opgekeken. Sophie had nog niet geantwoord, maar dat kwam vanzelf, dat wist ze wel zeker. In de tussentijd was het vooruitzicht van haar computer aanzetten een van de hoogtepunten van haar dag geworden.

Beth was er zelfs zo op gebrand om bij thuiskomst haar e-mail te checken dat ze bijna vergat om over te geven. De restanten van de muffin die ze had gegeten bleken ook nog eens heel lastig te verwijderen. Er moest uiteindelijk flink in de keel worden gepord om het braken op gang te krijgen. Bij wijze van beloning voor die moeite trakteerde ze zich na afloop op een fijne lange keuring in de spiegel op de slaapkamer, waarbij ze zichzelf een schouderklopje gaf voor hoe losjes haar pilatesbroek om haar heupen hing, en ze in gedachten alle bewonderende opmerkingen van de groep nog eens afdraaide. Als dit het resultaat was, wat maakte het dan uit wat ze ervoor moest doen? En wie wilde nou zo eindigen als Patty, vroeg ze zich af en huiverend herinnerde ze zich hoe ze haar nieuwe vriendin vorige week in de supermarkt had gezien, met alle vier haar koters hangend aan het karretje, als piraten in het want. Gillend gooiden ze van alles in de kar, ondanks de protesten van hun moeder. Hoe kon William nou zelfs maar een fractie van dat soort wanstaltigheid in hun leven willen hebben? Hoe was dat nou toch mogelijk?

Zonder zich te verkleden liep Beth naar beneden om een kopje kamillethee te maken voor ze zich tussen twee kussens op de bank in de zitkamer nestelde en haar laptop aanzette. Terwijl de icoontjes op het bureaublad werden gerangschikt keek ze door de stoom van haar thee naar de kamer, en genoot van het feit dat het weer helemaal haar kamer was. Net als de rest van het huis. Nergens was nog een spoortje van de Chapmans te vinden.

Er zaten maar twee nieuwe mailtjes in haar inbox: een bevestiging van een internetbestelling van haar favoriete kledingwebsite en een kort berichtje van haar moeder met daarin de vluchtgegevens voor haar bezoek op Thanksgiving, die ze al zo vaak telefonisch had doorgegeven dat Beth ze op de minuut nauwkeurig uit het hoofd kende.

Maar nog steeds niets uit Londen. Ze onderdrukte haar teleurstelling en wilde afsluiten toen als op afroep de naam Sophie Chapman in de inbox verscheen. Beth keek met bonzend hart op haar horloge. Het was nu vier uur in Engeland. Dat mens zat nu, op dit moment, achter haar computer, waarschijnlijk in haar bedompte eetkamer, waar het tapijt donker was geworden van het slordige eten en waar de lampenkapjes aan de muur schroeiplekken vertoonden van de peertjes. Plekken die de kleur hadden van pruimtabak. Het was troostrijk en fascinerend om die omgeving zo voor zich te kunnen zien – wat een kick was het dat ze de rollen had weten om te keren. Het leek wel of zij de spelleider was in een heel ingewikkelde realityshow.

Ze wilde de e-mail net openen toen een geluid van buiten haar schuldbewust deed opkijken. De zon was gaan schijnen en toonde vage vegen op de ramen in de zitkamer. Los van een paar losgewaaide bladeren en gebroken takken die door de wind werden opgejaagd was er, voorzover ze kon zien, niets in de tuin. Zelfs William wist niet van het bestaan van dat sneue briefje van Carter, en voorlopig wilde Beth dat ook zo houden. Het moment dat ze haar troefkaart zou uitspelen zou wellicht nog komen, maar nu nog niet, nu nog niet.

Aan: Beth Stapleton

Ik reageer nu pas op jouw e-mail omdat ik niet wist wat ik moest zeggen. En dat weet ik nog steeds niet. Ik kan me niet voorstellen waarom je hebt geschreven wat je schreef en wat je ermee hoopte te bereiken. Je hebt een verkeerde conclusie getrokken over de situatie die jij nooit zou kunnen begrijpen en ik ben absoluut niet verplicht om e.e.a. aan jou uit te leggen.

Het feit dat jij het kennelijk doodnormaal vindt om mijn privécorrespondentie te lezen vind ik stuitend.

Andrew heeft tijdens zijn aanstaande tournee in New York een moordend drukke agenda en hij heeft geen tijd voor gezelligheid.

We zijn allebei heel dankbaar dat we jullie huis mochten gebruiken en het spijt ons enorm van jullie huisdier. Ik hoop van harte dat hiermee een eind komt aan ons contact,

Sophie Chapman

Beth drukte haar knokkels in haar mond en hijgde. Dit was niet waar ze op had gehoopt, zoals ze het zich had voorgesteld. Het was veel te slim, te sterk. Ze sloot haar ogen en deed haar best zich te concentreren. Ze dacht aan Sophie, die ongemakkelijk zat op een van die grote, onpraktische eetkamerstoelen met de veel te losse veren. Ze zou met haar benen onder zich zitten, en dat irritant rimpelloze, mooie gezicht van haar was verwrongen van de stress. Toen ze begon te typen, vlogen haar vingers over de toetsen.

Zo, zo, Sophie, wat leuk om eindelijk iets van je te horen. Het spijt me alleen wel dat jij wilt dat er een eind komt aan ons contact. Misschien verander je wel van gedachten als ik je zeg dat ik jouw goede vriend Carter laatst nog sprak. Hij was met zijn vrouw Nancy in de supermarkt. Het is een leuk stel, maar toch keek hij een beetje droevig. Mis jij hem ook zo? Misschien moet ik jullie uit je lijden verlossen. Wie heeft ook weer gezegd dat de mens bevrijd wordt door de waarheid? Ik heb dat altijd zo'n mooie uitspraak gevonden.

Mijn allerbeste wensen,
Beth

Beth liet haar hoofd tegen de rugleuning van de bank vallen. Ze was doodmoe. Er zou die dag geen antwoord meer komen, dat voelde ze meteen aan de intense stilte die uit haar computer leek te pulseren. Ze hoopte dat dat inhield dat Sophie nu door die spuuglelijke eetkamer liep te ijsberen, en dat de paniek haar naar de keel greep. Dat was wel het minste wat dat mens verdiende, vond Beth bitter. Haar hart ging nog sneller tekeer terwijl ze haar best deed te rechtvaardigen waar ze mee bezig was. Dat Engelse mens was haar gelukkige wereldje in komen zeilen en had haar leven gekaapt – ja, zo was het. Zij had ook het geluk van Nancy en Carter gestolen, was er met een bulldozer overheen gegaan, en ze deed net of haar actie geen gevolgen had. Wie dacht ze wel dat ze was? Acties hadden altijd gevolgen, vooral als er seks in het spel was.

Beth drukte de toppen van haar wijsvingers in haar slapen. Haar hart ging nu zo wild tekeer dat ze bijna niet meer normaal kon denken. William hield van haar – ja, dat was het enige wat ertoe deed. Daar zou ze zich aan vasthouden. In plaats daarvan dacht ze ineens aan de vlezige Henriëtta, die werd gevolgd door vage herinneringen aan veroveringen die William in het begin van hun relatie had opgebiecht, en waarvan sommige achter Susans rug hadden plaatsgevonden. De wereld was vergeven van het bedrog. Hoe kon ze hem vertrouwen? Hoe kon je überhaupt iemand vertrouwen?

En ineens was daar oom Hal weer, ondanks alle moeite die ze had gedaan hem bij zich weg te houden – de droge lippen, de licht overlappende voortanden, zo levendig alsof hij pal naast haar stond, en alsof het zijn vuisten waren die het gebonk in haar slapen veroorzaakte.

Beth sprong op en holde de trap op naar haar slaapkamer. Met trillende handen kleedde ze zich om in haar joggingkleren, en maakte ze haar gympen met een extra stevige dubbele knoop vast. Bij de voordeur botste ze tegen Joe op, hun fluitende, besnorde postbode. Hij gaf haar twee pakjes, zei dat het zo fijn was om de zon weer eens te zien schijnen en dat hij hoopte dat ze verder nog een fijne dag had. Beth trok zich terug in huis om hem de tijd te geven weg te rijden. Ze stond een hele tijd te staren naar de pakjes, voor ze de energie kon opbrengen om die te openen. Op het moment dat ze ze bestelde had ze nog gedacht er echt niet zonder te kunnen, maar nu zag ze alleen maar een paar karamelkleurige suède laarzen met lelijke kwastjes, en een jurk van rode kasjmier die vast kriebelde, omdat wollen jurken nu eenmaal altijd kriebelden, ongeacht wat er op het prijskaartje stond.

Toen ze voor de tweede keer het huis uit liep, leek het erop dat de wazige citroenkleurige bal die de zon nu was zijn strijd om de dag wat op te warmen zou opgeven. Beth liep met gebalde vuisten de oprit af en zette haar benen aan iets harder te lopen dan normaal. De pilates had haar lijf lekker opgerekt, maar toch speelde haar enkel op in deze kou. Eén keer struikelen en ze zou de krukken weer van stal moeten halen. Ze begon langzaam te joggen en hield haar blik gefixeerd op de hopen dode bladeren langs de rand van de weg, in de wetenschap dat daar mogelijk gevaarlijke kuilen onder schuilgingen. En toch, herinnerde ze zich ineens, vorig jaar, om dezelfde tijd, had ze tot haar schenen door die bladeren gerend, voordat de bladzuigers hun werk hadden gedaan, en daar had ze met volle teugen van genoten.

Beth dwong zichzelf om harder te gaan, en pompte met haar armen. Een paar minuten werd ze daarvoor beloond, want het duister in haar hoofd trok snel op om plaats te maken voor de high die ze eerder op de sportschool had gevoeld. Het zou snel winter zijn, en ze was dol op de winter. Vorig jaar had William vrij genomen tijdens de dagen waarop het echt heel zwaar had gesneeuwd, waarmee zij een goed excuus hadden om als een stel dieren in winterslaap voor de toen nog gloednieuwe luxe van de open haard te kruipen (wel met gasvlammen, maar dat zag je haast niet). Binnenkort moest weer de hele dag de verwarming aan en zou de stad weer bol staan van de de pompoenkraampjes en griezelige verkleedkleren voor kinderen. Halloween, Thanksgiving, Kerstmis... Williams jongens zouden langskomen, een weekje maar, dus dat was zo weer voorbij, vergeleken met de gruwelen van deze zomer.

De truc was om vooruit te kijken – niet te ver – steeds in kleine stapjes. En het achterom kijken moest nu maar eens afgelopen zijn, wees Beth zichzelf terecht, in elk geval tot ze doorhad hoe ze niet meer op de verschrikkelijke feiten zelf moest terugkijken, maar zich kon richten op het veel belangrijker gegeven dat ze al die dingen achter zich had kunnen laten.

Nadat de voordeur was dichtgeslagen riep Beth vanuit de keuken of hij een leuke dag had gehad.

'Ging wel. En jij?' William drapeerde zijn jasje over de trapleuning en omdat hij bedacht dat Beth liever wilde dat hij hem meteen aan een hanger ophing, haalde hij hem er meteen weer van af en trok de trapkast open.

'Geweldig. Ik ben naar pilates geweest, en ik heb brownies gemaakt.'

'Mmm, ik dacht al, ik ruik iets lekkers.'

Toen hij de keuken binnenkwam, hield Beth haar lachende gezicht schuin voor een kus. 'Die brownies heb ik eerder al gemaakt. Wat je nu ruikt is het eten, gehaktbrood, want ik ben een brave, zuinige meid en dus heb ik de kliekjes daarin verwerkt. En ik heb een fles van die chardonnay die jij zo lekker vindt koud gelegd.'

William deed zijn best om dankbaar te glimlachen. De gezellige maaltijd, de warmte van het goede humeur van zijn vrouw, meer had hij niet nodig, maar hij had die ochtend een brief van zijn bank geopend die bezuinigingen als kliekjes in een gehaktbrood verwerken lachwekkend zinloos maakte. Zijn roodstand moest ofwel worden ingelost, of worden omgezet in een lening, stond er in de brief, tegen rentetarieven waar William zo beroerd van werd dat hij bijna de hele middag bezig was geweest om aan de telefoon te onderhandelen over een compromis. En van die chardonnay waar zij het over had waren nog maar drie flessen over. Het was inderdaad zijn favoriete wijn, en die was veel te goed – veel te duur – voor zomaar bij een doordeweekse maaltijd. Bovendien was hij van plan geweest die avond helemaal niet te drinken, zodat hij zo scherp mogelijk was voor morgen. Dan zou hij de hele dag vergaderingen hebben. En een gesprek met de baas.

'Hé, wat is er?' vroeg Beth die voelde dat hij iets voor haar verzweeg.

'Ik bewaar mijn deel van de wijn graag voor dit weekend.'

'Echt?'

'Zware dag morgen.' Hij trok een gezicht. 'Een hele stoet lastige klanten en ik ben bij Ed Burke op het matje geroepen.'

'Maar je vindt Ed Burke toch een leuke vent? Hij heeft je je baan hier immers bezorgd? Nadat jullie samen in hetzelfde team in Londen hadden gewerkt?'

'Klopt. Maar hij is ook een politiek dier en je zou wel gek zijn om niet op je hoede te blijven.'

'Ach toe, één glaasje kan toch geen kwaad? Sterker nog, het zal je goed doen.'

'Misschien... ik zal er eens over nadenken onder de douche. Ben zo terug.' William gaf haar nog een kus en kneep haar zachtjes in haar billen om zichzelf eraan te herinneren dat ze fysiek weer heel close waren, en bijna elke avond vreeën – nog veel intenser dan voorheen, dankzij hun nieuwe gezamenlijk hoop op een kindje. 'Hé, niet nog meer van je rondingen kwijtraken, hè?' fluisterde hij zachtjes. 'Je weet best hoe ik je het liefst zie.'

'Ga je nu maar wassen,' commandeerde Beth speels terwijl ze hem van zich af schudde.

In de douche zong William flarden opera terwijl hij zich inzeepte, want aan de vreugde van de krachtige warme waterstralen kon hij – zoals altijd – geen weerstand bieden. Die Amerikanen leken dat zo moeiteloos te kunnen installeren, terwijl het voor loodgieters in Engeland te hoog gegrepen was. Misschien zou hij toch maar een glaasje van die chardonnay nemen, besloot hij; Beth had gelijk, hij zou ervan ontspannen en dan zou hij ook het lastige onderwerp 'geld' gemakkelijker ter sprake durven brengen. Hij was te lankmoedig geweest wat betreft de barre realiteit van hun financiën, dat wist hij best, en te trots. En hij had haar te veel willen beschermen. Als hij niet wilde dat zij weer aan het werk zou gaan – en dat wilde hij dus niet – dan moest hij haar aan het verstand zien te brengen dat al die extra cursussen en al dat shoppen op internet echt moest stoppen, tenminste, voorlopig.

Beth stond op hem te wachten toen hij uit de badkamer stapte – hij had zijn handdoek om zijn slanke heupen geslagen en zijn haar stond in natte pieken rechtovereind – en bijna had hij alles er op dat moment al uitgegooid. Maar ze hield de telefoon in haar hand, en ze keek zo ondoorgrondelijk als ze soms kon kijken. 'Dat was Alfie. Hij zei dat jij had afgesproken om vanavond met hem te skypen. Hij logt nu in.'

William kreunde en sloeg tegen zijn voorhoofd. 'Godsamme, helemaal vergeten. Dat had ik inderdaad afgesproken.'

'Is het niet een beetje laat?'

'Ja, maar ik heb de software al geïnstalleerd en ik beloof al eeuwen dat ik het eens zou proberen. Ik dacht trouwens ook dat het een geweldige manier zou zijn om eindelijk weer eens met die lieve Harry in gesprek te komen... Ik ben zo klaar, echt. Hé, als jij die fles wijn nu eens even opentrekt?' William deed zijn best op een dappere glimlach terwijl hij een overhemd en een spijkerbroek aantrok. 'Ik ga wel in mijn werkkamer zitten... Over tien minuten ben ik er voor het eten, beloofd.'

Twintig minuten later zat William nog steeds aan zijn bureau, met zijn benen wijd uit elkaar op de stoel, en zijn hoofd in zijn handen. Ze had al een paar keer voor de open deur gedraald en waagde zich nu binnen met een glas wijn voor hem, zodat hij niet merkte hoe het ongeduld vanbinnen kolkte. Uit de stilte in de kamer had ze al opgemaakt dat de skypesessie al een paar minuten geleden was afgelopen. Williams computer was al op de screensaver gesprongen – een foto van veel jongere versies van zijn zoons, zorgeloos lachend op het gras tussen de resten van een picknick en een paar tennisballen. De blote voeten van Susan, met roodgelakte nagels, staken onder een lange blauwe rok, nog net zichtbaar aan de rechterkant – ze was aanwezig, en toch ook weer niet, zoals altijd. William bleek tot haar verbazing een brief te schrijven, met de dikke gouden vulpen waar hij zo dol op was. De inkt kwam uit een potje en lekte meestal op zijn vingers.

'Kunnen we nu misschien eten?' Ze duwde met haar handpalmen op zijn schouders die niet meegaven en vlak en hard aanvoelden.

'Zo.'

'Hoe ging het skypen?'

Toen draaide hij zich om, om haar aan te kijken, en zijn ogen stonden duister van een verdriet waar ze van terugdeinsde, zowel vanwege de intensiteit als vanwege het feit dat zij hier zo duidelijk buiten stond. 'Verschrikkelijk, als je het weten wilt. Alfie moest huilen. Er is iets gebeurd op school... hij is gepest... ik weet het niet precies... hij wilde het niet zeggen. Susan zei dat het al opgelost was, alsof dat me geruststelt. George had niks te melden, en dan bedoel ik ook echt niks, alsof hij me niet eens meer kende. En Harry...' Hij viel stil en zijn gezicht vertrok. 'Het blijkt dat Harry uit huis is.'

Beth aarzelde. Zij vond dat helemaal niet zulk slecht nieuws. Harry zocht zijn eigen weg. Goed van hem. Maar William maakte zich natuurlijk zorgen – ze was heus niet zo stom dat ze dat niet zag. 'Waar is hij naartoe?'

'Naar Sheen, kennelijk... Een kamer in een souterrain, geen telefoon, verwarming met muntjes. Het klinkt afschuwelijk.'

'En waar betaalt hij dat van?'

'God mag het weten. Had ik nou maar hier iets voor hem kunnen regelen, maar er is helemaal geen werk. Helemaal niks.' William liet zijn hoofd in zijn handen vallen en greep met zijn vingers in zijn haar – dat begon nu toch wel heel grijs te worden, zag Beth ineens, onder de bovenste laag. 'Met die zestig pond zakgeld die hij van mij krijgt komt hij niet ver, denk ik. Twee andere leden van die zogenaamde band van hem wonen ook in die bouwval. Ze maken muziek op straat om aan de kost komen... Godsamme, aan Susan heb je ook geen ene moer!' schreeuwde hij terwijl hij zo hard op zijn toetsenbord ramde dat Beth van schrik haar adem inhield en de screensaver werd vervangen door een hele batterij menuutjes en keuzeschermen. 'Ze heeft geen gezag, voor geen meter, verdomme. We spreken het ene af en dan hoeft Harry maar te kikken of ze stemt met iets heel anders in. Als ik nu daar zou zijn...'

De zin bleef onafgemaakt in de lucht hangen, en vulde de stilte met zijn implicaties.

'Nou, ik ben in elk geval blij dat jij daar nu niet bent,' zei Beth met een benauwd stemmetje en ze greep Williams vrije hand terwijl hij met de muis zijn menuutjes dicht klikte en de foto van zijn zoons weer tevoorschijn haalde.

'Ja, tuurlijk, ik ook.' Hij kneep in haar vingers en drukte toen haar handpalm, die koel en glad aanvoelde, tegen zijn voorhoofd. 'Het is alleen zo moeilijk... nu Harry zo rebels is, of wat dit ook maar voor mag stellen. Maar goed, wij krijgen waarschijnlijk over een jaar of twintig precies hetzelfde voor onze kiezen met ons eigen kind... of niet,' eindigde hij mismoedig, zich bewust van hoe lomp die opmerking klonk. Hij liet haar hand los en draaide zich weer om naar zijn bureau. 'Dus ik heb besloten om mijn allerlaatste wapen in te zetten.' Hij pakte de vulpen op en liet die tussen zijn vingers wiebelen. 'Een brief waarin ik dat rotjoch oproep – smeek – om eindelijk tot inkeer te komen.' Hij lachte schel en sloeg de kaft van een notitieblok om dat naast zijn toetsenbord lag.

Beth kneep haar ogen tot spleetjes en kon zo de eerste zin lezen, *Beste Harry*, gevolgd door een aantal regels die voornamelijk uit doorhalingen bestonden. 'William, we moeten nu echt eten... het is toch al zo verpieterd.'

'Het spijt me Beth, maar ik kan nu niet eten. Ik moet eerst dit regelen.'

Beth duwde haar nagels in haar handpalmen en probeer geduld te putten uit een opgedroogde bron. 'Wat ga je dan zeggen? Kan ik wat doen?'

'Ik zat te denken aan omkoping,' mompelde William, 'alleen kan ik me dat niet veroorloven... nu we het daar toch over hebben...' Hij draaide zijn stoel weer terug en keek haar nu eindelijk recht in de ogen, met een alerte stem en blik. 'Dit is waarschijnlijk niet het beste moment om het erover te hebben, lieveling, maar het moet toch. Jouw – onze – pogingen om te bezuinigen zijn nog lang niet genoeg, ben ik bang. Dus geen cursussen meer, en niet meer shoppen. Alleen het allernoodzakelijkste kunnen we nog kopen. Oké? Het spijt me dat ik zo streng moet zijn, maar...'

'Zal ik Thanksgiving dan afzeggen?'

'Beth, doe niet zo raar.'

'Of zal ik toch maar een baan zoeken?'

'Beth, ho even, doe eens rustig. Het enige wat ik zeg...'

'Ik weet wel wat je zegt. En je hebt ook gezegd dat het in december allemaal weer goed zou komen, als de bonus komt, en dat ik me nergens zorgen over hoefde te maken. En ik ben heus niet spilziek, of zo...' Beth viel even stil, want ze dacht aan de jurk en de laarzen die nog ingepakt waren in de dozen en die ze haastig achter in haar kast had geschoven. 'En die aandelen dan, waar je over vertelde dat die vrij zouden vallen in januari? Jij hebt zelf gezegd dat die wel dertigduizend dollar waard waren, of niet soms?'

William keek verbaasd. Hij wilde haar daar niet eens meer mee lastigvallen. 'Je hebt gelijk, dat heb ik gezegd. Maar het probleem is dat die aandelen zo'n scherpe daling hebben doorgemaakt dat ze nu praktisch niets meer waard zijn. Er moet wel een wonder gebeuren...'

'Wonderen gebeuren toch,' zei Beth vastberaden, om vervolgens in tranen uit te barsten. 'Wij zijn toch een wonder, William,' snikte ze, 'tenminste, dat waren we tot we ons huis uitleenden en alles misging.'

William legde zijn pen met een zucht neer, duwde zijn stoel naar achteren en trok haar op schoot. 'Wat een onzin, allemaal, hè?' zei hij zachtjes sussend, en hij veegde een haarlok van haar natte wangen. 'Duizend bommen en granaten, wat een klinkklare...' De zin die hem altijd troost had geboden toen hijzelf jong was, bestierf op zijn lippen. Het was wat hij tegen Alfie zou willen zeggen, bedacht hij somber, terugdenkend aan het ongelukkig vertrokken smoeltje van zijn jongste op het computerscherm, die zo zijn best deed om zich groot te houden. Wat des te aandoenlijker was door dat vreselijke brilletje dat nog altijd met plakband bij elkaar werd gehouden en dat steeds van zijn neus gleed, scheef, en waarvan de glazen beslagen waren met vuil en tranen. 'Ik wil jou, pap,' had hij gesnikt. 'Mama begrijpt het toch niet.'

William gaf Beth een nog veel hardere knuffel, en vervloekte inwendig de enorme sprongen in de communicatietechnologie, waardoor geliefden zo dichtbij leken terwijl ze eigenlijk heel ver weg waren, en waardoor emoties die hij jarenlang in een hokje had gestopt ineens allemaal boven kwamen drijven. 'Maar ja, zo is het leven, hè, ups en downs?' zei hij schor, terwijl hij Beths haar streelde met zijn vingertoppen, enigszins bezorgd omdat zij zelf ook zo'n kind leek. Hoe ze nu op zijn schoot zat, opgerold als een balletje, met haar hoofd onder zijn kin, spelend met de knopen van zijn overhemd. Het was natuurlijk heel schattig, maar het was ook heel vreemd om geconfronteerd te worden met alweer een nieuwe kant van haar, zoals hij dat deze zomer vaker had meegemaakt – de jaloezie, het snauwen als ze zich in het nauw gedreven voelde, het feit dat ze na intens gelukkig ineens intens somber kon zijn. Ze had gelijk: sinds Engeland was het bepaald niet gemakkelijk geweest. Maar hij had zich ook niet bepaald van zijn beste kant laten zien, bedacht William schuldbewust – en daar ging het toch eigenlijk om in een goed huwelijk? Dat je elkaars sterke en zwakke punten leerde kennen en dat je ondanks alles van elkaar hield? En zijn ommezwaai over het besluit een kind te krijgen, wat hij eerst niet wilde – daar was zij toch ook geweldig mee omgegaan?

'Hé, schat, je hart gaat heel erg tekeer,' fluisterde Beth. Ze was zelf weer kalm, en ademde zachtjes met haar wang tegen zijn sleutelbeen, en een hand tegen de linkerkant van zijn borst gedrukt. 'Heel erg...' Ze maakte twee knoopjes van zijn overhemd los en liet haar hand op dezelfde plek, op zijn blote huid glijden.

'Ik moet een brief schrijven...'

'En je hebt mij,' fluisterde ze, en ze keek op met een nog altijd betraand gezicht, en roodomrande ogen en schonk hem die nieuwe uitdagende blik van haar – met zware oogleden, wijde pupillen, en lippen die een beetje weken alsof ze van plan was een kus te geven of die kus net had ontvangen. 'Het gaat allemaal om ons, de rest doet er niet toe.' Ze ging handig verzitten tot de puntjes van hun neuzen elkaar raakten. Haar benen staken langs zijn zijden en ze begon haar bekken in een traag maar vastberaden ritme over zijn schoot te bewegen.

William kreunde zachtjes. Hij werd gemanipuleerd, natuurlijk, maar wie zou daar nu bezwaar tegen maken? En dan was er ook de kans dat dit tot conceptie zou leiden, wat hem een extra kick gaf, ook al had hij nog niet de moed gevat om Beth te vertellen hoe groot dat verlangen precies was. Haar handen gleden af naar de onderste knoopjes van zijn overhemd en haar heupen bewogen nog sneller. 'We kunnen naar boven gaan...' De stoel helde achterover en hij zag het beeld van zijn drie zoons op het scherm achter haar, met hun slordige, argeloze gelukzaligheid, ze zagen hen. En hun lachende gezichten met de kuiltjes in de wangen herinnerden hem er ook pijnlijk aan hoezeer hij had gefaald... en hoe hij bleef falen. 'Boven,' zei hij nog eens.

'Nee, hier.' Beth stroopte haar T-shirt omhoog en gooide het op de grond. 'Ik... wil... je... hier.' Ze ging op haar knieën zitten en trok haar rok omhoog. 'Zeg dat je van me houdt,' gebood ze terwijl ze aan de rits van zijn broek trok en weer op zijn schoot zakte. 'Zeg dat je altijd van me zult blijven houden – van mij en van niemand anders – wat er ook gebeurt. Zeg dat je nooit bij me weg zult gaan... nooit... nooit... nooit.'

De seks was goed, dat leed geen twijfel. Gepassioneerd, vurig – geen vent, laat staan echtgenoot zou zo stom zijn daarover te klagen. En toch, ook al gaf William toe, en bezwoer hij haar alle dingen die ze wilde horen, en vergat hij in het vuur van zijn eigen opwinding het krakend protest van zijn bureaustoel, had het ook iets verontrustends – iets wat te maken had met het besef dat hij alweer een nieuw facet van haar te zien kreeg, en dat het leren kennen van de vrouw met wie hij was getrouwd pas begonnen was.

Het was pas rond middernacht, met meer wijn achter de kiezen dan eten (het gehaktbrood was, zoals Beth al vreesde, niet meer eetbaar, dus dat rechtvaardigde het besluit om een tweede, goedkopere fles open te trekken) dat William zijn vulpen weer ter hand nam. Hij verscheurde zijn eerste probeersels en begon op een nieuwe bladzijde te schrijven, snel en met een door de alcohol geïnspireerde vloeiendheid.

Mijn allerliefste Harry,

Dat vind je ongetwijfeld een verschrikkelijke aanhef, maar dat kan me niet schelen. Met deze brief heb ik je belangrijke dingen te zeggen – echte, ware dingen – dus doe mij het genoegen om elk woord te lezen. Jij hebt er heel lang over gedaan voor je ter wereld kwam, wist je dat? Uren en uren – die arme moeder van je. Het was met recht een bevalling. En toen ineens was de kamer vol met witte jassen en machines en artsentaal en werd ik de gang op geschopt. Jouw hartslag was namelijk te zwak, dus ze moesten snel te werk gaan om je eruit te krijgen. Godallemachtig, dacht ik toen, hij is nog niet eens geboren en we raken hem al kwijt. Eerlijk gezegd wist ik pas op dat moment hoeveel ik van jou hield. Die gang, het wachten, ik heb elke godheid die ik maar kon verzinnen beloofd dat ik elke kostbare teug lucht die jij zou inademen zou bewaken, als je maar levend ter wereld zou komen in die kamer, en dat je de longen uit je lijf zou schreeuwen. Wat je trouwens ook deed.
De grap is natuurlijk – los van het bewijs van de goden – dat ik me aan die belofte niet kon houden, en niet alleen omdat ik een waardeloze vader ben (ja, zeker), maar omdat geen enkele ouder die mate van bescherming kan bieden. Jij bent wie je bent, Harry. Het is jouw leven, het zijn jouw keuzes. Omdat je nu achttien bent, geldt dat helemaal, maar zelfs voor het kleinste kind kun je als ouder maar tot op zekere hoogte iets betekenen. Dat is eerlijk gezegd een kwelling en eentje waar niemand je voor waarschuwt, maar het is ook iets heel moois en ik zou niet anders willen.
Ik raaskal, dat weet ik wel. Het is al laat en ik ben niet in topvorm. Maar hou nog even vol, alsjeblieft, ik ben bijna klaar. Als je ouder wordt, gaan er deuren dicht (zo heb

*ik de hoop moeten opgeven om ooit voor het Engelse cricketteam te worden opgesteld, haha) maar op jouw leeftijd – en hierna nog vele jaren – vliegen ze aan alle kanten voor je open. Maar als je nu je opleiding eraan geeft, gebeurt dat niet. Dan krijg je het heel moeilijk, welk richting je ook op wilt. Ik zeg niet dat je niet in een band mag spelen (wie weet word je wel zo bekend als de Rolling Stones, of the Cure, of naar wie jij ook maar luistert op die iPod van je), maar dat kun je ook doen als je studeert, weet je, als je een opleiding volgt...*

*De wereld ligt aan je voeten, Harry, dus keer je er niet van af. Als je dat bij mij moet doen, dan is het niet anders, ook al breekt het mijn hart. Maar keer je niet af van de wereld.*

*Je zeer liefhebbende vader*

*PS En als ik je nou eens honderd pond geef voor elk examen waarvoor je meer haalt dan een zes?*

William postte de brief (zorgvuldig, teder, en beschreven met het verschrikkelijke nieuwe adres dat Susan aan hem had doorgegeven: 24D Curlew Street, SW14) in de brievenbus aan het eind van de oprit. Het vocht in zijn ogen was niet alleen het gevolg van de bijtende herfstlucht, die avond. Hij was natuurlijk dronken, dus dat hielp niet erg – en vreselijk sentimenteel – maar het leek hem zo ongelofelijk dat hij ooit had gefantaseerd hoe zijn zoons zouden opgroeien en uit huis zouden gaan en hem niet meer nodig zouden hebben. Hoe had hij ooit zo naïef kunnen zijn te denken dat het zo'n keurig afgebakend proces zou zijn? Hoe was het mogelijk dat hij niet had ingezien dat hij hen altijd nodig zou hebben, hoeveel vrouwen hij ook zou hebben en hoeveel kroost hij nog zou voortbrengen? Huiverend vanwege de kou pakte William nog een sigaret en ging dicht tegen de brievenbus staan om de vlam uit zijn dunne mapje lucifers tegen de wind te beschermen. Met zijn vrije hand onder zijn oksel gestoken voor de warmte bestudeerde hij onder het roken de nachtelijke hemel, en benoemde automatisch de sterrenbeelden die zijn grootvader hem had geleerd tijdens hun idyllisch samenzijn in een tent en rond het kampvuur, dertig jaar geleden, terwijl zijn zusjes – wat natuurlijk heel oneerlijk was, dat zag hij nu wel – naar binnen verbannen waren. Wat een mazzelaar was hij geweest, en wat was hij zich daar weinig van bewust geweest – hoewel de essentie van geluk natuurlijk was dat je je er niet bewust van was, besefte William, en hij droogde zijn ogen af met zijn manchet en hief het vlaggetje op de brievenbus op om Joe erop te wijzen dat hij post mee moest nemen. Het meest geliefde kind nam die liefde voor lief, als een elementair recht.

Vijf minuten later sloop hij door de badkamer, gaf Beth een kusje op haar slapende gezicht, en vroeg zich vertederd – en vol spanning – af of hun eigen kind soms die avond was verwekt, op de krakende bureaustoel. Hij kon niet wachten om te zien wat voor effect het moederschap op haar had. Die focus, die waanzinnige, gedeelde liefde. Beth verroerde zich fronsend en schudde toen haar hoofd, alsof ze een nare droom van zich af wilde schudden. William deed de deur van de badkamer zachtjes achter zich dicht en maakte een washandje nat met warm water om zijn gezicht te wassen. Zijn huid zag er grauw uit en een beetje gelig in het licht boven de wastafel waar hij zijn tanden poetste. Te veel sigaretten – hij moest stoppen, echt, voorgoed... binnenkort. Als hij veilig en wel januari had gehaald, beloofde hij zichzelf, met een sombere blik op zijn spiegelbeeld, en als alles weer kalm en rustig was.

Zachtjes neuriënd deed hij het medicijnkastje open, op zoek naar een tube van de witmakende tandpasta die Beth had gekocht na een van haar antirooktirades in Engeland. De smalle plankjes stonden bomvol flesjes en pakjes met van alles en nog wat – flos, shampoo, stukken zeep, wattenstaafjes, pijnstillers. William rommelde wat, en probeerde geen troep of lawaai te maken, maar deed dat allebei toch en liet een paar dingen op de grond vallen. Hij raapte ze op, en zag een felgeel langwerpig doosje, precies zo eentje als Beth met zoveel gevoel voor drama uit haar nachtkastje had verwijderd.

William pakte het op en draaide het in zijn handen om erin te kijken naar de kleine, in folie verpakte pilletjes, waarvan twee rijtjes misten. Ze had vast meerdere pakjes, toch? Een arts schreef de pil altijd voor een paar maanden tegelijk uit. Zo werkte het systeem, of niet? William fronste en probeerde te bedenken hoe het ook weer zat met Susan, die hem altijd lastigviel met alle aspecten van hoe zwaar het was om een vrouw te zijn – benen scheren, wenkbrauwen plukken, haar flodderige rubberen pessarium, hoe zwaar ze het had voor en tijdens haar menstruatie – dat ging zelfs zo ver dat William zich wel eens had afgevraagd of ze hem expres wilde doen walgen. Beth, daarentegen, was altijd terughoudend over dit soort zaken – heel lief, was dat. Het waren meisjesdingen, en die gingen alleen meisjes iets aan, had ze in het begin van hun relatie een paar keer verklaard, om hem te troosten dat ze de badkamerdeur op slot hield of de keren dat ze hem de rug toekeerde in plaats van hem in haar armen te trekken.

William trok een van de strips uit het doosje en inspecteerde die. Het waren geen pillen, maar capsules, heel anders dan de pil die Susan altijd slikte. Hij draaide het doosje om en bestudeerde de lettertjes: KLB6, *bevat kelp, een natuurlijke voedingsstof, rijk aan jodium, die helpt uw schildklier gezond te houden. Lecitine – een uitstekende natuurlijke bron van choline en inositol, twee onderdelen van het vitamine B-complex, B6 – werkt als co-enzym bij de vertering van eiwitten en vet.*

Dit waren dus helemaal geen anticonceptiepillen. Het was een of ander vitaminepreparaat, dat kennelijk de spijsvertering bevorderde. Dan had hij de twee verpakkingen vast door elkaar gehaald. Twee gele pakjes die in zijn herinnering op elkaar leken, maar die ongetwijfeld heel anders van kleur bleken te zijn als je ze naast elkaar hield. Die vergissing was zo gemaakt, vooral door een man die zo moe was dat hij al bijna sliep. Hij gaf de zoektocht naar de witmakende tandpasta op en stopte de gevallen verpakkingen terug in het kastje, poetste zijn tanden en kroop in zijn bed. Zijn laatste gedachte was die aan de brief aan Harry, die nu in de koude brievenbus lag, en aan wat voor flodderig geval dat eigenlijk was voor iets wat zulke sterke hoop moest overbrengen.

# 13

Aan: annhooper@googlemail.com
28 oktober
Van: chapmanandrew@stjoseph.sch.org.uk
Betreft: NY tournee

Lieve Ann,

Heel erg bedankt voor het reisschema – kennelijk begint het allemaal vorm te krijgen. Kon ik voor mijn kant van het verhaal maar hetzelfde zeggen! De repetities komen nog niet eens in de buurt van het niveau van wat we nodig hebben en mijn brief waarin ik de ouders vraag om hun daadwerkelijke toestemming en betaling heeft ertoe geleid dat flink wat leerlingen zich hebben teruggetrokken. Maar goed, ik heb wel – en hopelijk ben je dat met me eens – een aantal inspirerende liederen aan het programma toegevoegd: een deel van de Vespers van Rachmaninov en bij wijze van grand finale, Herbert Howells ode aan John F. Kennedy: 'Take Him Back For Cherishing', wat een beeldschoon stuk is voor a-capellazang, zoals jij waarschijnlijk wel weet. Als we dat er goed in krijgen, houdt gegarandeerd niemand het droog!

Ook zeer veel dank voor al je vriendelijke woorden over Olivia, en dat je zo goed begrijpt (in tegenstelling tot Sophie, moet ik tot mijn spijt vaststellen) dat het vooral het verspilde talent is dat mij zoveel verdriet doet. Ze is geboren met een gave en ik weet zeker dat ze zou worden aangenomen bij het Royal College of een van de andere vijf beste conservatoria in het land. Muziek studeren aan een gewone universiteit – na een jaartje ertussen uit, maar liefst – dat is gewoon niet hetzelfde. Dan verliest ze haar voorsprong, en dan zal ze opgaan in de massa, en iets onbelangrijks gaan doen, zoals zoveel van die meisjes...

Poeh! Sorry dat ik zo doorzeur, Ann, maar ik kan dit hier thuis niet kwijt, deels omdat Sophie volkomen aan Olivia's kant staat en deels omdat Sophie zelf altijd al een beetje last heeft gehad van het feit dat zij geen studie heeft afgemaakt, en dat ze niet muzikaal is enzovoort, wat belachelijk is, uiteraard, en wat ook geen effect zou mogen hebben op haar ouderlijke plicht om het beste uit haar kind te halen (en niet het op één-na beste, waar Olivia nu genoegen mee neemt). Godzijdank heb ik Milly nog, en die repeteert als een beest, want ze bereidt zich nu al voor op haar heimelijke droom om over twee jaar auditie te doen voor Juilliard!

Wat dat andere betreft, dat je noemde – daar stond ik eerlijk gezegd versteld van. Ik ben uiteraard zeer in de verleiding maar – als ik heel eerlijk moet zijn – ik ben ook bang om voor gek te staan. Ik durf nauwelijks te denken aan de concurrentie. En dan zijn er nog de waanzinnig logistieke gevolgen. Ik kan alleen maar zeggen dat ik heel dankbaar ben, Ann, dat jij zoveel vertrouwen toont in mijn vermogens. Als tamelijk mislukte muzikant die zijn ziel aan de bureaucratie heeft verkocht kan ik je niet zeggen hoeveel het voor mij betekent dat ik zo'n mogelijkheid zelfs maar mag overwegen. En ik sta voor eeuwig bij jou in het krijt, wat er verder ook gebeurt.

Ondertussen moet er hard gewerkt worden. Ik tel de dagen af tot de tournee... ik heb er veel zin in, maar houd ook een beetje mijn hart vast!

Veel liefs
Andrew

PS Ja, ik vind het een briljant idee om kaartjes te verkopen voor de voorstellingen en om zoveel mogelijk met voorverkoop te werken.

PPS Bedank Meredith alsjeblieft dat ze tijd vrij heeft gemaakt om op Milly's e-mails te antwoorden – ze was dolblij.

Het was een akelige herfst geworden, met bladeren die de goten verstopten, en de vorst die de laatste bloemen had verjaagd, maar Sophies vertrouwen in de wereld werd steeds een beetje groter en de oude lagen binnen in haarzelf – de lagen van haar leven – vielen weer op hun plek, des te zekerder omdat ze in twijfel waren getrokken. Het besluit om verdere berichten van de verwerpelijke Beth Stapleton te negeren leek zijn vruchten af te werpen. Er waren weken voorbijgegaan en ze had verder niets meer gehoord. De paniek die die twee griezelige e-mails van dat mens teweeg hadden gebracht waren nu nog maar een speldenprik in haar herinnering, evenals die hele vakantie in Darien en het bruine kleurtje dat haar ertoe had bewogen een wit vestje te kopen, dat toen ze hem voor het eerst droeg meteen al verpest was door de vlekken van de lamsteaks tijdens het dinertje.

Sophie ging de herfstvakantie in, kreunend van dankbare uitputting, en ze sliep een paar ochtenden net zo lang uit als de meisjes, en als ze opstond, vond ze het zelfs heerlijk om op sokken en in ongestreken kleren rond te lopen. Dan deed ze lekker lui wat klusjes die nog waren blijven liggen, tussen kopjes koffie en het lezen van de krant door. Deze vermoeidheid voelde natuurlijk aan en lekker – heel anders dan de paniekerige staat die haar eerder dat jaar zo had gesloopt – een vermoeidheid die evenzeer het gevolg was van het drukke gezinsleven als van het weer aan het werk zijn. Er waren wel wat probleempjes – voornamelijk met Olivia – maar dat kon Sophie allemaal best aan. Sterker nog, het steunen van haar dochter in diens ontzettend belangrijke beslissing om het over een andere boeg te gaan gooien – niet alleen door zich bij een gewone universiteit in te schrijven in plaats van een conservatorium, maar ook door te wachten tot ze haar eindexamenresultaten binnen had voor ze dat zou doen – had de band tussen hen geweldig goed gedaan. Andrew was er nog steeds een beetje gepikeerd over – geen wonder – maar Sophie vond stiekem dat ze het met haar man ook goed had aangepakt, door hem erop te wijzen dat het niet ging om partij kiezen, maar om te tonen dat ze vertrouwen had in hun zo geliefde oudste kind en haar vermogen om haar weg in de wereld te vinden, ook al was dat niet de weg die zij wellicht voor haar uit zouden stippelen.

'Ik denk dat hij eindelijk heeft ingezien dat het Olivia's eigen leven is, en niet het zijne,' zei ze tegen Zoë toen ze die vrijdag in de herfstvakantie hadden afgesproken om een broodje te eten in wat tegenwoordig hun vaste tentje was. 'Terwijl ik juist alleen maar denk dat het zo dapper is van Ollie, en zo eerlijk, dat ze haar eigen weg durft te gaan hoewel haar vader haar dat niet in dank afneemt. Hij is heel overheersend, Andrew... ik denk wel eens dat hij zich niet realiseert hoe erg.'

'Peter is net zo.' Zoë trok een meelevende grimas voor ze in detail trad over haar meest recente huwelijksperikelen naar aanleiding van de aanschaf van nieuwe vloerbedekking.

Nu de toon was gezet en ze gezellig kon kletsen over een drama dat al was afgerond, merkte Sophie dat ze ineens ook de minder fraaie aspecten van haar reis naar Amerika ter sprake bracht. Het duurde even, zowel omdat ze geen detail wilde weglaten als omdat ze het moeilijk vond om de juiste nuance over te brengen die tot haar stommiteit hadden geleid, en de redenen waarom ze zo kwetsbaar was geweest.

'Of misschien was je gewoon wel helemaal weg van die Amerikaan en heb je hem je hele levensverhaal verteld in de hoop dat hij je dan zou gaan zoenen,' plaagde Zoë en ze schudde geamuseerd haar hoofd.

'Dat is monsterlijk,' riep Sophie uit, en ze wapperde uit protest met haar servetje, lachend, ondanks alles. 'Zo was het helemaal niet.'

'Wat een hoop spanning over een doodgewone omhelzing,' zei Zoë honend. 'Ik heb nog nooit zoiets belachelijks gehoord, zelfs al was het, in jouw woorden, best een lange omhelzing en zelfs al had je nogal wat gedaan om hem aan te moedigen...' Ze begon te lachen maar hield ineens op en kromp ineen. 'Dat is dus echt niets vergeleken met de affaire die Peter een paar jaar geleden heeft gehad – zes hele maanden duurde die, voor ik erachter kwam. Ik kon het je nooit eerder vertellen omdat ik het aan niemand heb verteld. Ze deden het op de achterbank van onze auto, allerlei walgelijke dingen. Dan parkeerden ze hem achter een dikke boom, als een stel wanhopige pubers.'

'O mijn god, Zoë, wat vind ik dat erg voor je...'

'Geeft niks. We zijn er helemaal overheen, en des te sterker dat we dit hebben overleefd, of zoiets.' Ze trok een gezicht. 'Ik wil maar zeggen, dat gedoe met die Curtis van jou...'

'Carter,' verbeterde Sophie.

'Hoe hij ook maar heten mag. Je maakt van een mug een olifant. Dat je Andrew er nooit iets over hebt verteld meteen toen het gebeurd was, dat is eigenlijk je enige fout.'

Sophie fronste haar wenkbrauwen en probeerde na te gaan waarom ze het ook weer precies zo had aangepakt. 'Ik neem aan dat ieder echtpaar de dingen op zijn eigen manier aanpakt,' opperde ze uiteindelijk. 'Andrew en ik hadden het zo lastig gehad, en het ging eindelijk weer goed...'

'En wat betreft dat mens en haar e-mails,' riep Zoë die zich het gedeelte over Beth Stapleton herinnerde. 'Die is dus echt goed gestoord. Negeer haar. Ik bedoel, wat is het ergste dat je kan gebeuren?'

'Precies, dat houd ik mezelf ook steeds voor.'

'Die vrouw van Peter,' flapte Zoë eruit terwijl ze naar buiten stapten en zij meteen een sigaret opstak waar ze driftig trekjes van nam, 'dat was Karen. Daarom kwamen ze niet, toen bij jou. Sorry.'

'Godallemachtig. Jij moet geen sorry zeggen, het spijt mij!' zei Sophie verbijsterd, en ze sloeg een arm om haar vriendin heen. 'Ik had geen idee...'

'Tuurlijk niet. Hoe had je dat nou moeten weten?' Zoë trok zo hard aan haar sigaret dat haar lippen een ploppend geluid maakten. 'Ik heb hem gezegd, nog één keer zoiets en ik hak zijn ballen eraf en dan gooi ik ze zo, hopla, over de schutting, net als dat Amerikaanse mens dat nog veel gekker was... Hoe heette die ook weer?'

Sophie giechelde. 'Ik weet wie je bedoelt, maar volgens mij waren dat niet de ballen maar dat andere. En hij heeft daarna een nieuw apparaat gekregen dat zo groot was dat hij er een slaatje uit heeft geslagen en in pornofilms is gaan spelen.'

'Echt waar? Wat geweldig.' Zoë klapte in haar handen en haar sombere stemming was weer helemaal weg. 'Allemachtig, de menselijke aard... je krijgt het niet verzonnen of wel? O, Sophie, ik vind het zo leuk, onze lunches. Laten we daar nooit mee stoppen, oké?'

'Oké.'

'En het gaat toch verder goed moet jullie? Met jou en Andrew?'

'Heel goed, zelfs. Het was uiteindelijk een geweldige vakantie. Op dat stukje na dat ik zulke domme dingen heb gedaan. Ik zou het hele geval het liefst vergeten, eerlijk gezegd, en gewoon verdergaan met mijn leven met Andrew, met het leven dat we hadden voor het me allemaal te zwaar werd.'

'Ja, waarom zou een vrouw de moeite nemen om een nieuwe man te zoeken en dan weer aan een heel batterij nieuwe irritante gewoontes moeten wennen?' grapte Zoë, terwijl ze weer een komisch gezicht trok en op haar peuk trapte. 'Winden, boeren, stinksokken – je kunt maar beter bij de man blijven die je al kent, zeg ik.' Ze stak meteen nog een sigaret op, en wapperde de rook weg toen ze elkaar een afscheidszoen gaven.

Sophie liep naar huis en telde haar eigen zegeningen, terwijl ze medelijden had met Zoë. Het gevoel voor humor van haar oude vriendin was dan nog wel heerlijk intact, het was een heel ander mens dan die wat dromerige vrouw die tien jaar geleden nog zo vol was van huwelijksidealen en Peters capaciteiten als vader, in die dagen van kleuterschooltjes en met de kinderwagen het park in. En toch leken die twee zo close, tijdens het etentje in september, dat het bijna irritant was – veel oogcontact, elkaars arm aanraken, lachen om elkaars verhalen. Maar ja, een huwelijk was net een huis, bedacht Sophie vol genegenheid, en ze bleef even voor haar eigen voordeur staan: als je er niet in woonde, had je geen idee wat er zich van binnen allemaal echt afspeelde.

Terwijl ze de hal in stapte werd ze overvallen door flarden pianospel, gevolgd door het wat meer verstomde, minder melodieuze geluid dat uit Olivia's kamer kwam. Ze trof Andrew in de eetkamer, in de cocon van zijn grote zilveren koptelefoon, heftig dirigerend voor een groot boek dat opengeslagen op zijn muziekstandaard stond. Toen Sophie hem op de schouder tikte, draaide hij zich met een ruk om, zichtbaar geïrriteerd.

'Sorry... ik wilde je alleen laten weten dat ik er weer ben. Jemig...' Ze bracht haar handen naar haar oren en rolde met haar ogen naar het plafond, waar nu nog veel harder, ritmisch gebonk klonk. 'Als mevrouw Hemmel nog niet heeft geklaagd, dan kan dat nooit meer lang duren... niet dat iemand hier dan de deurbel nog zou horen, of de telefoon.' Ze lachte, en deed een stap naar hem toe om haar mond aan te bieden voor een kus en om speels aan het snoer dat uit zijn koptelefoon stak te trekken.

Andrew glimlachte, keek schaapachtig, maar hij wilde – dat merkte ze aan de snelheid waarmee hij haar op haar voorhoofd zoende – graag alleen gelaten worden. 'Was de lunch gezellig? Hoe was het met Zoë?'

'Goed, dank je... Tenminste... Ja, prima.' Sophie onderdrukte de behoefte om uit te weiden, deels uit loyaliteit naar haar vriendin en deels ook omdat het duidelijk geen geschikt moment was om te praten. Ze tuurde naar de opengeslagen bladzijden van de bladmuziek op de standaard, dichtbedrukte regels vol punten en streepjes, een vreemde taal, zelfs na twintig jaar nog. 'Je bent zoveel aan het repeteren. Het is toch vakantie, deze week? Jij en Milly zijn een stelletje fanatici, momenteel... muziek, muziek, muziek.'

Andrew ging tussen haar en de muziekstandaard staan, en legde beschermend zijn hand op de opengeslagen bladzijde. 'De Vespers van Rachmaninov. Ik probeer te bepalen of het koor dit aankan.' Hij liet de koptelefoon weer over zijn oren glijden en wees toen met zijn dirigeerstok naar het plafond, en vroeg met de te luide stem van iemand die zijn eigen stem niet hoort: 'Ga jij eens even met Olivia praten. Ze zit daar al uren opgesloten met Clare en een of andere jongen, die dat afschuwelijke geluid produceert. Het is niet fair tegenover Milly, echt niet.'

Milly zat achter de piano. Haar vingers vlogen over de toetsen en ze draaide haar hoofd even snel om. De irritatie was duidelijk op haar gezicht te lezen, en ze leek zo sterk op haar vader dat Sophie onwillekeurig moest glimlachen. 'Wat is er?'

'Niks. Het spijt me dat ik je heb gestoord.' Sophie sloot de deur zachtjes en bleef even staan terwijl de muziek – Bach, uiteraard (dat had ze met de jaren wel geleerd, want Bach was Milly's lievelingscomponist en de melodie was snel en ingewikkeld) – aanzwol. Het leed geen enkele twijfel dat Milly een uitzonderlijk talent had, dat per week leek te groeien. Normaal gesproken had de piano wat oefenen betreft te lijden onder de cello, haar grote liefde, maar deze herfst kregen beide instrumenten evenveel aandacht, zozeer dat het zelfs Olivia opviel. 'Shit... ze is al beter dan ik,' had die mokkend opgemerkt, en er omwille van haar vader aan toegevoegd, 'en zeg niet dat ze dat verdient, want dat weet ik allang.'

Sophie tikte twee keer op Olivia's slaapkamerdeur en leunde tegen de muur terwijl ze afwachtte.

'Ja?' Olivia's hoofd verscheen even later om de deur.

'Die muziek, schat, ik vrees dat die te hard is. Papa en Milly proberen te repeteren.'

Olivia kreunde. 'We zijn toch net klaar.' Ze deed de deur wijder open zodat haar vriendin Clare zichtbaar werd, die breeduit op het bed zat, en een jongen met een rommelige kop donkere krullen, die in kleermakerszit op de grond zat. Hij had een gouden ringetje door zijn wenkbrauw en droeg een zwart T-shirt en een laaghangende strakke spijkerbroek die zijn lange benen en smalle heupen accentueerde.

Sophie glimlachte naar hen beiden en liet haar blik op Clare rusten: 'Hoi.'

'Hallo, mevrouw Chapman.' Clare zwaaide en wees naar de andere gast, die snel opstond om Sophie de hand te schudden. Nu hij stond was het nog veel duidelijker hoe mager en hoe bleek hij was, en dat hij ongezond uitziende rode bulten op zijn kin en rond zijn neus had. 'Harry heeft een eigen band. We zaten naar zijn demo te luisteren.'

'Jeetje... gefeliciteerd.'

'Bedankt,' grijnsde Harry, en hij toonde even wat volwassen charme voor hij de dikke, veel te lange lokken haar weer voor zijn ogen schudde. 'Ik moet maar eens opstappen.' Hij stuiterde op de bal van zijn voeten, keek eerst naar Olivia en toen naar Clare die gehoorzaam opsprong van het bed.

Sophie keek door het raam terwijl Olivia hen uitliet. Het duurde even, en het trio bleef een poosje bij het hek hangen. Ze had geen idee wat ze tegen elkaar zeiden, maar ze lachten heel veel, vooral Clare die haar regelmatige gebit toonde en met haar roodbruine haar zwiepte als die jongen, Harry, ook maar even haar kant opkeek. Hij leek het niet op te merken en liep de hele tijd te frunniken, zijn armen over elkaar te slaan en weer los te laten, met de punt van zijn schoen tegen de stoep te schoppen, een shagje te rollen, dat hij overtuigend nonchalant oprookte tussen zijn duim, wijs- en middelvinger, waarbij hij geroutineerd zijn ogen half dichtkneep tegen de rook. Terwijl ze zo naar hem stond te kijken, vroeg Sophie zich af door wie het kwam dat de percussie ineens zo in de belangstelling stond bij haar dochter, en ze hoopte, een beetje onvriendelijk, dat dat een iets frissere figuur was. Iemand die haar niet zo deed denken aan die treurige ziel die Gareth eruit had gegooid wegens overduidelijk drugsgebruik.

Terwijl de drie elkaar eindelijk een knuffel gaven ten afscheid – allebei haar kinderen waren kennelijk fysiek heel close met hun vrienden – dook Sophie weg en liep ze snel naar de keuken om te zien of ze nog iets van een maaltijd kon maken van wat er nog in de koelkast te vinden was.

'Dat was Harry Stapleton, trouwens,' zei Olivia uit zichzelf, luchtig, en ze hees zich op de keukentafel en begon aan de laatste appel op de fruitschaal te plukken voor ze haar tanden erin zette – zoals altijd met kleine hapjes vanaf het steeltje.

'Je bedoelt...'

'Ja, duh... van die lui die in augustus hier in ons huis hebben gezeten.' Olivia knabbelde verder, zwaaiend met haar benen, en ze leek nogal met zichzelf ingenomen. 'Lachen toch? Hij woont nu op zichzelf,' vervolgde ze met overduidelijk bewondering. 'Tenminste, hij woont in een appartement dat hij deelt met een paar van de andere bandleden, zodat ze zich op hun muziek kunnen concentreren.'

'Jemig. Hij leek me nog zo jong. Wat zouden zijn ouders daar van vinden?'

'Zijn moeder vindt het wel oké, en met zijn vader heeft hij geen contact meer.'

'O hemel.'

'Hoezo "o hemel"?' sneerde ze. 'Dat heet "het echte leven" mam, daar moet je maar aan wennen.'

'Ik zal mijn best doen,' zei Sophie droogjes, want ze wilde dolgraag meer informatie en kon het niet over de duidelijk vervreemdende boeg van een berisping gooien. 'Hoe ken je hem eigenlijk, daar ben ik nou wel nieuwsgierig naar.'

'Van een optreden… in die tent waar we naartoe zijn gegaan na dat verjaardagsfeestje van Clare.'

'En zijn ze een beetje goed, vind je, die band van hen, hoe ze ook mogen heten?'

'The Skunks?' Olivia vertrok haar neus, alsof dit voor het eerst was dat ze serieus stilstond bij dit vraagstuk. 'Ik weet het eigenlijk niet, maar ja, ze hebben wel potentieel, geloof ik.'

'Wie heeft wel potentieel?' baste Andrew die de keuken binnenkwam na een duidelijk succesvol verlopen doorloop. De koptelefoon bungelde nog om zijn nek.

'Niemand,' zong Olivia, die haar moeder een blik toewierp, van tafel gleed en weer naar boven ging, met de half opgegeten appel tussen haar tanden geklemd.

Niet het nageslacht van Beth Stapleton, maar van de ex-echtgenote, bracht Sophie zich een halfuur later in herinnering, terwijl ze afwezig door de supermarkt liep en van alles in haar boodschappenkarretje liet vallen, omdat er in de koelkast helemaal niets meer te vinden was waar ze haar creativiteit op kon loslaten. En dat een van haar meisjes toevallig een van de jongens van Stapleton tegen het lijf was gelopen, was nu ook weer niet echt zo'n ontzettend groot toeval, aangezien Richmond hier om de hoek lag. Toen ze het Andrew vertelde, was hij maar half geïnteresseerd. Hij bewaarde zijn energie om haar allerlei kritiek toe te sissen zodra Olivia buiten gehoorsafstand was, zowel op het feit dat hij de demo van de band had moeten aanhoren, als op Harry Stapleton in het algemeen, gebaseerd op een kort gesprekje voor ze met zijn drieën naar boven waren verdwenen. Wat zeiden dit soort 'vrienden' over Olivia's onderscheidingsvermogen, wilde hij wel eens weten, en hij voegde er mokkend aan toe dat er maar een van die kinderen hoefde te ontsporen, en de rest zou er als lemmingen achteraan duiken.

Sophie wimpelde zijn angsten weg, maar naarmate haar boodschappenwagen voller werd, nam ze zich voor om de zaak scherp in de gaten te houden. Harry Stapleton was duidelijk heel interessant, een tikje wild en gevaarlijk – dus het was niet erg verwonderlijk dat Olivia zich graag in zijn kring ophield, vooral met die amusant dweperige vriendin van haar erbij. Maar hij was ook overduidelijk – zoals Andrew zo graag opmerkte – een beroerd rolmodel.

Hoewel Olivia dat zelf ook heus wel inzag, redeneerde Sophie, net zoals ze wel wist dat het onredelijk was, nu ze het vertrouwen en de steun van haar moeder had weten te winnen, dat vertrouwen te beschamen.

Maar wat haar echt helemaal niet zinde, moest Sophie toegeven toen ze nog steeds liep te piekeren over deze gang van zaken terwijl ze een zwik bijna scheurende, plastic tasjes met boodschappen vulde (omdat ze zoals gewoonlijk was vergeten haar eigen 'groene' tassen mee te nemen), was het gevoel dat de komst van Harry Stapleton in hun leven met zich meebracht dat ook zijn stiefmoeder weer in beeld was, net nu Sophie die al weer bijna vergeten was. Heel klein, en heel ver weg, als een puntje op de rand van een radarscherm – die vrouw woonde per slot van rekening duizenden kilometers bij hen vandaan – maar voor Sophie was het een onplezierige herinnering aan hoe, dankzij de huizenruil, de werelden van twee gezinnen nooit meer echt helemaal uit elkaar te halen waren. Er was een bepaalde overlap, en die zou er altijd blijven, net als in een Venn-diagram – twee onveranderlijke cirkels die een partje grijs met elkaar gemeen hadden.

# 14

Na veel gepieker en tegen het advies van zijn vrouw in, besloot William zijn bezoekje aan Engeland in november een verrassing te laten zijn. Dat was voor een deel ook ter meerdere eer en glorie van hemzelf (alleen al vanwege het heldenonthaal dat hij dan van Alfie zou krijgen), maar er waren ook belangrijker redenen. Hij wilde niet dat Susan in de stress zou raken of dat hij zijn ouders lastig moest vallen of – belangrijker nog – dat Harry zich onder druk gezet zou voelen. Diens aanhoudende stilzwijgen wekte toch al sterk de indruk dat hij er alles aan zou doen om een persoonlijk gesprek uit de weg te gaan.

Het zou bovendien een bliksembezoek worden: van vrijdag tot maandagavond, en dan dinsdag weer terug, op tijd voor een dodelijk vermoeiende dag op kantoor en de komst van zijn schoonmoeder voor Thanksgiving. Beth ging al de hele week op in boodschappenlijstjes en recepten: een pompoentaart die niet kon mislukken (met nootmuskaat, kruidnagel, kaneel én gemberpoeder, kennelijk) naar een recept dat ze aan een van haar pilatesvriendinnen had ontfutseld. De keuken was bezaaid met opengeslagen kookboeken op pagina's met aanwijzingen voor cranberrysauzen, kastanjevullingen en de geheimen achter de perfect gebraden kalkoen. Toen William haar erop had gewezen – met licht bijtend ongeloof – dat ze nog zeven dagen had, en dat allemaal voor een feest dat dat jaar door een groep van maar liefst drie feestgangers zou worden bijgewoond, van wie er maar eentje bekendstond om zijn grote eetlust, had Beth gepruild als een klein kind. Ze had gevraagd wat er mis was met het feit dat zij wilde dat alles helemaal perfect was en waarom hij niet ophoepelde naar Engeland en haar rustig haar gang liet gaan?

En Thanksgiving was ook zonder twijfel het leukste feest op de Amerikaanse kalender, vond William, die zich schuldig voelde dat hij zijn vrouw zo de mantel had uitgeveegd en die luchtbel van enthousiasme had willen doorprikken in plaats van ervan te genieten. Wat bezielde hem? Een excuus om niet te hoeven werken, wat afleiding in de bedomptheid van november, en dat allemaal zonder de vervelende extra last van cadeautjes moeten kopen en zonder religieuze bijbedoelingen. Zo met de vervallen aanblik van de straat waar zijn taxi nu langzaam door reed, was hij meer dan bereid zich in alle aspecten van zulke feestelijkheden te storten, zodra hij weer naar huis was gevlogen.

'De Royal, zei u toch?' zei de taxichauffeur die twijfelachtig naar het bord met het vervaagde opschrift keek dat aan de pokdalige muur hing van het gebouw achter zijn chic geklede passagier.

'Ja, klopt.' William pakte twee briefjes van twintig en eentje van vijf uit zijn portemonnee en weerstond de verleiding om tekst en uitleg te geven. Het hotel was een stuk troostelozer dan de foto op internet suggereerde, maar dat was niet echt belangrijk, want dit reisje moest zo goedkoop mogelijk blijven en meer dan een kussen onder zijn hoofd had hij niet nodig. Bovendien was hij hier op een steenworp afstand van Harry en maar een kwartier lopen van Richmond.

Het had wel iets, die anonimiteit van dit hotel, vond William, terwijl hij door de donkere straat keek nadat de taxi was weggereden, blij dat hij niet had toegegeven aan de verleiding zijn ouders te bellen. Die zouden zich maar zorgen maken en verklaringen willen en zich misschien wel aan een overhaaste treinreis naar het zuiden wagen, alleen maar om even met hem te kunnen eten en misschien voor hun geruststelling. Terwijl hij hier was om Harry op de rit te krijgen, meer niet. Hij had tijdens de vlucht vooral zitten bedenken wat hij zou zeggen, hoe hij de jongen tot inkeer kon krijgen. Er waren genoeg weken voorbij gegaan, dus hij wist zeker dat de brief en alle andere pogingen die hij sinds het eind van de zomer had ondernomen om met hem in contact te komen mislukt waren.

De eigenaar van het hotel, vet haar, geen glimlach, ging William voor door een reeks slecht verlichte gangetjes en Williams moed begon hem in de schoenen te zakken. Vochtplekken bobbelden op vanuit de muur, en in de lucht hing de stank van gas en gekookt eten. Zijn kamer bleek een hokje waarin het bed tussen een douchecel en een kledingkast geperst was. Die kast vertoonde splinters op de plek waar de klink van de kamerdeur er steeds tegenaan botste. Het goede nieuws was dat het er wel warm was dankzij een elektrische radiator die onder het raam stond, en toen William voorzichtig onder de sprei voelde wist hij zeker dat het beddengoed schoon was. Het was een dun matras en het kussen was gevuld met iets wat aanvoelde als schuimrubber, maar ja, wat kon je verwachten voor drieëndertig pond?

William liet zijn tas vallen, schopte zijn schoenen uit en vuurde met de afstandsbediening op de televisie, die gehoorzaam in actie kwam. Hij rekte zich zo comfortabel mogelijk uit en zapte wat heen en weer tussen de verschillende programma's op de late avond, voor zijn keuze viel op Stephen Fry, die wrang en vol zelfspot op de hoek van een diepe, leren bank zat. William knipperde slaperig met zijn ogen. Het was hier nu kwart over elf, terwijl het in New York nog niet eens borreltijd was, en toch had hij het gevoel dat hij jaren aan een stuk zou kunnen slapen. Honger had hij ook niet, want hij had wat gesnackt op het vliegveld van Newark en in het vliegtuig had hij ook twee keer iets te eten gehad.

Zijn gedachten wendden zich dus af van de omgeving, maar bleven op volle toeren draaien. Ze schoten heen en weer tussen zijn slapen: beelden van het aanhoudende vuur in Beths ogen als ze vreeën – haar benen om zijn middel geslagen, haar ogen wild, haar tong die tussen haar lippen zichtbaar werd als ze klaarkwam – alsof die intensiteit alleen al genoeg zou zijn om hun nieuwe doel, een kindje, te verwezenlijken. En gedachten aan Alfie tijdens hun meest recente en niet geheel bevredigende skypesessie, afgelopen weekend, met die blik achter zijn nieuwe, hippe rechthoekige bril, en die duidelijk herkenbare puberale knorrigheid die zijn toon begon te verzuren – *Frans is zo'n homovak, wat maakt het uit als ik daar maar een zesje voor haal?* – aan Ed Burke tijdens de vergadering, die al zo vaak was uitgesteld dat William zich begon af te vragen of het er ooit nog van zou komen... *Ik zeg je dit als vriend, William. Drie maanden salaris en een maandsalaris voor elk jaar dat je hier hebt gewerkt – voor een handdruk bij vrijwillig ontslag is dat echt niet zo gek. Ik zeg niet dat je je hoofd op het hakblok moet leggen, maar je moet wel weten hoe de zaken liggen...*

Ineens klonk er een laag, zoemend geluid door de muur, vanuit de kamer naast hem. Een stofzuiger? Een verwarmingsketel? Een boiler? William deed zijn ogen open. Stephen Fry had plaatsgemaakt voor een onbekend gezicht, dat dingen zei die hij nu niet eens meer kon verstaan. Hij dacht erover om Beth te bellen, maar dat zou met dit lawaai ook niet meevallen. Frisse lucht, dat was wat hij nodig had – het liefst vermengd met nicotine. Hij greep zijn jas en gaf de dunne scheidingswand tussen de kamers een ferme ram voor hij naar buiten ging.

Buiten was het te koud om stil te staan met een sigaret, en dus zette hij er flink de pas in. Zijn gezicht werd door de rook en zijn dampende adem omhuld. Een paar minuten later zag hij Curlew Street liggen, zonder het gevoel dat hij dit had gepland. Nummer vierentwintig was binnen een paar flinke passen bereikt. Via een paneel vol knoppen kon je communiceren met de bewoners van appartement A, B en C wat inhield dat appartement D de grijze, zwak verlichte ramen onder aan de gietijzeren trap links van hem moest zijn. William gluurde in het duister. Er stak een stapel folders en brochures uit de brievenbus. Iets wat leek op een laken was onhandig voor het grootste raam gehangen. Door een kier zag hij nog net twee brandende, druipende stompjes kaars op een schoteltje, die bijna verzopen in de plas stollend kaarsvet.

William keek langs de trap naar beneden, keerde zich toen om en liep met grote passen weg, zonder om te kijken – bijna zonder adem te halen – tot hij bij het andere eind van de straat was. Om het kind om twaalf uur 's nachts te overvallen, hem wakker te maken uit zijn slaap of dronkenschap, of nog erger... hoe haalde hij dat in zijn hoofd? Als ze zo zouden beginnen, dan was er geen schijn van kans op een normaal gesprek. En toch brandde de behoefte om zijn oudste zoon te zien heftig in zijn borst – niet alleen om dingen recht te zetten maar ook gewoon om hem in zijn armen te nemen zoals hij dat vroeger altijd zo gedachteloos had gedaan, in die vroege, zorgeloze jaren, toen het vaderschap eerder een plicht leek dan een voorrecht. William was bijna in tranen, en voelde zich net een wanhopige stalker. Hij pakte zijn mobieltje om troost te zoeken bij Beth maar bedacht toen dat die nu een avondje uit was met 'de meiden' – naar de film en pizza eten. 'Als we daar tenminste niet failliet aan gaan,' had ze gegrapt, met de toon die ze tegenwoordig aansloeg voor alles wat met geld te maken had. Humor als masker, wist William, bedoeld om hem ervan te weerhouden iets strengs te zeggen.

Alleen op straat, met bevroren vingers voelend naar een zak waar hij zijn telefoon weer in kwijt kon, werd hij overvallen door een golf van totale eenzaamheid die de lucht uit zijn longen perste en zijn hart zo hard liet bonzen dat het pijn deed. Geld, geluk, zekerheid... ontglipte het hem nu allemaal nog een keer? Nee, god nee, hij zou het niet laten gebeuren. Niet nog eens. Hij probeerde de telefoon in zijn zak te steken, maar miste, waardoor het ding op de stoep in twee stukken viel. William liet zich kreunend op zijn knieën vallen, en zocht de stukken snel bij elkaar. Toen hij opkeek, zag hij een vrouw die aan kwam lopen snel haar blik afwenden en meteen de straat oversteken. William kwam overeind, zette de telefoon weer in elkaar en stopte hem behoedzaam weg. Hij zat er gewoon helemaal doorheen, troostte hij zichzelf. Het was een zin die Beth zou kunnen gebruiken. In zijn eigen woorden had hij een jetlag, en kampte hij met te veel onzekerheden. Hij was overal brandjes aan het blussen in plaats van dat hij alles onder controle had. Maar het zou weer goed komen. Alles kwam uiteindelijk altijd weer goed.

Terwijl hij zich weer bewust werd van zijn omgeving, zag hij ook het roze neonlicht van een bar, een meter of tien verderop in de straat. William banjerde erop af, en zocht in zijn broekzak naar zijn portemonnee, ruim voordat hij de ingang had bereikt.

'Een dubbele whisky,' gromde hij, zwaaiend met een briefje van tien zodra hij zich door de menigte voor de bar had geworsteld. Pas toen de eerste slok alcohol veilig en wel zijn keel gepasseerd was, en het vuur van zijn wanhoop had plaatsgemaakt voor iets wat beter te verdragen was, draaide hij zich om en bekeek hij de ruimte eens goed. En daar stond hij – het was niet te geloven. Harry. Althans, een andere uitvoering van Harry. Broodmager in een strakke zwarte broek, met een bos lange uitgegroeide krullen en een dikke zilveren ring door een van zijn wenkbrauwen. Hij leunde tegen een muur aan de andere kant van de zaak, en leek in een intens gesprek verwikkeld met twee meiden, een slanke blonde en een iets rondere, met kort, roodbruin haar dat in pieken overeind stond.

Williams eerste automatische reactie was een scheut pure vreugde, maar die werd al snel gevolgd door angst, omdat hij wel begreep dat een ontmoeting hier ook niet kon – dan zou Harry voor schut staan, en het gevoel hebben in het nauw gedreven te zijn. Godsamme, straks dacht hij nog dat hij hem gevolgd was vanaf dat morsige appartementje van hem. William zette het glas whisky neer en liep weg van de bar met de bedoeling om discreet weer naar buiten te verdwijnen. Maar Harry, misschien vanwege een zesde zintuig, keek al over zijn schouder. Een seconde later, gevangen in de onvermijdelijke slow motion van dingen die rampzalig maar onvermijdelijk zijn, keken zij elkaar aan. Ontwapend, bang, beschaamd, blij probeerde William een glimlach – een piepkleine witte vlag die halverwege het opsteken bleef hangen door de uitdrukkingsloze, onbarmhartige blik van zijn zoon.

De pijn van deze woordeloze uitwisseling leek eindeloos te duren en was erger dan alles wat William ooit had gevoeld. Het werd pas doorbroken toen de dubbele deuren van de bar openvlogen en een blonde vrouw met een rode parka en een grote, ouderwetse handtas de overvolle ruimte binnenstormde. Met verkrampte kaken en woedende ogen liep ze recht op de meisjes af die met Harry stonden te praten, en ze tikte op haar horloge en zwaaide met haar telefoon – ze ging zo overduidelijk en zo schaamteloos op in haar rol van woedende ouder dat William het instinctief met haar te doen had. Een paar minuten later verlieten ze de zaak gedrieën, met verslagen hangende hoofden en tassen. William had het tegelijkertijd ook met Harry te doen – puur als mannen onder elkaar – vanwege de publieke vernedering van die scène. En dat je vader daar dan ook nog getuige van moet zijn. Hij stond nog steeds te peinzen over die gevoelens, en piekerde ook over waar hij zowel dat blonde meisje als die moeder eerder had gezien, toen hij opkeek en zag dat Harry naast hem stond.

'Ik weet best waarom je hier bent,' snauwde hij voor William iets kon zeggen.

'Ja, Harry, dat hoopte ik al.' William probeerde zijn schouder aan te raken, maar Harry deinsde voor hem terug.

'Ik moet weer werken. Ik had pauze.'

'Je werkt... hier? Ik bedoel... wow... geweldig. Leuk voor je,' ratelde William. 'Ik wilde alleen komen kijken of alles echt goed met je gaat.'

Harry's honende blik werd nog feller. 'Doe nog maar niet net alsof, ja? Doe nou maar niet net of je helemaal hier naartoe bent gekomen om te zien of alles goed met mij gaat.' Met zijn vingers zette hij vol minachting aanhalingstekens in de lucht om het woord 'goed'.

'Maar zo is het wel,' riep William uit, want hij pikte een vleugje hoop op uit de sneer van zijn zoon – een toon die leek te suggereren dat zijn zoon in feite nog steeds een koppig kind was dat zich tekortgedaan voelde, en dat hij achter die lelijke piercing en die achteloze houding en de vreselijk slechte huid (waar kwam dat allemaal ineens vandaan?) gewoon een jongen was die wilde dat je van hem hield.

'Ik neem aan dat je hier bent door mama,' zei Harry nors, de tegenwerping negerend.

'Mama?' William boog zijn hoofd dichter naar hem toe omdat het geluid om hen heen aanzwol. Hij dacht ineens weer aan die vaderzoonomhelzing die hij voor zich had gezien, en voelde de mogelijkheid ontglippen als een domme droom. 'Mama?' herhaalde hij.

'Ja, omdat ze ziek is.'

'Nee, Harry, ik ben hier omdat ik het niet meer trok dat jij je leven zo aan het verzieken bent. Omdat... Hoe bedoel je dat ze ziek is?'

Harry ving de blik van iemand over zijn schouder en gebaarde met een opgestoken duim en wat William een pijnlijk opgewekte grijns toescheen. 'Ik moet ervandoor, pa,' beet hij hem toe, en de hooghartige blik zakte weer voor zijn gezicht als een masker. 'Ik zie je nog wel.'

'O nee, vriend,' William kneep in Harry's arm toen die wilde wegduiken, en hij putte moed uit de herinnering aan die moeder die tierend haar dochters naar buiten afvoerde. 'Zeg eerst maar eens waar je het over had... en wel meteen. Hoezo is je moeder ziek?'

Harry stribbelde niet meer tegen en sloeg zijn ogen neer. 'Ik dacht dat je dat wel wist,' stamelde hij. 'Ze zei dat ze het je zou vertellen. Dus toen ik je hier zag, dacht ik dat ze het ook al had gedaan.'

Al het lawaai om hen heen leek ineens te verstommen tot wat geruis op de achtergrond. Het was of zij daar nog maar met zijn tweeën stonden, en Harry keek hem voor het eerst echt aan, en uit zijn gezicht sprak een pijn die, dat zag William nu wel in, niets met hem te maken had. 'Goddomme, Harry, zeg het dan!'

Harry schudde ongelukkig zijn hoofd. 'Ze heeft kanker, nou goed! Ze zei dat ze het jou zou vertellen... Daarom heb ik... Luister, ik moet echt door.'

'Wat voor kanker?' Harry wilde doorlopen, maar William greep hem bij de arm.

'Borstkanker.'

'Allejezus...' William liet zijn grip verslappen, en schudde verbijsterd zijn hoofd. 'Maar Harry, ik moet je hoe dan ook spreken... met je praten...'

'Ik ga dit weekend weer thuis wonen.'

'Thuis wonen?' Een vonkje vreugde ontsnapte William voor hij het kon tegenhouden.

'Ja, maar niet bepaald om een leuke reden, of wel soms, pa? Jij vindt mij misschien een waardeloos stuk vreten, maar iemand moet daar toch voor alles zorgen?'

'Jezus, Harry, als ik zou kunnen...'

Maar dit keer wist Harry te ontsnappen voor William hem kon tegenhouden. Een paar tellen later dook hij op achter de bar met een theedoek in de rand van zijn spijkerbroek gestopt en een cocktailshaker tussen zijn handen. William probeerde een paar minuten lang zijn blik te vangen, maar Harry knipperde alleen met zijn ogen en bleef uitgestreken voor zich uit kijken, alsof er niets te zien viel, laat staan iemand te mijden.

Nadat hij een tweede glas whisky achterover had geslagen gaf William het op en strompelde hij naar buiten. Hij stapte langs het kluitje rokers bij de uitgang en stopte even om een hese, emotionele boodschap in te spreken voor Beth. Hij zei dat hij haar verschrikkelijk miste, maar meldde niet wat de laatste gruwelijke stand van zaken hier in Engeland was. Hij had zijn eigen verfrommelde pakje sigaretten tevoorschijn gehaald en stond op het punt er eentje op te steken toen hij zag dat in de auto die voor hem op de stoep geparkeerd stond en waarvan de motor weigerde aan te slaan, de woedende moeder en de twee mismoedige meisjes zaten. Even later rolde het raampje van de bestuurder omlaag en stak de vrouw haar hoofd naar buiten om zijn kant op te kijken.

'U staat zeker niet toevallig in de buurt geparkeerd met een paar startkabels, hè?' Ze trok duidelijk geïrriteerd aan de lokken haar die door de wind voor haar gezicht werden geblazen.

'Ik vrees van niet.' William kwam dichterbij en stopte zijn sigaretten weg. 'Is de accu leeg?'

'Ik denk het... hoewel ik op de heenweg gek genoeg geen problemen had. En Volvo's zijn normaal toch zo betrouwbaar? Waarom gebeuren dit soort dingen toch altijd op zulke ontzettend onhandige tijdstippen?'

'Ik wou dat ik iets kon doen,' zei William sullig, en hij bedacht dat het nu niet echt verstandig zou zijn op te biechten wat zijn relatie was met de jongen bij wie zij zojuist haar dochters had weggetrokken, maar deed dat vervolgens toch. 'Ik hoop maar dat hij hen niet op het verkeerde pad heeft gebracht... O god, dat heeft hij natuurlijk al gedaan,' kreunde hij, toen hij zag hoe snel haar gezicht betrok.

'Nee... dat wil zeggen, de twee dames hier hadden mij beloofd dat ze vanavond om precies twaalf uur thuis zouden zijn, en dan mochten ze morgenavond tot twee uur uit. In de vakantie is het allemaal weliswaar anders, maar ik wil graag dat tijdens schoolweken een aantal regels blijven gelden.' Het blonde meisje mompelde iets tegen haar moeder en leunde dwars over de bank om beter naar hem te kunnen kijken. Ze hadden allebei dezelfde krachtige, hoge jukbeenderen en grote blauwe ogen, alleen die van het meisje werden omkranst door dikke, zwarte wimpers, en vegen donkere oogschaduw. 'Het spijt me dat we u hebben lastiggevallen. Ik zal de wegenwacht wel bellen, of anders een taxi,' voegde ze eraan toe, terwijl ze het raampje weer omhoog draaide.

William werd dus afgewimpeld en deed een stap naar achter. Ze probeerde de ontsteking nog eens, en dit keer startte de auto wel. Hij zwaaide en zij knikte. Pas toen de Volvo van de parkeerplek wegreed, en de kleine deuk boven het achterlicht zichtbaar werd en de gedenkwaardige eerste drie letter van het kenteken, WOO – hij had daar nog een grapje over gemaakt tegen Beth – herkende William eindelijk de auto waarin hij die zomer vier weken had rondgereden. Dus dat waren de Chapmans. De moeder en de twee dochters – of was die met het rode haar soms een vriendin? Ja, dat was waarschijnlijker, besloot hij, en hij holde snel naar de weg om de auto terug te zwaaien, maar durfde toch niet.

Het was een kleine wereld, ja... nou en? William slenterde terug in de richting van zijn hotel en – te midden van alle andere onrust binnenin hem – vocht hij tegen het vage gevoel van afwijzing omdat Sophie Chapman van hem wegvluchtte toen hij duidelijk had gemaakt wie hij was, in plaats van een praatje aan te knopen. Je kon het haar moeilijk kwalijk nemen. Als hij dochters had, zou hij ook niet willen dat die bij Harry rondhingen.

Hij sliep onrustig onder het dunne dekbed en het was deze treurige waarheid die William nog het meest kwelde, samen met de beelden van het veranderde, boze, ongezonde, gepijnigde gezicht van zijn zoon. Junkfood, drugs... er was bijna zeker iets duisters gaande. Wiet? xtc? Hij was te oud en suf om te weten wat er op dat gebied allemaal te verkrijgen was, bedacht hij ongelukkig, laat staan dat hij wist hoe het allemaal heette.

En toch, wat het meest navrante was: de jongen ging weer thuis wonen, om voor zijn zieke moeder te zorgen. De tranen lekten uit Williams gesloten ogen en maakten het kussen zo nat dat hij het uiteindelijk, kreunend in zijn slaap moest omdraaien en tegen zijn borst drukte. Vier uur later werd hij met een schok wakker, en hij wist: twee dagen zouden nooit genoeg zijn. Zelfs voor hij Susan had kunnen bellen moest hij contact opnemen met de vliegtuigmaatschappij om te zien of hij zijn terugvlucht kon omzetten.

Toen Beth weer thuiskwam werd ze begroet door de troostrijke warmte van de centrale verwarming en de geuren van alle dingen die ze die dag had gebakken, en ze slaakte een zucht van verlichting. Ze had er zo vreselijk tegenop gezien dat William wegging – om alleen te zijn, nu zelfs zonder Dido – maar toch was ze terug na een supergezellige avond met haar nieuwe vriendinnen, en al haar goede, positieve gedachten van de afgelopen weken waren nog helemaal intact. Sterker nog, niet lang na Williams vertrek stond ze haar kalender te bekijken en de lijstjes van dingen die ze in zijn afwezigheid nog zou moeten doen, en had ze haar gevoel van eenzaamheid tijdelijk van zich af weten te zetten en een warme gloed gevoeld toen ze merkte dat ze het eigenlijk heerlijk vond, zo. De voorbereidingen op Thanksgiving zouden een stuk soepeler verlopen zonder Williams plagerige droge Britse grappen op de achtergrond dat ze het allemaal niet zo serieus moest nemen, waarbij hij voor het gemak voorbijging aan het feit dat zoveel van de dingen die hij op prijs stelde juist tot stand kwamen doordat zij het heel serieus nam.

Dat had ze met zoveel woorden opgebiecht aan Patty en Cathy toen ze in de bioscoop zaten te wachten tot de film begon, met grote papieren emmers vol popcorn tussen hun dijen. De beide vrouwen hadden een duit in het zakje gedaan met de gedeelde mening dat het veel gemakkelijker was om van je echtgenoot te houden als hij er niet was. Maar dat het ook heerlijk was als hij weer terugkwam – vooral voor je-weet-wel, fluisterde Patty, waarbij ze zo hard moest giechelen dat er kleverige witte brokjes popcorn uit haar mond ontsnapten en Beth een speciale blik toewierp, vanwege datgene wat zij allemaal over haar wisten, datgene waardoor ze haar zo graag mochten.

Geluk was een heel raar, grillig iets, bedacht Beth, en ze genoot van de stilte in huis terwijl ze zich klaarmaakte om naar bed te gaan, en met enige verwondering terugdacht aan haar dieptepunt van een paar weken geleden. Dat was op de dag dat de onbeduidende teleurstellingen van de daadkrachtige e-mail van Sophie Chapman en die lelijke jurk en kwastenlaarzen waren gekomen die het gevoel met zich hadden meegebracht dat ze, voor het eerst in haar leven, een gevecht was aangegaan dat ze misschien niet zou winnen. Dat William uitgerekend die avond had uitgekozen om haar de les te lezen over geld en vervolgens liever met zijn kinderen wilde praten dan aandacht aan haar en haar verpieterde eten wilde besteden, had haar helemaal het gevoel gegeven dat de wereld op zijn kop stond, en haar leven dus ook.

Maar toen had ze in een vlaag iets gevoeld – kracht, vastberadenheid, zelfvertrouwen, wat dan ook – dat niet zozeer werd losgemaakt door de seks op Williams bureaustoel (hoe onbeschrijfelijk heerlijk dat ook was geweest – ze kon zich de details niet eens meer voor de geest halen, hoe hard ze ook haar best deed) maar eerder door het plotselinge gevoel van macht dat het haar had gegeven. En dat gevoel werd des te sterker doordat ze af en toe iets zag van Williams computerscherm terwijl ze met hun seksuele atletiek bezig waren – het oninteressante, ouderwetse familiekiekje. Haar man was van haar, helemaal van haar. Hij wilde niet alleen haar lichaam maar ook haar kind. De honger daarnaar – het feit dat William dat echt nodig had – was iets wat Beth pas die avond echt begreep. Het was rauw, heftig, verslavend – een nieuw niveau van verbondenheid waardoor ze goddank buiten de greep van hun akelige oude levens bleven. Sindsdien liep het zoveel lekkerder tussen hen, bijna net zoals in hun begintijd, toen het zo zalig onmogelijk had geleken dat ze ooit genoeg van elkaar zouden krijgen en de toekomst iets was om je op te verheugen in plaats van te vrezen. Beth wist dat het geen toeval was dat oom Hal de afgelopen weken ook weer was verdwenen, net als de behoefte om Sophie Chapman nog meer angst aan te jagen. Hoe kon 'geluk' ook ooit worden gestolen, of een ruimte worden 'verziekt'? En dat ze zo jaloers en kwaad was geweest dat ze dat mens een lesje had willen leren – dat was achteraf zo'n idioot idee dat ze moest lachen bij de herinnering.

Eenmaal veilig in bed, pakte Beth haar mobieltje om nog eens te luisteren naar het bericht dat William in Londen voor haar had ingesproken, en net als de eerste keer genoot ze van de breekbare intensiteit van zijn stem, het romantische gegrom van de lieve liefdesverklaring waarmee hij afsloot. Ze dacht ineens hoe leuk het zou zijn om alle lieve dingen die hij ooit tegen haar had gezegd te verzamelen en in een doosje te stoppen, net als die brieven onder het bed van de Chapmans: liefde, zwart op wit – iets om te bewaren en te raadplegen als ze het vertrouwen even kwijt was. In plaats daarvan zat het nu allemaal in haar hoofd, dacht Beth melancholiek, en dat was zo'n enorme, onveilige plek, vergeleken met een kartonnen doos, vol doodlopende straten en ruimtes waar je je herinneringen kwijt kon raken... Ze deed haar ogen dicht en haalde diep adem. Ze concentreerde zich op het openen van haar ribben, zoals Erica hun altijd opdroeg tijdens de les. Kalm... ja, daar was het. Als je wist hoe het moest was het simpel. Ze knipperde haar ogen open en belde haar moeder, die haar had gebeld toen ze in de bioscoop zat.

'Beth... dag schat.'

'Je klinkt slaperig. Heb ik je wakker gemaakt? Het is bij jou toch pas negen uur, of heb ik dat niet goed uitgerekend?'

'Nee... ik bedoel ja, het is pas negen uur, maar ik vrees dat ik al met mijn warme chocolademelk in bed was gekropen. Ik ben tegenwoordig zo ontzettend snel moe, maar als ik vroeg naar bed ga, ben ik ook zo vroeg op, en dat haat ik. Het is echt waardeloos, ouder worden, laat me je dat zeggen... maar ik verheug me ontzettend op mijn reisje, kindje.'

'Goed zo, ik ook, mam. En gaat alles daar verder goed?'

'O ja, perfect.'

'Waarom had je dan geprobeerd me te bellen?'

'Omdat ze zeggen dat het misschien al snel gaat sneeuwen, nog voor Thanksgiving. Heb je dat gezien?'

'Nee, dat had ik niet gezien.'

'En in dat geval kon het wel eens misgaan met mijn vlucht. Afgelopen winter hebben ze JFK een paar dagen dicht moeten gooien, toch?'

'Dat was in december, en het was niet een paar dagen maar een paar uur. Luister mam, er is niks aan de hand, maar ik zal morgen het weerbericht checken en dan stuur ik je wel een mailtje, goed?'

'Dank je, kindje, dat zou me geruststellen. Hoe is het met William?'

'O, geweldig... los van het feit dat hij in Londen zit. Zijn oudste doet moeilijk... weet je nog wel, dat had ik je geschreven?'

Diane zei van wel, maar klonk niet erg zeker.

'Die knul doet gewoon expres irritant, maar dat ziet William niet.'

'Die lieve William,' riep Diane uit. 'Hij doet zijn best, dat weet ik zeker.'

'Ja, dat is ook zo.'

'En een goede vader ben je niet alleen door aanwezig te zijn, toch?'

'Nee, mam, zeker niet,' mompelde Beth enigszins verbaasd: zelfs dit soort heel indirecte verwijzingen naar haar eigen jeugd waren hoogst ongebruikelijk.

'Was er nog iets anders, kind?'

Beth aarzelde, omdat ze de vertrouwde, snelle emotionele terugtrekbeweging bij haar moeder bespeurde, en het stilzwijgende verlangen om de telefoon op te kunnen hangen. Er was natuurlijk wel degelijk nog iets anders. Dat was er het grootste deel van haar leven al geweest, maar ze kon het niet hardop uitspreken. En haar moeders geheugen, zoals ze de afgelopen tijd tijdens dit soort gesprekjes merkte, begon toch al zo te haperen. Wat zou ze zich überhaupt nog herinneren... en trouwens, wat had ze er ooit echt van geweten?

'Nee... behalve dat ik me zonder William een beetje nutteloos voel, geloof ik,' zei ze ineens. 'Ik hou zo ontzettend veel van hem, mam, en hij heeft net zo'n snoezig bericht voor me ingesproken vanuit Engeland, dat hij niet zonder me kan leven...' Beth zweeg want ze wist niet waar ze naartoe wilde met deze ontboezeming, behalve dat ze hem zelf graag hardop uit wilde spreken. Ze wist zeker dat haar moeder zo'n liefde nooit had gekend. Haar jarenlange drankverslaving had eventuele minnaars weggejaagd. Ze leefde nu van de investeringen die oom Hal voor haar had gedaan en woonde in een appartementencomplex waar huisdieren verboden waren. Ze vulde haar tijd met afspraken met artsen, tijdschriften lezen en af en toe een robbertje bridge met haar buren, van wie de meeste nog veel minder om handen hadden dan zij.

'Zorg nou maar dat je deze vast weet te houden, hoor je me?' grapte Diane met een geestig bedoelde viswijvenstem zodat Beth wenste dat ze haar mond had gehouden.

'Daar kun je op rekenen. Slaap lekker, mam. Ik mail je morgen.'

Toen ze de telefoon had uitgezet, herinnerde Beth zich voordat ze het licht uit knipte dat ze een van de pillen moest nemen die nu in het medicijnkastje lagen in plaats van in haar nachtkastje. Ze had haar avondeten uitgespuugd in een van de hermetisch afgesloten toiletten op de benedenverdieping van het Mexicaanse restaurant waar ze uiteindelijk met de vriendinnen had gegeten, maar ze wilde nog steeds graag haar spijsvertering op scherp houden. En die pillen joegen de boel een beetje op om de extra calorieën die misschien nog achtergebleven waren te verbranden. Ze nam ook een half slaaptablet, met niet meer dan een klein slokje water zodat ze er 's nachts niet uit hoefde om te plassen. Voor ze haar ogen sloot, kuste ze Williams kussen en legde daar de huistelefoon samen met haar mobieltje bovenop, omdat ze zeker wilde weten dat ze die zou horen overgaan, al sliep ze nog zo diep.

Maar William belde pas toen ze aan een vorstelijk ontbijt zat: chocoladeyoghurt, zalm, bagel, roomkaas, muffin en koffie, op zijn Frans geserveerd in een brede kom met stomend hete melk. Haar maag was zo vol dat hij pijn deed, maar het feit dat ze nu openlijk kon schransen was zo lekker dat Beth had besloten om er met volle teugen van te genieten. En de weegschaal vanochtend was ook al zo'n feest geweest – weer twee pond eraf, ondanks de popcorn, de uitpuilende fajita's met guacamole die zo dik was dat je lepel er rechtop in bleef staan. Dat kwam vast door die gele pillen, dacht Beth tevreden, waarbij ze voor het gemak alle ochtenden vergat dat ze diezelfde pillen vervloekt had omdat ze nauwelijks enig verschil maakten. Ze zat de zoete kruimels van haar vingers te likken toen ze opnam. 'William, schatje, ik heb je bericht gehoord, en ik mis jou ook... zooo erg.'

'Gaat het wel? Het klinkt alsof je aan het eten bent.'

'Klopt. Ik ben laat aan het ontbijten. Ik ben een hele stoute meid... ik heb nog niets in het huis gedaan, ik eet en slaap en mis mijn liefste, meer doe ik niet...'

'Hoe was de film?'

'O, prima... je kent het wel, twee meisjes, een jongen en een hond... die best schattig was, trouwens. Hoewel Patty zei dat ze wel dertig verschillende honden gebruiken voor zo'n opname... dat geloof je toch niet? Maar goed, daarna zijn we naar Juanito gegaan en daarna naar huis. Mam belde alweer – dit keer zat ze in de rats over de sneeuw. Allemachtig. Het gaat echt niet zo goed met haar. Ik verheug me op haar bezoek en op Thanksgiving, maar ik zweer je, zodra ze uit het vliegtuig stapt word ik vast alweer knettergek van haar, zoals altijd. Maar goed, zo gaat dat nu eenmaal met moeders en dochters, denk ik... Maar hoe gaat het met jou, schatje? Hoe is het daar?'

'Eerlijk gezegd... er is wel wat goed nieuws, maar er is ook slecht nieuws.'

'Over Harry?'

'Ja, voor een deel. Hij gaat weer thuis wonen...'

'Zie je nou wel? Ik zei toch dat het allemaal wel goed kwam, dat je helemaal niet daarheen hoefde?'

'En wat nog veel verbazingwekkender is, ik hoor net dat hij ook van plan is om nog een keer examen te doen. Bij een school waar dat versneld kan...'

'William, dat is fantastisch...'

'Yep, weet ik. Hij wil nog steeds niet met me praten, maar ik kan eerlijk gezegd voorlopig wel leven met het feit dat ik Staatsvijand Nummer 1 ben zolang hij maar een diploma haalt. Maar het is pas echt ongelofelijk dat degene aan wie wij deze ommezwaai te danken hebben uitgerekend ene Olivia Chapman is...'

Beth, die bezig was een bosbes uit een muffin te peuteren, had even een paar tellen nodig om die naam tot zich door te laten dringen, want ze begreep wel dat die naam haar iets zou moeten zeggen. Haar blijdschap om Harry's inkeer was oprecht, maar had vooral te maken met het feit dat William dan niet meer zo eindeloos over die jongen in hoefde te zitten... en dat zij er dus ook geen last meer van had. 'Olivia... hoe zei je nou?' Ze plette de bosbes tegen haar voortanden en liet hem toen op haar tong rollen.

'Chapman,' herhaalde William, 'als in: de-oudste-dochter-van-de-Chapmans-in-wier-huis-we-in-augustus-hebben-gewoond. Het blijkt dat zij bevriend is geraakt met Harry en die moeder, Sophie, geeft les aan een klein exameninstituut dat mensen klaarstoomt voor hun examens...'

'Sophie Chapman?'

'Precies. Die. En dankzij smeekbedes van haar moeder heeft die met haar baas kunnen regelen dat Harry halverwege het jaar wordt toegelaten vanwege...'

'Je bedoelt dat jij Sophie Chapman hebt ontmoet?'

'Ja, tenminste, heel kort, gisteravond, maar ik wist het allemaal pas toen ze me vanochtend opbelde.'

'Waar hebben jullie elkaar dan ontmoet? Ben jij naar het huis gegaan?'

'Nee, zo ging het helemaal niet... ik probeerde Harry te spreken en toen... Enfin, het is een lang verhaal, maar ik liep haar en Olivia volledig bij toeval tegen het lijf – en Harry ook, trouwens – in een bar waar ik gisteravond laat was. Toen ze hoorde wie ik was, reageerde zij heel onbehoorlijk, en ging ze meteen weg, maar toen belde ze me vanmorgen om zich te verontschuldigen en om uit te leggen hoe het zat met de WFC, en wat ze heeft gedaan om Harry te helpen.'

'De WFC?' Beth duwde de muffin weg en had het gevoel dat ze ter plekke al zou kunnen overgeven, zo over de botervloot en de kom met yoghurt heen.

'Zo heet dat instituut waar ze die kinderen opleiden voor hun examen en waar Sophie Chapman lesgeeft. Het punt is...'

'William, ik vind dit allemaal heel erg onplezierig.'

William lachte onzeker. 'Onplezierig?'

'Dat mens...' Beth slikte. De oude angsten kwamen stormenderhand boven, heftiger dan ooit. Ze beet op haar lip. 'Je weet dat ik dat mens niet kan uitstaan.'

William snoof, duidelijk vol ongeloof. 'Beth, dit heeft absoluut niets te maken met wat er in de zomer is voorgevallen. Jij hebt Sophie Chapman nog nooit ontmoet, en ik kan je verzekeren dat het een geweldige vrouw is. En dat een instituut van dat kaliber halverwege het jaar iemand toelaat, iemand met zulke beroerde cijfers, dat is echt heel wat. Kennelijk was het Harry's idee. Hij wilde toch zijn zaakjes beter voor elkaar hebben – wat op zichzelf al fantastisch is – maar dat dat ook kan hebben we allemaal aan Sophie Chapman te danken. Het wordt natuurlijk niet goedkoop...'

'Dus hoe moeten we dat dan betalen?' bitste Beth, en ze duwde haar stoel naar achter en beende naar de glazen schuifdeuren. De tuin was nu gehuld in winters monochroom, het gras dofgroen, de bomen skeletten, van hun bladeren ontdaan, zodat de brede grijze vlakken van het meer door de takken te zien waren. 'Of betaalt Susan het soms?'

Toen William uiteindelijk antwoord gaf, klonk zijn stem zo pijnlijk kortaf, zo bol van het voornemen om zijn geduld te bewaren, dat Beth zichzelf wel kon slaan. Zulke krankzinnige automatische reacties terwijl het net allemaal weer zo goed ging met hen – was ze helemaal gek geworden?

'Dat heb ik nog niet precies bedacht. Daar heb ik namelijk geen tijd voor gehad. Ik neem aan dat jij ook wel inziet dat Harry nu tenminste nog een kans krijgt om de boel op de rit te krijgen.'

'Natuurlijk,' riep Beth uit, terwijl de tuin oploste in een waas van tranen. 'Natuurlijk. O, William, het spijt me, schatje... het spijt me dat ik zo fel ben. Maar ik mis je gewoon zo. Vergeef je me?' Ze hoorde hem ademen. Ze wilde zo graag dat hij nu zou zeggen wat zij horen wilde. 'Je klinkt zo dichtbij,' mompelde ze. 'Was je ook maar echt dichtbij.'

'Maar er is ook iets anders,' ging William zachtjes verder, 'heel erg slecht nieuws, ben ik bang... Susan heeft borstkanker.'

'Susan?' riep Beth uit, want in de paar tellen waarin ze zich op nog meer slecht nieuws had kunnen voorbereiden had ze absoluut niet aan Williams ex gedacht. 'O god,' stamelde ze, in de wetenschap dat ze nu meelevend moest klinken, terwijl ze eigenlijk dacht dat Susan deze situatie wel flink zou uitmelken, haar kennende – dat ze er medelijden, geld en wat al niet uit zou slepen. 'Maar dat is tenminste een van de betere soorten kanker,' zei ze, en ze deed haar best zo meelevend mogelijk te klinken. 'Ik bedoel, wat betreft behandelmogelijkheden en zo... er zijn toch allemaal nieuwe medicijnen en zo?'

'Ja, gelukkig wel.'

'Maar wat akelig voor haar, zeg,' ging Beth snel verder, omdat ze de beledigende nadrukkelijkheid in de stem van haar man ongedaan wilde maken, alsof hij had besloten dat hij met een randdebiel te maken had, 'en voor je kinderen ook, natuurlijk.'

'De jongens,' zei William met dichtgeknepen keel, 'ja... maar Susan heeft dat heel goed aangepakt. Ze is meteen heel open geweest, en dat is vast niet gemakkelijk. Maar ze lijken het goed op te pakken. Harry heeft nu in elk geval besloten om het toch over een andere boeg te gooien, en dat is al ongelofelijk. Dat is meer dan ik ooit had kunnen bereiken.' Hij viel even stil. 'En zij is ook niet gek, Susan. Ze heeft alles al geregeld met de verzekering, en ze heeft alle opties al helemaal uitgezocht, de allerbeste oncoloog gevonden enzovoort.'

'Nou mooi... fijn voor haar.' Beth beet een velletje van haar lip en slikte het door.

'Maar liefje,' ging William verder op een veel vriendelijker, sussend toontje, 'zoals je wel zult snappen, speelt hier nu zoveel dat ik geen keus heb en mijn vlucht een paar dagen heb moeten uitstellen. Ik heb op kantoor gemeld dat ik pas vrijdag weer terug ben, en ik heb een terugvlucht geboekt op donderdag...'

'Maar dan is het Thanksgiving...'

'Ja, en die vlucht vertrekt om zeven uur 's ochtends, dus dan ben ik gezien het tijdsverschil op tijd thuis voor het eten. Ik weet wel dat het niet ideaal is, maar het leven gooit je nu eenmaal af en toe een *googly* om de oren.'

'Een googly?'

'Cricket. Dat is een effectbal. Je denkt dat hij de ene kant op gaat, maar dan gaat hij toch de andere kant op... Het punt is, in deze situatie is wat langer blijven om te zien hoe ik kan helpen wel het minste wat ik kan doen. Susan heeft dinsdagmiddag een afspraak in het Parkside-ziekenhuis, en dat valt samen met een rugbywedstrijd van Alfie, dus ik heb gezegd dat ik daar wel naartoe ga. En dan moet ik natuurlijk nog langs bij dat instituut om te zien hoe we de financiering regelen. Ik heb ook een lunchafspraak met iemand die ik nog ken in de City... om eens te kijken hoe het in Londen is gesteld, vergeleken met Wall Street...'

'Wauw, druk, druk, druk.'

'Sorry, Beth, het zijn toch maar twee dagen extra?'

'Tuurlijk. En je moet daar ook zijn, dat begrijp ik heus wel.' Toen Beth haar hoofd van het raam ophief zag ze dat het vet van haar huid een lelijke ovalen vlek had gemaakt op het glas. Ze wreef erover met haar elleboog, maar daar werd het alleen maar erger van.

'Ik wist wel dat je het zou begrijpen.'

Hij was zo overduidelijk opgelucht dat Beth bijna het gevoel had dat ze het ook echt begreep. 'Mam en ik houden de kalkoen wel warm hoor, maak je geen zorgen.'

'Lieve schat... lieve Beth... ik hou van je.'

'Ik hou ook van jou,' echode ze, maar het enige waar zij kracht uit wist te putten was dat ook hij klonk alsof het huilen hem nader stond dan het lachen.

# 15

‘We moeten die man waarschijnlijk uitnodigen om hier te komen eten, of niet?’

‘O god, nee toch?’ Sophie gluurde over de rand van haar boek. Andrew stond in zijn boxershort en overhemd duidelijk wanhopig hun overvolle kledingkast te doorzoeken. ‘Wat zoek je?’

‘Mijn smoking. Is die soms bij de stomerij?’

‘Nee... tenminste, ik geloof het niet.’

‘Je bedoelt dus dat hij misschien wel daar is?’

‘Andrew, godallemachtig, het is halftwaalf op een maandagavond...’

‘Ik wil gewoon graag weten waar hij is... voor de tournee.’

‘De tournee? Maar die is pas over twee weken.’ Sophie richtte haar aandacht weer op haar roman en schudde haar hoofd. Andrew had in het verleden al zo vaak de leiding gehad over allerlei muzikale tournees van de school – een schoolkorenwedstrijd in Toulouse, een trip van het schoolorkest naar Hamburg en München, en nog eentje naar Rusland. New York was natuurlijk net zo belangrijk, maar ze kon er toch nog steeds niet helemaal bij waarom dit project hem nu juist zo ontzettend in beslag nam. Sinds de herfstvakantie, met die intense koptelefoonsessies en bergen administratie, was de eetkamer veranderd in een verboden zone voor de rest van het gezin. Daarbij was de stapel van spullen die mee moesten, op de grond in de logeerkamer, steeds maar groter aan het worden. Dagelijks voelde hij die arme Milly aan de tand over wat zij daar nog aan toe te voegen had (terwijl zij was zoals hij zelf eigenlijk was, en altijd alles op het laatste nippertje inpakte).

Dat had allemaal nog iets schattigs, maar het was ook heel vreemd, vond Sophie, die alweer uit haar leesconcentratie werd gehaald doordat Andrew op een stoel balanceerde om door de stoffige legplanken boven het hanggedeelte van de kast te rommelen.

'Ha – hebbes!' Hij sprong van de stoel, en schudde het stof van de kostuumhoes. 'Tenminste, het pak heb ik nog niet, maar ik heb nu in elk geval wel iets om het straks in te vervoeren.'

'Goed zo. Ik ben dolblij. Kom je dan nu eindelijk naar bed?'

Andrew nieste heftig – vier keer, snel achter elkaar – vanwege de stofwolk die hij had gecreëerd, en doorzocht vervolgens nog een paar lades voor hij deed wat ze vroeg. Maar toen hij eenmaal in bed lag, greep hij niet naar het boek dat hij onlangs uit de schoolbibliotheek had geleend, een biografie over de Engelse componist Herbert Howells, maar legde hij zijn handen achter zijn hoofd en Sophie wist dat dat betekende dat hij wilde nadenken of praten. 'Maar jij ziet hem toch morgen?'

'Nee, hij heeft een afspraak met Gareth,' verbeterde ze, een beetje verbolgen over het feit dat het onderwerp William Stapleton toch nog niet van tafel bleek.

'Dan kun je hem toch best uitnodigen... dat hij gewoon met ons mee-eet, bij wijze van bedankje... We hebben morgenavond toch niks te doen?'

Sophie klapte haar boek dicht en lachte ongelovig. 'En dit van de vader die dacht dat Harry Stapleton onze dochter mee de goot in zou sleuren...'

'Niet overdrijven. Dat uiterlijk van die jongen stond me gewoon niet aan. Nog steeds niet, trouwens. Maar sinds duidelijk is dat Olivia hem juist meetrok in plaats van andersom...'

'Met mijn hulp,' zei Sophie schalks. 'Wel graag de veren in de juiste achterwerken steken.'

'Ja, natuurlijk.' Andrew rolde om en plantte een zoen op haar slaap voor hij zijn denkpositie weer innam. 'Dat heb je goed gedaan – heel goed – zien wat er aan de hand was, zorgen dat je erbovenop zat, en toen Gareth overhalen om die jongen een kans te geven.' Hij knikte goedkeurend. 'Maar aangezien die vader ons als het ware in de schoot is geworpen, begrijp ik niet waarom je er zo'n moeite mee hebt die man wat gastvrijheid te bieden. Het was tenslotte een waanzinnig huis... en een waanzinnige vakantie,' voegde hij er dromerig aan toe.

'Dat was het zeker.' Sophie draaide zich op haar zij en liet haar vingers tussen de knopen van zijn pyjamajasje glijden, tot ze zich realiseerde – toen Andrew geen sjoege gaf – dat die dromerigheid niets met haar te maken had. Ze trok haar hand voorzichtig terug en verwonderde zich niet zozeer over de recente afname van al die hernieuwde lichamelijk intimiteit waarmee ze hun vakantie in Connecticut hadden afgesloten, maar eerder over het nieuwe eb-en-vloedpatroon in hun huwelijk. Het leken wel natuurkrachten waarover ze steeds minder controle had.

Een paar minuten later waren Andrews ogen dichtgevallen terwijl wat er nog van Sophies slaperigheid over was verdampte in de gefrustreerde adrenalinestroom, veroorzaakt door de Stapletons, die elke keer dat ze dacht van hen af te zijn weer op kwamen duiken. Ze had Beth nog niet met succes weten af te wimpelen, of ze kreeg de verwarde Harry alweer in de schoot geworpen – een bron van enige zorg tot duidelijk werd dat hij even stapelverliefd op Olivia was als die arme Clare op hem. Een spreekwoordelijke driehoeksverhouding, wat Olivia aanvankelijk beschaamd had ontkend en toen toch had erkend als deel van de reden achter haar recente campagne om haar moeders hulp in te schakelen en te zorgen dat Harry naar het WFC mocht. Dat was om te compenseren voor het feit dat ze hem niet leuk genoeg vond, had ze verklaard. Hij was anders, interessant als vriend, maar de rest mocht Clare zo van haar hebben, had ze nog gezegd, met voldoende afkeuring in haar stem zodat Sophie wel hoorde dat dit de waarheid was.

Dus waarom maakte ze zich dan toch zo druk om William Stapleton, piekerde Sophie, en ze legde haar boek aan de kant en reikte voorzichtig naar Andrews lampje. Die man was tenslotte alleen maar hoffelijk geweest, en dat hij zo'n slechte smaak had wat betreft echtgenotes was niet echt een misdaad. En zelfs al had Beth hem Carters brief onder de neus gedrukt dan nog was William niet iemand die dat boven een bord spaghetti bolognese ter sprake zou brengen.

Niet na wat er allemaal met Harry was gebeurd, als hij aan tafel zat bij de vriendelijke gastheer en -vrouw in wier huis hij die zomer vier plezierige weken had doorgebracht. En die hele geschiedenis met Carter stond ook al weer heel ver van haar af, bedacht Sophie. Ze kon zich er nauwelijks nog iets van herinneren, behalve dan dat ze het zo verkeerd had aangepakt.

Ondanks al deze wijze gedachten ging ze de volgende ochtend toch met een bang hart naar haar werk. Op weg naar de lerarenkamer na haar eerste les wierp ze onwillekeurig een snelle blik op Gareths gesloten deur, en vroeg zich af of het gesprek met Harry's vader nog aan de gang was, of dat het al was afgerond. Pas toen ze het onderwerp al van zich af had gezet, en zich alleen nog bezighield met een stapel nakijkwerk, werd een harde klop op de deur van de lerarenkamer gevolgd door het verschijnen van William Stapletons hoofd, wiens dikke bos haar rondzwierde in een staat van uiterst bestudeerde warrigheid, en wiens gezicht vertrok van komisch overdreven onzekerheid.

'Sorry... ik mag hier waarschijnlijk helemaal niet komen, hè?' Hij richtte zijn verontschuldiging tot twee van haar collega's, Gina Logan, een wiskundelerares, en Alain Laborousse, leraar moderne talen, die allebei aan de tafel bij de ingang zaten. 'Ik zoek... ah, daar ben je.' Hij glimlachte ineens overduidelijk verlegen naar Sophie, die al was opgestaan. 'Ik wilde alleen maar even zeggen...' Hij glipte door de deur en liep snel de kamer door; onzeker en zelfbewust. 'Sorry,' zei hij nog eens, nu fluisterend, en hij keek over zijn schouder naar de andere twee, die nu druk bezig waren hun boeken op te ruimen. 'Ik weet dat ik je stoor. Ik wilde alleen nogmaals heel hartelijk bedanken voor...'

'Je hoeft me niet te bedanken, echt niet.' Achter hem viel de deur achter Gina en Alain dicht, die naar hun respectievelijke lessen waren vertrokken. Terwijl Sophie haar aandacht op haar bezoek richtte, verdween het laatste restje weerstand. Bij nader inzien was wel duidelijk dat zijn kapsel niet zorgvuldig was gestyled, maar dat het tijdens het slapen in vreemde bochten was gedrukt. Hij zag er vooral doodmoe uit – zijn ogen waren roodomrand, voorzover ze tussen de plooien van zijn vermoeide gezicht al te zien waren, en zijn huid zag al even doodsbleek als die van zijn zoon. Hij was ook veel langer dan ze had geschat, op basis van de foto's die her en der in zijn huis stonden en op basis van zijn schimmige gestalte buiten de bar, op vrijdag. 'Er is koffie, heb je zin in een kop?'

'Nee, dank je.'

'Ging het goed, boven? Met Gareth... ik bedoel, meneer Wainwright?'

'O, ja... geweldig... alles is geregeld. Ik ben je zo dankbaar. Ik kan je niet zeggen...' Hij haalde zijn vingers door zijn slordige haardos en keek bijna wanhopig om zich heen, alsof de muren van de kamer en nog een zwik van Gareths smaakvolle posters hem de juiste woorden konden ingeven om zijn dankbaarheid mee uit te drukken.

Zijn uitputting leek heel diep, vond Sophie – het was veel meer dan alleen de jetlag. 'Ik ben degene die zich moet verontschuldigen,' zei ze vriendelijk, 'omdat ik niet fatsoenlijk kennismaakte, vrijdag. Ik was gewoon zo boos op de dames en zo gestrest over de auto...'

'Ja, dat zei je al aan de telefoon. Maar het geeft niet. Ik zou waarschijnlijk ook zo hebben gereageerd... Tenminste, dat hoop ik. Ik bewonder iedereen die zo strak op durft te treden tegen pubers,' zei hij, maar hij trok daarbij zo'n grimas dat het even duurde voor Sophie doorhad dat ze een compliment kreeg.

'Zeg, Andrew en ik zouden het heel leuk vinden als je vanavond bij ons komt eten,' flapte ze er ineens uit. 'Ik weet wel dat je hier bent voor een bliksembezoek, en dat je het waarschijnlijk moordend druk hebt, maar... enfin, we wilden het toch vragen. We hebben het zo heerlijk gehad in Darien,' voegde ze er zachtjes aan toe, en ze vergat al haar angst om wat Beth wel of niet gezegd had, en had met hem te doen omdat ze zag hoe hij worstelde met haar aanbod, terwijl hij met een hand over zijn mond veegde en met de andere alweer in de hopeloze wanorde van zijn haar zat. 'Het was de vakantie van ons leven,' drong ze diplomatiek aan, want ze nam aan dat hij vooral op zoek was naar een beleefde manier om haar aanbod af te slaan. 'Het speet ons zo van...'

'Zei je nou vanavond?' Zijn gezicht was ineens helemaal kalm, en hij had zijn wenkbrauwen opgetrokken, alsof zijn conclusie hem ook verbaasde. 'Dat zou eigenlijk heel goed uitkomen... weet je het zeker?'

'Natuurlijk,' riep Sophie uit, en ze bedacht dat ze gehakt, uien, champignons en spaghetti moest toevoegen aan het boodschappenlijstje voor haar bezoek aan de supermarkt, op weg naar huis.

'Ik zou eigenlijk alleen dit weekend in Londen zijn, maar het blijkt allemaal wat hectischer...' Hij hield op met praten omdat zijn mobieltje afging, ergens diep in zijn broekzak. 'Sorry...' Hij graaide de telefoon uit zijn zak en keek snel naar het schermpje voor hij hem uitzette.

'Het moet heel zwaar zijn,'opperde Sophie, die zich afvroeg wie er belde – en wie er dus zo snel werd weggedrukt – en speculeerde of het misschien zijn Amerikaanse vrouw was. 'Ik bedoel, om in het buitenland te wonen, niet bij je zoons in de buurt.'

'Dat is het ook.' Toen keek hij haar in de ogen – in het hart, zo voelde het – en zijn bloeddoorlopen ogen stonden heel even zo vol vuur dat Sophie levendig voor zich zag hoe deze man voor haar ogen in duizend stukjes uiteen zou spatten door de spontane ontbranding van alle nerveuze energie die hij uitstraalde. 'Daarom betekent het ook zoveel voor me wat je voor Harry hebt gedaan,' vervolgde hij, en hij knipperde met zijn ogen toen het moment voorbij was.

'Welnee,' zei Sophie snel. 'Ze hebben het samen uitgebroed, Harry en Olivia. Ik heb verder niets gedaan, alleen het pad een beetje geeffend. Hij zal wel heel hard moeten werken, trouwens, vergis je niet.'

'Goed, dat doet me deugd. Zo'n herexamen zal de wereld niet veranderen, maar het is tenminste een begin, een stap in de goede richting. Hopelijk kan hij dan volgend jaar toch studeren. Jij geeft toch Engels? Shakespeare, de Romantiek, allemachtig, wat een mazzelpik.' Hij schudde zijn jas uit die over zijn arm gedrapeerd hing, en stak zijn armen toen in de mouwen, hees de jas over zijn schouders. 'Ik neem aan dat je weet dat hij Olivia heel leuk vindt,' merkte hij op toen de jas eenmaal op zijn plek hing. 'Ik bedoel echt heel leuk.'

Sophie drukte haar lippen op elkaar om haar verbazing te verbergen. 'Ik dacht het wel een beetje, ja, maar...'

'Zij vindt hem niet zo leuk?'

Hij glimlachte, maar Sophie voelde zich plaatsvervangend ongemakkelijk omdat ze de afwijzing van Harry's gevoelens namens haar dochter moest bevestigen. 'Ja... tenminste, natuurlijk vindt ze hem wel leuk – ze zijn hele dikke vrienden – maar niet op die manier. Clare, daarentegen...'

'Clare? Dat is dat meisje met het rode haar? Aha.' Hij liet zijn telefoon in zijn zak vallen en begon de knopen van zijn jas dicht te maken. 'Gek, hè?' mompelde hij, 'hoe mensen op de verkeerde mensen vallen? Het begint al zo jong, en het houdt nooit op.'

Sophie keek hem scherp aan, en haar maag vertrok, maar hij leek met zijn opmerking geen verborgen agenda te hebben – sterker nog, voorzover ze kon zien ging die eerder over hem dan over haar. In zijn jas zag hij er een stuk beter uit. Hij paste hem als gegoten, en als hij de kraag opsloeg krulde zijn haar over de rand. Het was duidelijk van heel dure wol gemaakt, en het blauw was donker genoeg om de aandacht te trekken naar zijn ogen, die, tussen de vermoeidheidsrimpels, een krachtige kleur bruin bleken te hebben, met groene vlekjes erin.

'Ja, ik geloof het ook.' Sophie rekte de woorden uit, en begreep nog minder van de man die hier voor haar stond – van wie ze overduidelijk niets te vrezen had, en die ook zo anders was dan ze had verwacht op basis van het gladjes ingerichte, dure huis en die monsterlijke vrouw van hem. 'Ik loop even met je mee naar de deur.'

'Ja, graag, ik heb al meer dan genoeg van je kostbare tijd opgeslokt.' Hij wierp een blik op de klok in de lerarenkamer en trok een gezicht. 'Ik ben trouwens zelf ook al weer te laat.'

'Zullen we zeggen rond acht uur? Je kent het adres uiteraard...' Sophie draaide zich om naar de deur, maar hij volgde niet.

'Zeg, die inbreker van jullie, hebben ze die nog gepakt?'

'Sorry? O, jeetje, dat hebben jullie ook nog op je dak gehad, hè?'

'Beth werd voor jou aangezien, meer niet. Vond ze wel doodeng.' Hij grinnikte vol genegenheid. 'Maar het was verder geen big deal. Hebben ze hem nog te pakken gekregen? Dat is het enige wat ik wilde weten.'

'Ja, goddank. Het is eigenlijk alleen een treurig zwerfkind. Hij zit nu vast in afwachting van zijn voorgeleiding of zo. Ik heb er al een poosje niks meer over gehoord.'

'Geweldig. Mooi zo. Dan zie ik jullie dus om acht uur. Als ik de rest van mijn dag overleef, tenminste.' William beende nu voor haar uit en hield de deur voor haar open, met een armzwaai gebarend dat zij als eerste de gang in mocht.

'Je zult wel veel te doen hebben, denk ik,' zei Sophie zachtjes.

'Veel te veel,' somberde hij. 'Lunch met een oude tegenstander in de City, een rugbywedstrijd van mijn jongste, en dan proberen om meer dan wat gegrom uit mijn middelste los te krijgen, de vrieskou van mijn oudste doorstaan en – alsof dat allemaal nog niet feestelijk genoeg is – moet ik aardiger dan gewoonlijk zijn tegen mijn ex, omdat ze ziek is...'

'O jee, dat spijt me,' mompelde Sophie, die wel schrok dat haar als beleefd bedoelde vraag deze bekentenis had losgemaakt. Ze liepen langs de receptie en stonden nu bij de voordeur, die zij vlug opentrok.

'Borstkanker... ik heb het meneer Wainwright net ook verteld. De prognose is redelijk enzovoort... maar het leek me beter dat jullie het wisten, gezien de omstandigheden.'

'Uiteraard. Ik vind het echt heel erg. Wat een ontzettend moeilijke situatie voor jullie allemaal.' Sophie trok haar vestje wat strakker om zich heen toen een snijdende windvlaag over het pad jaagde. 'Vooral voor Harry, en zijn broertjes. Dus jullie hebben drie jongens?'

'Ja, drie.' Het vuur stond weer in zijn ogen en hij trok weer met zijn tanden aan zijn onderlip. 'Hoe gaat dat citaat ook al weer...? Verdriet komt nooit slechts als spion...'

'"Verdriet stuurt nooit slechts een spion, maar komt met een bataljon."'

'Dat was het, ja. Bedankt. Zo is het de laatste tijd ook. Het is al zo lang geleden dat ik dit soort dingen moest leren, net als Harry nu – dus ik heb mijn *Hamlet* niet helemaal paraat.' Hij stak zijn hand uit om de hare vast te pakken, maar trok haar naar zich toe om een kus op beide wangen te planten. 'Jij en je prachtige dochter. Dit instituut was precies wat Harry nodig had. Dus ik dank jullie allemaal vanuit het diepst van mijn hart.'

'Die man zit er echt compleet doorheen,' zei Sophie een uur later tegen Andrew, toen ze tijd had om tussen haar lessen door even te bellen. 'Ik heb gezegd dat we om acht uur aan tafel gaan, dus ik hoop dat jij dan kan. Tegen die tijd heb ik Olivia al te eten gegeven – ik weet zeker dat die geen trek heeft om bij dat grotemensengeklets te moeten zitten. En Milly is op excursie, natuurlijk.'

'O god, je hebt hem te eten gevraagd.'

'Ja, dat moest van jou,' gilde Sophie met haar hand rond de telefoon, ook al had ze uit voorzorg al haar jas aangedaan en was ze buiten op de stoep aan het bellen, zodat ze wat privacy had.

'Ja, ja, dat is ook zo, maar ik heb een extra repetitie in moeten lassen. En geloof me, dat is hard nodig.'

'Maar ik kan nu toch onmogelijk afzeggen?' jammerde ze. 'O, Andrew, ik vind dit niet eerlijk. En hoe kun je trouwens repeteren zonder Milly? Ik dacht dat zij de beste van het hele spul was?'

'Dat is ze ook. Maar de anderen hebben dit nodig. Ik ben rond halftien weer thuis, tien uur op zijn laatst. Beginnen jullie maar gewoon met eten – zet voor mij maar een bord in de oven... Sorry, schat.'

'Verdomme, Andrew.' Sophie hing kwaad op en stormde weer naar binnen, waarbij ze de deur zo hard achter zich dicht smeet dat zelfs Gareth, die de trap af liep omdat hij het nog even over hun nieuwe leerling wilde hebben en die zich gewoonlijk niet zo snel van zijn plannen liet afbrengen, dit keer besloot om in plaats daarvan maar een kopje koffie te halen.

Aan: anncooper@googlemail.com
Van: chapmanandrew@stjoseph.sch.org.uk
Betreft: NY tournee

Liefste Ann,

Ik moest je even schrijven (ook al tart ik hiermee het lot) om te zeggen dat we – vanavond voor het eerst – een werkelijk geweldige repetitie hebben gehad. Het aloude adagium dat hooggespannen verwachtingen de beste resultaten opleveren blijkt al te waar. Wat bepaalde details betreft is er nog veel te doen – om nog te zwijgen over bepaalde noten! – maar je hoort nu wel de bezieling, dat magische ingrediënt waar je zo lastig de vinger op kunt leggen, maar, mijn hemel, als het er is, dan is het ook niet te missen. We moesten het zonder Milly stellen (aardrijkskunde-excursie naar Lulworth Cove), wat gek genoeg heel positief uitpakte – misschien omdat ze zo goed is dat anderen er van ontmoedigd raken. Hoe dan ook, ik kan je niet zeggen hoe blij – hoe opgelucht! – ik ben. Na alles wat jij voor ons hebt gedaan zou het onvergeeflijk zijn als we met een tweederangs optreden kwamen.

Wat betreft het feit dat jij Stanley Hart als een van mijn referenten hebt geregeld... woorden schieten tekort. Als ik had geweten dat een man met zoveel invloed en prestige, tijdens al die repetities in augustus op de trompet zat te blazen, dan was ik waarschijnlijk veel te geïntimideerd geweest om mijn dirigeerstokje ter hand te nemen. Ik heb het gevoel alsof er krachten aan het werk zijn waar ik geen vat meer op heb en het verstandigste – en het enige – wat ik kan doen is maar gewoon met de stroom mee drijven. Misschien lukt het me niet, natuurlijk, maar ik weet nu wel zeker, en dat heb ik grotendeels aan jou te danken, dat ik wel gek zou zijn om het niet te proberen. Het enige wat nu nog aan me knaagt is de vraag of ik het Sophie nu wel of niet moet vertellen. Het voelt onnatuurlijk om iets wat zoveel met zich mee kan brengen voor me te houden, maar ik heb zo'n (ongetwijfeld kinderachtige en irrationele) angst dat het ongeluk brengt als ik het haar VAN TEVOREN vertel...

Ik sta in de verleiding om de telefoon te pakken en jou te bellen voor advies, Ann, want je bent zo'n goede raadgever. Misschien doe ik dat nog wel, maar niet nu, want de repetitie liep enorm uit. Ik hoor de conciërge ijsberen door de gang, en die arme Sophie heeft in haar eentje William Stapleton moeten bezighouden – die is hier op bezoek bij zijn zoons. Een van hen is bevriend met Olivia en gaat herexamen doen bij Sophie op het instituut. Wat is de wereld toch klein, hè?

Daarom: haastige maar zoals altijd lieve groeten
Andrew X

PS. Nog twaalf dagen, we tellen af!

Een paar minuten later liep Andrew met kordate passen over het parkeerterrein van school, en zwaaide hij naar de conciërge toen die uit de gymzaal tevoorschijn kwam. 'Sorry, Bill, jij bent ook altijd de sigaar.'

'Geeft niet, meneer Chapman. Fijne avond. Ik hoop dat uw vrouw iets lekkers voor u heeft warm gehouden.'

'O, zeker,' riep Andrew terug, en ineens voelde hij dat hij rammelde. Spaghetti, had Sophie gezegd. Het maakte hem niet uit hoe plakkerig de pasta zou zijn, hij had er ongelofelijk veel trek in. Een glas rode wijn, hun gast snel de deur uit werken, en dan zou hij het haar vertellen. Echt. Hij sloeg tegen zijn stuur. Het werd steeds moeilijker om dit allemaal voor zich te houden. En als het toch op niets uitliep, waarom zou hij dan niet al die heerlijke voorpret met haar delen, nu dat nog kon, en nu alles nog mogelijk was en nog niks verloren? Milly had eerder die week ook al haar geheime plan om naar Juilliard te gaan verklapt, en Sophie was zonder meer blij voor haar geweest – hartverwarmend. Ze had hem aangekeken terwijl ze de hoge paardenstaart van hun jongste zoende en zei dat het zo aardig van Meredith was om haar zulke bemoedigende e-mails en zoveel informatie te sturen en dat Milly het volste recht had om te kijken of ze kon bereiken waar ze haar zinnen op had gezet.

Tegen de tijd dat Andrew weer thuis was, kreunde hij bijna hardop onder het gewicht van zijn eigen hoop. Om die eruit te flappen tegen zijn vrouw waar William Stapleton bij was leek hem ineens volkomen redelijk. Toen Sophie in de hal verscheen, struikelde hij op haar af, met uitgestrekte armen, met de woorden op het puntje van zijn tong, maar zij legde haar wijsvinger op haar lippen en wees op de deur van de zitkamer.

'Wat?'

'Sst... jemig, wat ben je laat! Ik was bang dat er iets gebeurd was.'

'Nee, de repetitie liep uit... sorry. Is hij er nog?'

'Sst. Ja. Daar.' Ze gebaarde weer in de richting van de zitkamer.

'Waarom fluister je?'

'Kijk zelf maar.' Ze liep achter hem langs en duwde de deur open. William lag op zijn zij op de bank, met zijn hoofd op een van de oude, grijsfluwelen kussens en onder een dekbed. 'Ik ging koffie zetten en toen ik terugkwam lag hij zo – helemaal van de wereld. Ik probeerde hem wakker te maken, maar het leek wel of hij onder de pillen zat.'

'Dus toen heb jij een dekbed over hem heen gelegd.'

'Ik wist niet wat ik anders moest.'

Andrew fronste, en wist niet wat hij eerst moest doen: hun gast wakker maken, of eten. Zijn maag deed pijn, omdat hij zo leeg was. 'Als ik hem was, zou ik liever willen dat je me wekte,' gaf hij fluisterend toe.

Sophie staarde naar de bank en schudde hulpeloos haar hoofd. 'Ik ook, maar dat heb ik ook geprobeerd, echt waar. Probeer jij het anders eens.'

Andrew liep op hem af en raakte Williams schouders voorzichtig aan. 'Hé!' Hij kneep nu echt in zijn arm en begon toen aan hem te schudden, maar het haalde niks uit. 'Allemachtig.'

'Zie je nou wel?' mompelde Sophie een beetje triomfantelijk.

Ze trokken zich terug in de keuken waar Andrew zijn bord met lauwe pasta gretig naar binnen werkte terwijl Sophie galant tegenover hem bleef zitten, en vocht om niet te geeuwen. Ze vertelde hem over de gesprekken die ze met hun gast had gehad: over de ex die nu kanker had, de problemen met Harry, de gênante, eindeloze dankbaarheid voor haar hulp om hem een plek op het WFC te bezorgen. Andrew riep af en toe verbaasd iets uit vanwege al het drama, terwijl hij baalde omdat zijn gespreksonderwerp van de baan leek. Dit was duidelijk geen avond voor grootse aankondigingen – tenminste niet voor aankondigingen waarop een positieve reactie absoluut noodzakelijk was. Tegen de tijd dat zijn glas en bord leeg waren, was Sophies gezicht gerimpeld van vermoeidheid en stonden haar ogen glazig.

Nadat hij alle rituelen van het afsluiten had afgerond, kwam hij boven, waar zij al in bed bleek te liggen, met het kussen om haar hoofd getrokken. 'Nog vijf minuutjes,' zei hij zachtjes, en hij greep de biografie van Howard en las nog veel langer dan vijf minuutjes, aangezien dit hoofdstuk ging over de compositie van het bloedstollend mooie 'Take Him Not For Cherishing', dat zijn eigen clubje die avond met zoveel hartveroverende verve had gebracht. Dit toeval deed de haartjes op Andrews armen overeind staan. Hij las ook de beschrijving van een triomfantelijk bezoek van Howells aan New York. Hij had voor het eerst en steeds enthousiaster het gevoel dat een of andere goedaardige maar onweerstaanbare macht het roer van zijn leven had overgenomen, en hem naar gebeurtenissen en plekken bracht waar hij – al in geen jaren – van had durven dromen...

Het gejank van het inbraakalarm drong bruut door tot wat een hele diepe slaap was. Andrew kwam met een ruk overeind, alsof hij een elektrische schok had gehad, terwijl naast hem Sophie met haar armen en benen begon te maaien, en eerst haar wekker en vervolgens een glas water omgooide.

'Shit.'

'Ik ga wel.'

'Doe in godsnaam voorzichtig.'

Ze scharrelden in het donker als blinden. Sophie probeerde wat spulletjes die in het water uit het omgevallen glas terecht waren gekomen, van de verdrinkingsdood te redden, en Andrew ging op zoek naar zijn ochtendjas. Toen hij bij hun openstaande slaapkamerdeur kwam, sloeg hij met zijn handpalm tegen zijn voorhoofd. 'O, wacht, dat is hij, natuurlijk.'

'Wie?'

'Onze slapende gast.'

'Wie?' herhaalde Olivia, die achter hem op de overloop verscheen, en zichtbaar rilde in het dunne hemdje en het broekje die voor pyjama moesten doorgaan.

'William Stapleton, die is blijven slapen. Ga nu maar weer naar bed, ik regel het wel. En het is bovendien mijn schuld, dan had ik maar niet zo suf moeten zijn om dat stomme alarm in te stellen...'

'Andrew, ga in godsnaam naar beneden en zet dat alarm uit,' klaagde Sophie, 'straks belt mevrouw Hemmel de politie nog. En jij gaat je bed weer in,' riep ze tegen Olivia, die al op weg was naar haar kamer, met haar blote armen om zich heen geslagen.

Toen Andrew beneden kwam stond William verloren voor het paneeltje van het inbraakalarm dat aan de trapkast was gehangen. Zijn jas lag op de grond naast zijn voeten en hij had de mouwen van zijn trui omhooggeschoven tot zijn ellebogen zoals iemand doet die een zware lichamelijke klus gaat beginnen. 'God, het spijt me. Ik heb dit nummer toch ooit geweten. Hoewel we het alarm eerlijk gezegd nooit hebben gebruikt.' Hij stapte opzij toen Andrew bij hem was, en liet zijn kin met een kreun van opluchting op zijn borst vallen zodra het lawaai ophield. 'Het spijt me zo ontzettend... en dat ik zo out ben gegaan op jullie bank... wat moeten jullie wel van me denken... Jezus.'

'Het geeft niks. Leuk om je eens te ontmoeten,' grinnikte Andrew, terwijl hij zijn hand uitstak. 'Zo stel je je een eerste ontmoeting niet echt voor, maar het is niet anders. Ik ben trouwens degene die zich moet verontschuldigen vanwege het gemiste eten.'

William greep even de vingers van zijn gastheer, en schudde nog steeds vol afschuw het hoofd. 'Ik wilde juist stilletjes weggaan.'

'En ik weet niet wat me bezielde, om het alarm in te schakelen. We dachten er nooit aan, maar sinds die keer dat er is ingebroken. Ach, dat weet jij, natuurlijk... maar hoor eens,' drong Andrew aan, omdat William zijn jas begon aan te trekken. 'Dat je nu weg gaat slaat nergens op. We hebben een logeerkamer...'

'Nee, dat kan toch niet, echt niet.'

'Doe niet zo raar, man. Het is twee uur 's nachts. Ga naar boven, en slaap nog even door. En dan laat ik het alarm uit,' grapte hij.

William wreef hard in zijn ogen. 'Ik heb nog nooit zo'n vreselijke jetlag gehad. Ik kan niet normaal meer denken.'

'Heb je misschien trek in een kop thee of warme chocolademelk?' zei Sophie, die verlegen om de trapleuning keek. 'Ik heb kamillethee en ik geloof ook nog wat rozenbottelthee. Ik ga zelf in elk geval wel thee zetten,' zei ze, en ze trok de band om haar peignoir nog wat steviger aan terwijl ze naar de keuken liep. De mannen keken naar de grond en op hun horloges en toen naar elkaar.

'O god, ongelofelijk wat ik allemaal voor toestanden veroorzaak,' kreunde William, en hij liet zijn hoofd in zijn handen vallen.

'Onzin, het is geen enkele moeite,' verzekerde Andrew hem, licht geïrriteerd door de dramatische reactie. 'We staan per slot van rekening bij jou in het krijt, zoals Sophie ongetwijfeld ook al heeft gezegd. Dus een kop thee en een slaapplaats is wel het minste wat we jou kunnen aanbieden – hoewel ik zelf geen thee neem. Soof heeft altijd een kopje nodig om weer in slaap te komen, maar ik niet, en ik ben doodop.' Hij stak zijn hand uit bij wijze van formeel afscheid en knikte even naar William. 'Als we elkaar morgen niet meer zien, dan zeg ik nu alvast dat het heel leuk was om je te ontmoeten. We hebben een heerlijke vakantie gehad in jullie huis – het was voor ons allebei echt een keerpunt. Darien, New York... we hebben genoten. Sterker nog, over nog geen twee weken ga ik al weer terug naar New York.'

'Dat vertelde Sophie al... met je koor. Je moet zeker langskomen als je de tijd hebt.'

'Dat betwijfel ik helaas. Maar misschien kunnen jullie komen luisteren naar een van onze concerten? Vraag anders maar aan Sophie wat het adres van onze website is.'

Andrew was blij dat hij naar boven kon ontsnappen. Voor hij in slaap viel – wat, zoals hij wel wist, meteen gebeurde – deed hij Sophies leeslampje aan, en zette het voor de zekerheid op de grond, omdat het hout nog nat was.

# 16

Het dekzeil over het zwembad lag bezaaid met twijgjes en dorre bladeren die telkens wanneer de wind door de tuin blies een nieuwe plek zochten. Een paar meter achter Beth, aan de andere kant van de geboende parketvloer die bezaaid was met allerlei kleden, zat haar moeder stralend en koket te lachen om Carters grapjes, en Nancy onder de complimenten te bedelven voor haar rol in de soap die ze nog nooit had gezien. De voorbereidingen voor de borrel hadden bijna haar hele middag in beslag genomen: ze had zich na de lunch teruggetrokken op haar slaapkamer, en was maar één keer tevoorschijn gekomen – met haar dunne, grijsblonde haar in de krulspelden – om een nagelvijltje te vragen. Een paar uur later kwam ze weer boven water, gehuld in een crème wollen mantelpakje dat het dikke oudedamesmiddel verhulde terwijl het toch kort genoeg was om nog iets van haar slanke benen te tonen. Ze stond met haar gewicht op haar ene been terwijl ze met Nancy praatte, en stak de andere voet uit met de nonchalance van een jonge meid, alsof ze niet verschrikkelijk veel last had van haar te smalle schoenen, waar ze nog zo vreselijk over had lopen vloeken tijdens de wandeling van het ene huis naar het andere. De steel van haar wijnglas draaide tussen haar vingers. Geen sterke drank meer, tegenwoordig.

Beth kneep in het steeltje van haar eigen glas, en verlangde naar William. Een borrel bij hun bijna bejaarde buren – als hij erbij was, hadden ze erom kunnen lachen, dan was het oké geweest. Ze verweet het haar moeder die zich door Nancy had laten overhalen, tijdens haar dagelijkse 'ommetje' door de tuin – in die afgrijselijke, aftandse jas van eekhoornbont – in een joggingbroek en laarzen gestoken, alsof dat soort kleding haar bescheiden loopje de status van echte lichamelijke inspanning gaf. En dus waren ze ontboden voor een 'pre-Thanksgiving cocktailparty met een paar vrienden' – een uitnodiging die ze natuurlijk niet had kunnen afslaan, had Diane beweerd. Maar ze was duidelijk in haar nopjes toen ze zich van haar bontgevoerde laarzen ontdeed, alsof haar bezoekje aan haar dochter eindelijk de moeite waard werd. Haar teleurstelling om Williams afwezigheid was zo voelbaar dat het bijna beledigend was. Omdat ze hen beiden zo weinig zag, beweerde ze, maar Beth vermoedde dat er veel duisterder redenen ten grondslag lagen aan het feit dat ze William zo graag zag. Zijn lieve, vleiende schoonmoederpraatjes maakten het geheel overbodig dat Diane haar dochter rechtstreeks aansprak, en ook allerlei andere ongemakkelijke gevoelens leken niet te bestaan.

Misschien omdat haar moeder zo extreem haar best had gedaan op haar uiterlijk, was Beth expres zo gewoon mogelijk gekleed, met instappers van zacht Italiaans leer, een loszittende zwartfluwelen broek en een lichtroze top, eerder een T-shirt dan een bloes. Draaiend voor de spiegel besloot ze dat ze het wel lekker vond om een beetje rebels te zijn, en bovendien kon ze zo haar gespierde bovenarmen tonen. Die waren het resultaat van trainingssessies die de wandelingetjes van haar moeder nog lachwekkender maakten dan ze al waren. Door haar outfit was ze in een iets betere stemming, en bovendien was ze wel nieuwsgierig naar de hopeloos verliefde Carter.

Ze waren nog geen paar minuten binnen, of al die nieuwsgierigheid was alweer in rook opgegaan. Carter was een zielige, dikke, ouwe, afzichtelijke vent met de irritante gewoonte om iedereen – althans die avond – precies hetzelfde verhaal te vertellen. Beth had hem nu al drie keer tegen verschillende gasten horen praten over het geweldige nieuwe script waar hij mee aan de slag was, en dat heel lang in een la had gelegen, en telkens herhaalde hij dezelfde pretentieuze uitspraak dat hij zich een 'profeet' voelde bij wie 'nieuw leven was ingeblazen', waarbij hij omstandig door de lucht zwaaide met zijn sigaar.

En het ergste van alles was dat Beth dankzij Carter aan Sophie Chapman moest denken. Ze bestudeerde haar buurman en probeerde te bedenken wat ze in vredesnaam aantrekkelijk had gevonden aan zijn gezette, oude lijf. Ze hield het er uiteindelijk op dat Sophie waarschijnlijk een ziek spelletje speelde met die arme kerel. En nu zat ze in Londen, met William. Sinds hun telefoongesprek deed Beth ontzettend haar best om er niet over na te denken dat hun paden elkaar hadden gekruist, maar dat viel niet mee. Ze kon dat akelige gevoel van onvermijdelijkheid niet van zich afschudden, dat gevoel dat alles instortte. De vrouw begon te lijken op een stuk kauwgum dat zich aan je schoenzool had gehecht en dat bij elke pas steviger vastzat, terwijl je dacht dat je het er helemaal af had gehaald.

'De dokter noemt het een spiertest...' zei de rondborstige blondine die in het centrum van de belangstelling stond bij haar groepje, naast de tuindeuren. Beth deed haar best geïnteresseerd te kijken. De vrouw die aan het woord was had een dikke, platinablonde pony die op een fort van dikke wimpers stuitte, telkens wanneer ze met haar ogen knipperde. Haar wangen waren rond en glad, en haar lippen zacht en gezwollen.

'Je zou hem natuurlijk ook je kwakzalver kunnen noemen,' zei de man die naast haar stond. Dat was haar echtgenoot, dacht Beth. Hij gaf Beth een vriendschappelijke knipoog, en vouwde zijn armen over elkaar voor ze doorging met de rest van haar verhaal. Hij was slank en had het getekende gezicht van een zeeman.

'Het lichaam houdt dus herinneringen aan trauma's vast...'

Hij wees met zijn duim naar zijn vrouw en boog zich naar Beth over. 'Dat is Lindy, ik ben Art. Ze is nogal gek met al dat soort alternatieve gedoe.'

Lindy was er duidelijk aan gewend om de onderbrekingen door haar echtgenoot te negeren. '... dus toen hebben ze mijn spieren getest om precies te bepalen waar mijn trauma is opgeslagen. Mijn vriendin Martha had pijn in haar gezicht. Zo erg, en niemand kon haar helpen. Bleek dat dat allemaal kwam doordat ze op haar zevende haar vader had gevonden, toen die was overleden.'

'Tot wanhoop gedreven van de kiespijn... nou, daar kunnen we ons allemaal wel iets bij voorstellen.' Art zocht steun bij Beth voor zijn grap, wat hem dan toch eindelijk een scherpe blik van zijn vrouw opleverde. Beth glimlachte en wierp een blik op haar horloge. Nog twintig minuten en dan konden ze weg. Wat moest ze hier met die vreselijk ouwe lui? Darien was toch een stadje vol jonge gezinnen, en niet dit soort vergane glorie?

Beth troostte zich met de gedachte dat William nu al lag te slapen in Engeland, en het was nu aftellen tot zijn vlucht naar JFK, de volgende ochtend. Ze keek om naar haar moeder, maar Diane had het veel te druk met een lange, dunne man in een broek van Schotse ruitstof en crèmekleurige instappers, en keek verrukt. Haar stem had iets schrils, en klonk boven het geroezemoes in de kamer uit, zo hard dat Beth besloot dat het tijd was om naar huis te gaan.

Haar moeder was nu drie dagen bij haar en het bezoek verliep precies volgens het patroon dat Beth gekscherend aan William had voorspeld: eerst was het leuk – koffiedrinken en kletsen, en allebei nog helemaal bereid om de ander de kans te geven – totdat er langzamerhand een veel stillere, gespannen sfeer ontstond naarmate de onuitgesproken dingen en irritatie de overhand kregen. Na de koffie en een rondleiding over de begane grond, had Beth Diane naar de grootste van de twee logeerkamers gebracht, terwijl ze de zware koffer achter zich aansleurde. Haar moeder had gelukkig hoog opgegeven van de handgemaakte quilt op het bed (die Beth de dag ervoor in een wilde bui van overdaad had aangeschaft) maar keek toen vol ongenoegen om zich heen, en wreef theatraal over haar armen vanwege de kou. Het hele huis was destijds zo heet als een kas, hoewel Diane daar weinig dankbaarheid voor toonde, en toch praktisch de hele dag gehuld ging in een gigantische grote, lelijke gehaakte stola en met veel misbaar haar stoel pal tegen de radiator aanschoof bij het televisiekijken. Ze zei enthousiast dat ze Beth zou helpen in de keuken, maar ging vervolgens onbewogen op een kruk zitten terwijl haar dochter al het werk deed. Dan keek ze zuchtend naar de winterse tuin en maakte af en toe mistroostige opmerkingen over de magische warmte van zowel het klimaat als de mede-inwoners van haar eigen staat.

'Weet je dat Hal nu aan allebei zijn knieën is geholpen?' merkte Diane plotseling op, toen ze eenmaal veilig buiten stonden, dik ingepakt in hun jassen en sjaals nadat ze van iedereen afscheid hadden genomen en een gezellige Thanksgiving hadden gewenst, waarbij ze het aanbod van een chaperonne om hen naar huis te brengen beleefd hadden afgeslagen.

Beth stelde de hoek van haar zaklantaarn bij, en scheen de lange oprit voor hen bij. Langs de weg stond aan beide kanten een rij bomen als spookachtige wachters. Halverwege vloog er ineens een donkere vlek door de lichtstraal – of het nu een blad was of een dier, dat viel niet te zeggen.

'Dus komt hij er bijna niet uit. En ik denk dat hij best eenzaam is in dat rusthuis.' Ze had haar arm door die van Beth gestoken, alsof ze twee gezellige oude dametjes waren, die samen naar huis hobbelden.

'Het leven valt niet mee, dat geldt voor zoveel mensen,' mompelde Beth, en ze beet zich in haar wang tot ze bloed proefde, en hield zich voor dat als ze lang genoeg wachtte het onderwerp als vanzelf zou vervagen. Op de heenweg was de oprit schemerig geweest. Maar nu was het aardedonker. Achter de straal van de zaklamp leek de oprit niet eens meer te bestaan. Het was harder gaan waaien en de bomen zwiepten en fluisterden als een koor in een Griekse tragedie. Als ze in haar eentje had gelopen, was ze vast bang geweest.

'Beth, dat is niet aardig.'

Haar moeder was, ongetwijfeld dankzij de wijn, totaal niet angstig. De regel was af en toe één glaasje wijn – waar ze zich jaren aan had gehouden (voorzover Beth kon zien was er geen reden daaraan te twijfelen). Maar die avond waren het er een stuk of drie, vier geweest. Er was nog een andere regel, en dat was dat ze het nooit met zoveel woorden over Hal mochten hebben, en dat er hooguit zijdelings aan hem werd gerefereerd in e-mails, of dat hij terloops ter sprake werd gebracht in bijzinnen, maar nooit als onderwerp van gesprek.

'Je kunt veel van me zeggen, mam, maar niet dat ik onaardig ben.'

De aangeschoten Diane snoof. 'Nou, je bent anders in een hele vreemde stemming. En dat is de hele week al zo, als ik het even zeggen mag. En je bent ook mager, zo mager als een lat. Geloof, de mannen – William – die houden daar niet van.'

'Sinds wanneer weet jij waar mannen van houden, mam?' zei Beth, zo zachtjes dat er geen antwoord kwam, en ze zich afvroeg of Diane haar überhaupt had gehoord. Ze voelde dat de stilte werd gevuld door iets van spijt. Het lichte knerpen van hun voetstappen klonk ineens akelig hard, hard en leeg. Nu had ze eindelijk die kans om te praten, een kans waar ze diep vanbinnen zo naar had verlangd, en haar eerste, defensieve neiging was om die kans direct af te slaan. De twijfel of zo'n gesprek wel iets goeds zou kunnen opleveren was te sterk. En ze was kwaad vanwege die opmerking over haar gewicht. 'William vindt mij mooi,' zei ze gepikeerd. 'Dat kan ik je verzekeren.'

'Mooi zo, kindje. Het spijt me als ik iets lelijks heb gezegd. Ik ben gewoon erg moe, denk ik... die vervloekte schoenen, ook. Het lijkt maar een klein stukje lopen, maar zo voelt het helemaal niet.'

'Je doet het geweldig, mam,' zei Beth stijfjes ter aanmoediging. 'We zijn er bijna. Als we hier een stuk afsnijden door de tuin, zijn we er sneller.' Beth ging voor, en hield de takken opzij. Toen ze eindelijk op het gazon waren, was er nog net tijd om in paniek te raken toen ze overal op de begane grond de lichten aan zagen staan, toen een lange figuur vanonder een grote wolk sigarettenrook baste: 'Zijn dat twee inbrekers, of zijn het de leukste vrouwen van de hele wereld?'

Beth liet haar moeders arm vallen en begon te rennen. William gooide zijn sigaret weg en spreidde zijn armen om haar te begroeten. Onder het kussen legde hij snel uit dat hij zijn vlucht had vervroegd.

'O, ik heb je zo ontzettend nodig gehad,' klaagde ze.

'Ik jou ook,' fluisterde hij, en nam haar in de ene arm terwijl hij de andere uitstrekte om Diane te verwelkomen. 'Waar heb jij die prachtige jas vandaag? Je ziet er schitterend uit, en ijskoud. Mee naar binnen, jullie. Ik heb ergens wat soep opgeduikeld en die op het vuur gezet – mocht dat? Ik had zo'n vreselijke trek en ik wist niet precies waar ik wel en niet aan mocht komen. Ik heb nog nooit zo'n volle koelkast gezien, maar durfde er niets uit te halen... Overal voedsel, en toch niks te eten. Waar komen jullie trouwens in vredesnaam vandaan? Ik dacht, nou ze zullen het wel fijn vinden dat ik er weer ben, en heb mijn best gedaan om mijn terugkeer geheim te houden maar nee hoor, de meiden zijn elders feest wezen vieren, zo te zien... Ik kan jullie ook geen seconde alleen laten.'

En dus joeg William, joviaal vanwege de fles wijn waarmee hij onverstandig genoeg zijn jetlag te lijf wilde gaan, hen naar binnen. Dolblij begonnen Diane en Beth door elkaar heen te praten en ze bloeiden onmiddellijk op in de warmte van de keuken. Beth nam direct de leiding over, dekte de tafel met bestek en hapjes, en zei zulke vreselijke dingen over de afschuwelijke borrel bij Nancy en Carter dat William zich tranen lachte. Toen ze hem bekeek, voelde ze de liefde in zich aanzwellen tot haar hart bijna barstte. Al die absurde, duistere angsten verdwenen. Wie zei ooit dat afwezigheid de liefde versterkt? Afwezigheid was iets verschrikkelijks. William zorgde ervoor dat haar leven weer klopte. Hij moest bij haar zijn. Altijd.

De volgende twee nachten sliep William dieper dan ooit. Na die droomloze vergetelheid kwam hij elke ochtend als een duiker boven water, naar adem snakkend, met loodzware armen en benen. Het ondergaan van Thanksgiving – kletsen, vrolijk doen, eten, eten en nog eens eten – was een staaltje pure wilskracht en echt leuk wilde het maar niet worden. Hij had gepland om vrijdag op kantoor te zijn, maar besloot toch niet te gaan, omdat hij ervan uitging dat er toch geen mens zou zijn, en omdat de week toch al naar de knoppen was. Met alle dingen die hij nu aan zijn hoofd had voelde deze kans om vier hele dagen thuis te kunnen zijn als een oase, een strand waar hij op kon neerploffen terwijl het woeste water van de buitenwereld tegen zijn voeten klotste.

Het hielp dat Beths gilletje van gelukzalige verbazing, afgelopen woensdag in de tuin, was uitgelopen in een liefhebbende aandacht zoals hij die nog nooit had ondergaan. Het vervelende telefoongesprek had hem zorgen gebaard, maar er waren geen akelige ondervragingen op gevolgd over zijn tijd in Londen, en ze had niet op zijn schuldgevoel gespeeld. Toen hij voor de derde keer achter elkaar zei dat het hem speet dat hij zelfs geen energie meer had om te vrijen, reageerde ze met een tedere nek- en schoudermassage en zei ze dat er geen haast bij was, want ze hadden toch de rest van hun leven nog? Elke ochtend – zelfs op Thanksgiving zelf, toen er veel te doen was – liet ze hem tot elf uur uitslapen en verscheen dan met een groot glas vers grapefruitsap, een kopje earl grey en zijn favoriete katernen uit *The New York Times*.

Op zondag was er naast die verwennerij ook nog een cadeau dat tegen het glas sap aanleunde. Een klein aquarel – rokerige cirkels, oranje, rood en bruin, om een blauwe kloof. 'Het heet *Bomen in de herfst*. Dat daar in het midden moet het meer voorstellen en die kleine veeg onderaan heet Dido,' grapte ze. 'Het moest eigenlijk een jasmijnstruik voorstellen, maar ik had mezelf niet helemaal meer in de hand. Leuk?' Ze knielde bij het bed neer en wreef met het puntje van haar neus over de zijne.

William zette zijn sap en thee voorzichtig aan de kant en trok haar toen bij zich op bed. 'Ik vind het geweldig, en ik vind jou geweldig.' Hij snoof in haar haar dat nog zachter en dikker voelde dan in zijn herinnering, en dat vaag naar pepermunt rook. 'Maar ik heb wel een klacht.' Hij leunde naar achter om haar gezicht te bestuderen, en keek zogenaamd ernstig. 'Hoe durf jij mij een cadeau te geven terwijl je weet dat ik niets voor jou heb?'

Beth glimlachte en ging tegen hem aan liggen. 'Je hebt me toch die fles parfum gegeven, sufferd.'

'Ja, van de Duty Free op Heathrow. Dat is niet bepaald hetzelfde.'

'Maar je hebt me gemist – toch? – en dat is ook een cadeau.'

Haar adem voelde warm aan in zijn nek. 'Dat noem ik nog eens ergens chic vanaf komen.'

'Maar het is toch zo. Je hebt me toch ook echt gemist?'

William reageerde door haar boven op zich te trekken, waarbij de krant heftig kraakte tussen de lakens.

Onder het zoenen gluurde Beth bezorgd door haar gordijn van haar naar de deur. 'En mijn moeder dan?'

'Wat is er met je moeder?'

'Lieverd, het is al lunchtijd... ze kan elk moment boven komen...'

Maar William liet zich niet zo gemakkelijk afleiden. En trouwens, waarom zou ze zich zorgen maken, dacht Beth terwijl ze haar ogen genietend dichtdeed toen Williams handen haar lichaam betastten. Als Diane zo stom was om de deur van hun slaapkamer open te doen, dan zou ze hem ook meteen weer dichttrekken...

'Beth? Wat is er?'

Ze was bevroren – of liever, de wereld was bevroren, en daarmee ook haar tong, handen, heupen. Even ijskoud was het beeld van het gezicht van haar moeder bij een andere deur van een andere slaapkamer, drieëntwintig jaar eerder.

'Lieveling?' William kwam omhoog. 'Jemig, je bent zo vreselijk mager geworden.' Hij liet zijn hand langs haar maag en ribben glijden en schudde zijn hoofd. 'Ik bedoel, ik had natuurlijk wel gezien dat je wat was afgevallen, maar dit... liefje, dit kan echt niet.'

'Ik zei toch dat ik je heel erg heb gemist, schat... Dan eet ik niet meer. Ik heb echt zitten kwijnen.' Ze zag de kamer weer scherp en het bloed werd hard door haar aderen gepompt. Beth tilde haar heupen van het bed, en duwde haar keiharde buik tegen zijn handpalm. 'Ga door,' drong ze zachtjes aan.

William zakte gehoorzaam op haar, en veegde de lokken haar met een teder gebaar uit haar gezicht.

Een paar uur later zaten ze samen met Diane aan de weekendbrunch in hun favoriete lunchrestaurant, gebakken eieren met van alles erbij, en raakten hun knieën elkaar kameraadschappelijk onder de kleine, rustieke tafel. Beth had ook nog wafels met stroop besteld, waar ze enthousiast haar vingers bij aflikte, en ze schonk William blikken vol genegenheid en geruststelling, met bolle wangen vol eten. De macht van de seks hing nog tussen hen in, als een onzichtbaar koord, een geheim.

Diane was stilletjes, misschien omdat ze dit wel voelde. Over een paar dagen zou ze weer naar huis gaan, en ze was toch al zo zichtbaar afgeleid, en nerveus over haar reis, duidelijk meer gefocust op de plek waar ze naartoe zou gaan dan op de plek waar ze nu was. Toen William haar bekeek, vanaf de andere kant van de tafel, en zag hoe ze aan haar servetje zat te frunniken, en zonder veel animo het gesprek gaande probeerde te houden, voelde William weinig behoefte om haar er meer bij te betrekken. Vier dagen achter elkaar de galante, attente schoonzoon spelen – voor een groot deel door de mist van zijn jetlag – voelde sowieso al voldoende om voor een heiligverklaring in aanmerking te komen. Hij wilde juist dat ze ophoepelde, zodat hij en Beth een keer goed konden praten – zodat ze munt konden slaan uit deze nieuwe, broodnodige nabijheid, en zodat ze echt plannen konden gaan maken voor de komende maanden in plaats van de luchtige gesprekjes die, met Diane in de buurt, altijd leken te draaien om het weer en halfbakken roddels over televisieberoemdheden.

Toen ze weer thuis waren, kondigde William verontschuldigend aan dat hij zich een paar uur moest terugtrekken op zijn werkkamer. Na een week weg en met de maandagochtend voor de deur was het tijd voor zijn berekeningen – staatjes met inkomsten en uitgaven, waarbij de steeds kleiner wordende bonus moest worden ingecalculeerd. Dit was niet de prettige bezigheid die het vroeger altijd was, maar hij hoopte dat hij tenminste een glimp licht aan het eind van de spreekwoordelijke tunnel zou vinden. Bovendien gaf dit hem het gevoel dat hij erbovenop zat, of hij er nu goed of slecht voorstond. Daarbij had hij de jongens beloofd om met hen te skypen, verklaarde hij vanuit de deuropening naar de zitkamer en Diane slaakte al bewonderende kreetjes terwijl ze zich voor de televisie installeerde.

'Het zijn zulke schatjes,' riep ze uit. 'Ik zal nooit vergeten hoe ze er op jullie trouwdag uitzagen, zo snoezig in hun kleine smokings. Doe ze de hartelijke groeten.'

'Van mij ook,' echode Beth, die op de bank zat en probeerde de krant die ze uit de slaapkamer had opgevist weer netjes op te vouwen.

'Zo jammer dat je zoveel last met hen hebt,' voegde Diane eraan toe, 'maar ja, dat heb je nu eenmaal met kinderen. En jij doet het zo goed met hen, William. Dat heb ik al zo vaak gezegd, of niet Beth?'

Beth knikte, en keek niet op van de krant.

William haastte zich naar zijn werkkamer en slikte zijn irritatie in. Nog maar een dag, en dan was dat mens weer weg. Een paar minuten later zat hij midden tussen de papieren, met zijn rekenmachine in de hand, en werd hij ineens overvallen door het verlangen naar zijn zoons – het was een verlangen dat uit het niets leek te komen, en dat even hard aankwam als de schop van een paard. Hij legde de bankoverzichten aan de kant en zette de computer aan. Het was een uur voor de afgesproken tijd, maar misschien was een van de jongen al wel online – waarschijnlijk Alfie. William schudde zijn hoofd mistroostig bij de gedachte aan de toenemende verslaving van zijn jongste, niet alleen aan games, maar ook aan allerlei MSN-achtige kletskoek.

Hij had geprobeerd om een ernstig gesprek met Susan te voeren over dit onderwerp en voorgesteld dat ze Alfie maar een beperkt aantal uur voor het scherm zou toestaan, of op zijn minst beter in de gaten zou houden wat hij allemaal uitspookte op de computer. Maar dat viel niet mee, aangezien haar ziekte boven al hun gesprekken hing als een onzichtbare en niet welkome gast, net als de tumor zelf. Om zich hard op te stellen, om überhaupt kritiek te leveren voelde als wreed en onmogelijk – ook al deed Susan, dat moest je haar nageven, alle vragen naar haar ziekte luchtig af en haalde ze haar schouders op bij de vreselijke lijst behandelingen die ze zou moeten ondergaan en bij Williams geklaag dat hij daar niet eerder over was geïnformeerd.

Maar het had er wel voor gezorgd dat Harry tot inkeer was gekomen, toch, had ze sluw opgemerkt tijdens Williams laatste bezoek aan het huis, waarmee ze het treurige feit onderstreepte dat zelfs de gruwelen van de kanker niet in staat waren om nog iets van affectie tussen hen te bewerkstelligen. En ze genoot duidelijk van het feit dat Harry nog steeds weigerde met hem in gesprek te gaan, alsof er een wedstrijdje tussen hen gaande was om de genegenheid van hun oudste zoon, en zij had gewonnen met de dramatische troefkaart van haar ziekte. Misschien om deze overwinning te benadrukken stond zij erbij toen hij Alfie en George knuffelde bij het afscheid (de gebruikelijke golfbal in zijn keel voelde nog erger door het vage, woedende gedreun van Harry's drumstel, in de kelder), sloeg ze niet alleen ongeduldig haar armen over elkaar, steeds opnieuw, maar tikte ze erbij met haar voet. Ze tikte met haar voet! Alsof zijn liefde, hun liefde zo onbeduidend was dat het ongeduld verdiende. Alsof het alleen maar irritant was, en niet iets heel moois.

William vond online geen teken van leven van zijn kroost, duwde zijn stoel naar achteren en liep de gang in. Hij moest naar de wc en – gezien de aanwezigheid van Diane – ging hij liever naar zijn eigen toilet, boven. Terwijl hij de gang in liep, hoorde hij de ingeblikte lach van de televisie. Vast weer een of andere verschrikkelijk sitcom, dacht hij geërgerd, waarbij zaken als het gemis van je kinderen en zieke exen en geldproblemen werden gereduceerd tot dingen om je over te bescheuren, en waarbij alles altijd goed afliep. Boven aan de trap bleef hij even staan, want zijn gedachtegang werd verstoord door een geluid dat niet uit hun slaapkamer kwam, of de logeerkamer die Beth aan Diane had toegewezen, maar achter hem, waar de kleinste van hun vier slaapkamers lag.

William fronste en draaide zich om, om op onderzoek uit te gaan. Hij ging sneller lopen toen hetzelfde geluid nog eens klonk. Het was zeker iets menselijks, iemand die zich verslikte, of huilde of... William bleef in de deuropening van de slaapkamer staan en was bang zijn schoonmoeder in een staat van ontreddering aan te treffen. De deur van de badkamer stond op een kier. Heel voorzichtig en heel zachtjes liep hij over de vloerbedekking en duwde de deur iets verder open met de toppen van zijn vingers. Terwijl hij dat deed, werd het toilet doorgetrokken en draaide Beth zich om, terwijl ze haar mond afveegde met een tissue. Ze schrok en keek zo schuldbewust toen ze William zag staan dat zijn gedachten onmiddellijk afdwaalden van zijn oorspronkelijk idee dat ze aan voedselvergiftiging leed of ziek was naar wat voor hem de enige andere mogelijke conclusie was; een hele vreugdevolle conclusie, gesterkt door de herinnering aan het geluid van iemand die braakte tijdens zijn lange uitslaapsessies. Dat Beth hem maar aan bleef staren, met wijdopen ogen, en niet leek te weten wat ze moest zeggen, overtuigde hem nog meer. 'Lieverd... waarom heb je me het niet verteld?'

'Waarom ik het niet aan jou verteld heb?' herhaalde ze flauwtjes. Ze keek verbluft, en alle kleur was uit haar gezicht weggetrokken.

'Dat je... toch zeker...?' Hij liet zijn ogen naar haar buik zakken, waar ze beide handen tegenaan gedrukt hield. 'Beth, liefste, ben je in verwachting?'

'In verwachting?'

Er klonk een geluid achter hen, iets tussen een sneer en een lach. 'Nou, dat denk ik niet.'

'Mam... nee.'

'Het is toch maar het beste dat hij het weet.'

'Er valt niets te weten.'

William keek van de ene vrouw naar de andere, met een hoofd als dat van een robot. Beth was inmiddels bijgekomen, had weer kleur op de wangen, en bewoog druk met haar handen. Ze liet de tissues in de toiletpot vallen, waste haar handen, droogde ze af aan een dure, geborduurde handdoek van wit linnen, die ze van Diane had gekregen als huwelijksgeschenk, herinnerde William zich ineens.

'Bethan, lieverd,' zei Diane, 'ik dacht al dat er zoiets speelde... ik dacht het al en het is niet goed.'

Beth draaide zich met een ruk om, waarbij de handdoek van het rekje op de grond gleed. 'Ik wil niet dat je me Bethan noemt. En wie ben jij, moeder, om tegen mij te zeggen wat wel en niet goed is?'

'Kan een van jullie mij misschien uitleggen wat hier aan de hand is?' smeekte William, die er niets van begreep maar ergens wel voelde dat hij in een ander leven zulke omstandigheden misschien nog wel licht amusant had gevonden – zijn lieve vrouwtje dat het hem zo graag naar de zin maakte en die de moed had om uit te vallen tegen haar irritante, verwende moeder. En ze heette dus kennelijk Bethan, wat wel een verrassing was. Hoe was het mogelijk dat hij haar echte voornaam niet kende?

Hij stond zich nog steeds te verwonderen over hoe vreemd dit allemaal was toen Beth zich langs hem wurmde en Diane uit de slaapkamer begon te commanderen. 'Dit gesprek houdt hier op. Dit is mijn huis en dat van William, en jij hebt niet het recht om...'

Diane bood weerstand, en vouwde haar broodmagere armen stevig voor haar borst, waarbij ze de randen van haar gehaakte sjaal zo hard vastgreep dat haar knokkels paars kleurden. Het leken wel druiven. William zag op datzelfde moment een kracht die hij nooit had vermoed, een kracht die hem deed denken aan de alcoholistische echtgenoot met wie deze oude dame getrouwd was geweest, en aan wat ze daarvan had geleerd. 'Maar jij bent ziek, Beth,' verklaarde Diane, en ze stak de scherpe v-vormige kin uit naar haar dochter. 'Jij bent ziek en hij moet dat toch op zijn minst weten.' Ze maakte een driftig gebaar met haar duim in Williams richting en wendde zich vervolgens direct tot hem. 'Zij heeft het in haar puberteit heel erg gehad... echt heel erg. En later heeft ze nog wel eens een terugval gehad, maar ik dacht dat ze er nu overheen was. Het is boulimia,' voegde ze eraan toe, toen William nog steeds niets zei. 'Het spijt me dat ze het je nooit heeft verteld. Dat had ze wel moeten doen.'

William bleef met stomheid geslagen van zijn schoonmoeder naar zijn vrouw staren, en zijn hart – zijn loyaliteit – ging uit naar Beth, die in de deuropening van de logeerkamer stond en haar hoofd schudde. Ineens viel het hem op hoe groot dat hoofd leek; veel te groot voor haar nek. Aan beide kanten staken de pezen en aderen uit, zoveel moeite kostte het die nek om dat hoofd overeind te houden. Waarom zag hij dat nu pas? Wat had hij allemaal nog meer over het hoofd gezien? 'Maar we probeerden toch om zwanger te worden...' zei hij ineens, want hij klampte zich ondanks deze nieuwe kennis vast aan de andere verklaring voor het overgeven van zijn vrouw. Maar te oordelen aan de reactie die zijn woorden losmaakten bij zowel moeder als dochter – blikken die zo donker en zo samenzweerderig waren – werd hij ineens overvallen door hun verleden. Zij hadden samen een wereld gekend, deelden een geschiedenis – ruim zesendertig jaar – waar hij helemaal niets van af wist.

'Dat is het andere dat ze jou had moeten vertellen.'

'Nee, mama, nee...'

'Over de boulimia?' vroeg William schor, en hij keek naar Beth voor bevestiging. Toen hij haar aankeek drong een ander, veel erger besef tot hem door. Hij leidde het af uit de woedende blik in Dianes ogen, en de felheid van haar stem. Beth kon geen kinderen krijgen. Ze was onvruchtbaar.

'Ja, over de boulimia,' zei Beth ademloos. 'Ik heb je vanochtend al verteld... als ik verdrietig ben, en gedeprimeerd, dan eet ik niet zo goed als ik eigenlijk zou moeten.' Ze begon te huilen, en de stille tranen stroomden uit haar ogen. Ze ging voor Diane staan, om haar te blokkeren. 'Ik heb geprobeerd het je te vertellen, William.'

'Mij wat te vertellen? Dat je nooit kinderen kunt krijgen?' Hij sprak heel zachtjes. Achter haar liep Diane op haar tenen naar de trap. William wilde haar terugroepen. Er was nog iets anders, dat wist hij zeker, iets wat nog niet gezegd was, nog niet uitgelegd. Maar Beth huilde en William wist dat hij een verplichting aan haar had die zwaarder woog dan de withete schok waardoor hij bijna te kwaad was om een woord uit te kunnen brengen. 'Het was niet eens een optie, hè, kinderen?' zei hij uiteindelijk. 'Omdat jij al wist dat je die nooit zou kunnen krijgen.'

Beth knikte, en liet zich in zijn armen glijden.

William hield haar licht vast en leunde met zijn kin op haar hoofd, met een blik op de open deur. 'En je was helemaal niet aan de pil, of wel?'

Ze trok haar hoofd van links naar rechts, en hield haar neus tegen zijn overhemd gedrukt.

'Die gele pillen waren voor iets totaal anders... die waren om gewicht kwijt te raken.' William kwam nu op stoom, en de woede stroomde uit zijn mond, tussen zijn opeengeklemde kaken door. 'En al die tijd heb jij mij in de waan gelaten dat... mij laten geloven... mij laten hopen...'

'Ik wist niet hoe ik het je moest vertellen, William, het spijt me zo verschrikkelijk.' Haar stem klonk dik van het speeksel.

William had zijn armen nog om haar heen, maar zijn keel voelde heet en droog aan. Hij wist dat hij eigenlijk medelijden met haar moest hebben. Hij had ook medelijden met haar. Maar de overheersende gedachte was dat ze tegen hem had gelogen. Al dat drama waarmee ze die zogenaamde anticonceptiepillen in de prullenmand gooide – en het feit dat ze net deed of ze aan de pil was, godbetert – om nog te zwijgen van al die gefluisterde woorden over baby's maken als ze de liefde bedreven. Wat voor ziek spelletje had ze eigenlijk gespeeld? 'We gaan hulp voor je zoeken,' zei hij nors, en hij maakte zijn armen losser zodat ze haar nog wel omringden maar nauwelijks aanraakten.

'Ik heb geen hulp nodig,' zei ze met een klein stemmetje. 'Ik weet wat ik moet doen. Ik heb het al vaker meegemaakt.'

'Goed. Prima. Nou, dan is dat in elk geval duidelijk.' Hij liet haar los, haalde zijn handen door zijn haar en keek naar het plafond. Een klein keverachtig beestje baande zich een weg door het hobbelige stucwerk, traag en volhardend, als een eenzame ontdekkingsreiziger die de Zuidpool doorkruiste. 'Ik kan niet geloven dat je dit allemaal voor me hebt verzwegen, Beth. Ik kan het gewoon niet geloven.'

Ze greep zijn hand, en wreef over zijn vingers, met gebogen hoofd en sniffend als een kind.

Hij trok de hand los en sloeg zijn armen over elkaar. 'Weet je zeker dat er niet nog meer te vertellen is? Is er nog meer wat ik zou moeten weten?'

'Nee, niets. Er is verder niets.' Toen keek ze op, met een felle blik.

'Oké.' William zuchtte. 'Ik heb beneden dingen te doen. En ik heb wat tijd nodig...'

'Tijd?'

'Om dit te verwerken.'

'Oké. Natuurlijk. Als je me maar vergeeft, William, alsjeblieft. Als je me niet vergeeft ga ik dood... echt, dan ga ik dood.'

William zuchtte weer. 'Hou in vredesnaam op met dat dramatische gedoe, Beth. Je moet met je moeder praten. Ze heeft er goed aan gedaan, ze wilde je helpen, jullie moeten vrede sluiten.'

Op dat moment steeg er een kreet uit haar op – een hoog reutelend geluid achter uit haar keel – maar ze had zichzelf meteen weer in de hand, en drukte haar handen tegen haar mond. 'Je hebt gelijk. Dat zal ik doen. Natuurlijk ga ik met haar praten. Meteen. Ik hou zoveel van je, William, probeer dat alsjeblieft te onthouden. Ik kon jou niet vertellen dat ik geen kinderen kan krijgen omdat ik bang was dat je dan niet meer van me zou houden.'

William bleef boven aan de trap staan, en streek langs het rode kastanjehout van de trapleuning. 'Maar wat is liefde waard als je niet eerlijk kunt zijn, Beth?' Hij sprak de woorden mompelend uit, maar ze kon ze toch verstaan en ze leek een hulpeloos kind, met haar gezwollen gezicht en haar enorme magere hoofd, en die dikke bos haar, dat William toegaf en haar weer in zijn armen nam. Zo bleven ze even staan, en in hun hoofden en harten dreunden hun eigen angsten. Twee verdronken zielen, of misschien hielden ze elkaar juist wel drijvende, hield William zichzelf voor, en hij drukte haar vingers tegen zijn lippen en hield ze daar terwijl ze de trap af liepen.

Die avond voelde Beth dat Dido op haar buik kroop, en de leegte daarbinnen begon te kneden met haar brede, soepele poten. Maar toen was

Hal er ook ineens, en de baby, die na maanden van haastig, hard gepomp onder de harde greep van de handen van haar oom was ontstaan. Die greep was zo stevig dat ze de volgende ochtend vaak een kring van blauwe plekken om haar armen had – blauw als korenbloemen.

Een paar verstikkende momenten lang zat Beth daar weer middenin, klem onder het gewicht van die zware benen, die klamme, stinkende adem die obscene dingen in haar mond en oren fluisterde. Vechtend om lucht en tegen de tranen, ving ze over zijn schouder een glimp op van haar moeder – alleen die ene keer – het was niet meer dan een streepje, tussen de deur en de deurpost: één oog, haar halve neus, een stukje wang, met een grove rougeplek. Eén glimp, één oog... maar meer was ook niet nodig, om getuige te zijn. Eén oog, één keer.

Toen Hal van haar af rolde, was de baby er weer, die lelijke kleine bobbel, en Dido was er ook. Dit keer belandde ze op Beths borst en trappelde ze met zachte, troostrijke druk met haar pootjes langs haar sleutelbenen. Maar opeens schrok ze ergens van en sprong de kat weer weg. Nu was ze voorgoed weg, wist Beth.

En vervolgens kwamen alle instrumenten, die prikten, groeven, verwijderden. En dat gebeurde zo onhandig dat ze er zowel een infectie als veel pijn aan overhield; dat ze zo'n operatie nooit meer nodig zou hebben. Dat had zo zijn voordelen, zei Hal, en dat was het moment waarop Diane de fles had afgezworen en hem had gezegd dat ze het verder wel zonder hem af konden.

# 17

De tournee van het koor begon op de eerste vrijdag van december, vier dagen voor het eind van het semester. Omdat ze die ochtend geen les hoefde te geven, had Sophie aangeboden haar gezin naar school te brengen: Olivia naar haar gewone lessen en Andrew en Milly naar de bus die al bij het hek geparkeerd stond toen zij aankwamen. De motor liep, wat een gehaaste indruk maakte, ook al hadden ze nog dik een halfuur voordat ze officieel zouden vertrekken. Sophie parkeerde dubbel terwijl Andrew en Milly uitstapten en hun tassen uit de achterbak trokken. Toen draaide ze het parkeerterrein van de school op, en vond een plekje voor de auto zodat ze nog even fatsoenlijk afscheid kon nemen van haar man en dochter.

Tegen de tijd dat ze weer bij de straat was, zaten de meeste koorleden al aan boord, Milly ook, en Andrew stond midden tussen de ouders en leraren die met hem meegingen op tournee, en die druk bezig waren hun schema's te controleren, met papieren wapperden en namen afstreepten. Ze stond in de koude ochtendlucht te bevriezen op de stoep – ondanks haar jas – en het ritueel van een normaal afscheid zat er niet in. Sophie voelde iets van paniek opkomen. Verlatingsangst, wees ze zichzelf terecht. Het woord kwam zomaar uit het niets bij haar op. Als ze eenmaal weg waren, zou het wel weer gaan.

Ze wilde ook zelf zo graag dat ze weg gingen, bedacht ze wrang, en haar gedachten dwaalden af naar de irritante sfeer die de laatste tijd in huis had gehangen. Andrew, die geobsedeerd was met elk detail, leek wel toegetreden tot een heel ander universum. Sophie had zich nog nooit zo'n machteloze toeschouwer gevoeld – zelfs niet in hun begintijd, toen zijn hele leven om muziek draaide (hij componeerde het, luisterde ernaar, zong, en probeerde er geld mee te verdienen) – en ze had niet het idee dat ze iets te bieden had van geruststelling, of hulp, en dat ze zelfs geen rol meer had als klankbord. En met Milly was ook iets aan de hand dat haar zorgen baarde. Die ging zo op in de maalstroom van al die extra repetities naast al haar andere verplichtingen en ze koesterde premature ideeën over Amerikaanse conservatoria terwijl de meesten van haar vriendinnen hooguit dachten aan wat ze aan moesten naar al die *sweet sixteen*-feestjes die voor de deur stonden, en wat ze allemaal nog moesten doen voor hun examens.

Ze zag haar jongste dochter bij het raam achter in de bus zitten, en voelde zich meteen wat beter. Milly zat geanimeerd te kletsen met een lief Chinees meisje met kuiltjes in haar wangen. Dat meisje zat een klas hoger – en stond erom bekend dat ze zo geniaal viool speelde. Milly's roodblonde haar werd met vlinderspeldjes uit haar gezicht gehouden, waarvan er al eentje aan het uitzakken was. Sophie zwaaide als een bezetene. Iets te bezeten. Toen Milly haar zag staan, glimlachte ze, wapperde wat met haar vingers en praatte weer door met haar buurmeisje. Sophie draaide zich om, op zoek naar Andrew die nu met een voet in de open deur van de bus stond en met het schoolhoofd stond te praten, die naar buiten was gekomen om de expeditie uitgeleide te doen. Andere ouders ijsbeerden over de stoep en maakten handgebaren of mimeden instructies en nog een laatste groet naar de ramen.

Sophie liep naar voren in de mensenmenigte en zocht naar de mogelijkheid om Andrew nog even aan te kijken. Hij had zijn donkergrijze wollen jas aan – al tien jaar oud, maar nog steeds heel mooi – en een kasjmier sjaal in een groene Schotse ruit die ze hem eens met Kerstmis had gegeven hing losjes om zijn nek. Door dat groen vielen zijn blauwe ogen mooi op en zag je hoe rossig blond zijn haar nog altijd was, en viel het niet zo op dat hij al wat kaal begon te worden. New York was in de greep van de vrieskou, had hij die ochtend opgewekt gemeld terwijl hij luidruchtig zijn cornflakes weg kauwde en tegen de krant sloeg, alsof die ijzigheid de feestvreugde alleen nog maar verhoogde. Sophie, die een stuk minder enthousiast was, ging in de logeerkamer op zoek naar sjaals en wanten, en kwam tevoorschijn met de sjaal voor Andrew en een muts voor Milly – een gebreide met oorflappen die ze het jaar daarvoor nog zo graag droeg. Toen ze hun de spullen overhandigde (en een 'ik ging liever dood dan dat ik dat draag'-blik van haar dochter kreeg toegeworpen), merkte ze dat haar gedachten ineens terugsprongen naar de ochtend waarop ze met Andrew naar Connecticut vertrok; haar mysterieuze depressieve gevoelens, de zware stilte tussen hen, de hittegolf die hen wachtte – wat zag de wereld er sindsdien anders uit. En wat heerlijk om te weten dat zulke veranderingen mogelijk waren.

'Zorg goed voor jezelf,' maande ze Andrew toen die eindelijk haar kant opkwam, heel kort, omdat er zoveel anderen bij waren. Ze veegde een stofje van zijn linkerrevers. 'Veel succes, toitoitoi, wat je maar wilt.' Ze gaven elkaar een vluchtige kus, als broer en zus.

'Bedankt.' Hij stak zijn handen in zijn zakken en schonk haar een vreemde, jongensachtige nerveuze grijns. 'Ga nou maar, je hebt het ijskoud, zo te zien.'

'Bel je me als jullie er zijn?'

'Yep, tuurlijk.' Even later was hij in de mensenmassa verdwenen en schudde handen en nam de beste wensen in ontvangst terwijl hij de stoep weer af liep.

Toen de bus na een laatste telling van de passagiers eindelijk wegreed, holde Sophie een paar meter mee, en zwaaide weer naar Milly die, nu de realiteit van het vertrek tot haar doordrong, geknield op haar stoel was gaan zitten en als een dolle met beide handen handkussen naar haar moeder blies. 'Ik hou van je,' gilde Sophie, blij dat haar dochter te ver weg was om die woorden te horen en de tranen in haar ogen te zien.

'Moeilijk, hè?' zei een vriendelijke collega-moeder, die haar neus stond te snuiten.

'Het is gewoon verschrikkelijk,' gaf Sophie somber toe, en ze liep snel weer naar haar auto. Op de radio had een vrouw het over Kerstmis, en dat het nog niet te laat was om een klassieke *Christmas pudding* te maken en ook niet te vroeg om aan de traditionele vruchtencake te beginnen. Sophie deed haar best om zich te concentreren, en wilde het verdriet dat veel groter was dan alleen dit afscheid van zich af zetten, alsof deze reis maanden zou duren in plaats van maar twee weken. Kerstbaksels, dat zou een mooi project zijn voor het weekend, besloot ze, net als de kerstquizzen die ze met haar leerlingen wilde doen. Ze had al wat zakken snoepjes gekocht die ze door het lokaal kon gooien bij wijze van prijsjes. Ze zou Harry Stapleton wel in de gaten moeten houden – dat hij niet alle antwoorden zou geven, en dus alle snoepjes zou kapen.

De gedachte aan haar nieuwe pupil bood prettige afleiding. Harry trok goed bij, goddank. Met zijn dubieuze geschiedenis – niet alleen die van Harry zelf, maar ook haar eigen verhouding met de familie Stapleton in het algemeen – had Sophie wel last van een bepaalde druk. En ze wilde dat Harry het goed zou doen, ook voor zijn vader. Dat die een hele goede vent was, bleek maar al te zeer tijdens hun ongeplande *diner à deux* en Williams daarop volgende logeerpartij. Hun gesprek bij een kop kamillethee had een paar uur geduurd en ze had het gevoel dat ze het werkelijk over alle belangrijke zaken in het leven hadden gehad. Als Harry wel eens te laat kwam of lastig was, dacht Sophie aan Williams uitgeputte gezicht en openhartigheid aan haar keukentafel, die nacht, zich bewust van het feit dat ze alleen nog maar meer gemotiveerd was om de jongen op het goede pad te houden. Ze vond de fysieke overeenkomst tussen die twee ook erg ontwapenend, vooral omdat Harry's gezicht de laatste tijd ietsje dikker werd en niet meer zo onder de pukkels zat: het donkere haar en de chocoladebruine ogen, de krachtige neus en de brede kop – bij de vader was dat allemaal zo doorleefd en bij de zoon zo opvallend mooi dat ze wel een voor-en-na-duo konden zijn als waarschuwing voor wat het leven met je kan doen.

Wat niet wilde zeggen dat Harry er al helemaal was. Hij kwam nog al eens te laat en was soms lui. Zijn opstellen waren vaak wel heel origineel, maar altijd te kort. In de klas was hij ofwel te afwezig of te dominant aanwezig. In die laatste bui deed hij pedant intellectueel en uitte heersende ideeën met woeste maar hele slimme en plausibele theorieën die hij zelf had bedacht. Sophie had al twee keer een boek naar zijn hoofd gesmeten, en hem een keer gevraagd het lokaal te verlaten, en hem een aantal keer zijn excuses laten aanbieden aan zijn medeleerlingen. Het speet haar absoluut niet dat zijn vriendschap met Olivia in het slop was geraakt, en Clare, misschien omdat ze Olivia nodig had als hulp in de liefde, misschien omdat ze de optredens miste (en Harry had verklaard dat zijn muziekcarrière tijdelijk in de wacht stond) kennelijk verliefd was geworden op een klasgenoot genaamd Mickey. Nu was die niet echt muzikaal te noemen, want de enige muziek die hij kon produceren was het geluid van een saxofoon. Met zijn neusgaten.

Sophie worstelde om haar aandacht bij de radio te houden, waar nu een lofzang gaande was op marsepein. 'Amandelen zijn verschrikkelijk gezond...' Andrew en de meisjes vonden het wel lekker en onder een laag marsepein bleef de cake langer vers, natuurlijk, maar zelf moest ze al bijna kokhalzen bij het idee. Ze zette de radio uit en terwijl ze dat deed, zag ze een haveloze jongeman op een laag muurtje zitten voor de pub aan de rivier, boven aan White Hart Lane. Ze was net bij de rotonde, zo'n klein wit heuveltje waar je nooit wist wie nu precies voorrang had. Ze ging heel langzaam rijden en stak haar nek uit het raampje om beter te kunnen zien. Hij had zijn handen in de zakken van een zwarte, gewatteerde jas gestoken, en zijn benen recht voor zich uitgestrekt, zodat hij zijn duidelijk splinternieuwe, witte gympen kon showen. Zijn gezicht was niet meer dan een schaduw in zijn gigantische capuchon. Ze kon het dus met geen mogelijkheid zeker weten. En hij was ook forser dan in haar herinnering, forser en langer...

Sophie reed snel door, en kon nog net op tijd stoppen voor een roekeloze moeder die een opstandige kleuter de straat over sleurde. In de achteruitkijkspiegel zag ze dat de jongeman opstond en wegslenterde in tegenovergestelde richting. Hij rolde de dikke rubberzolen van zijn nieuwe schoenen helemaal af. Misschien was hij het wel helemaal niet. Misschien was hij het niet en was ze dus niet goed snik, en liet ze zich meeslepen door haar sombere stemming.

Ze maakte zich altijd zorgen over de verkeerde dingen, verweet Sophie zichzelf, en een paar minuten later schopte ze haar voordeur dicht om vervolgens toch maar de folder van Slachtofferhulp tevoorschijn te halen. Een uur en een aantal telefoontjes later, probeerde ze de boodschap te verwerken dat de jonge crimineel die zij, Andrew en nog wat anderen een paar maanden geleden op het politiebureau hadden geïdentificeerd inderdaad op vrije voeten was. Omdat hij nog zo jong was, hoefde hij niet de gevangenis in, maar had hij alleen een taakstraf gekregen.

'De zorgende gemeenschap,' had Gareth droog opgemerkt toen Sophie hem in zijn kantoor had opgezocht en haar verhaal had gedaan aangezien ze thuis geen publiek had. Hij schonk een glas water voor haar in uit de kan die altijd op zijn bureau stond, en duwde het haar kant op.

'Maar wat is het nut? Dat zou ik nu wel eens willen weten,' klaagde Sophie, en ze liet het water walsen in het glas. Ze voelde zich al een stuk beter. 'Al die moeite om dat vervloekte joch voor de rechter te krijgen...'

'Je zegt het zelf al: dat joch, dus hij is voor de kinderrechter voorgeleid.'

'Ik kan je dit wel zeggen, hij zag er niet uit als vijftien.'

'Maar dat is soms precies het probleem, toch?' wees Gareth haar voorzichtig terecht, en hij maakte een dakje van zijn vingers en keek zijn medewerker over dat dakje aan. 'Het zijn nog maar kinderen, maar omdat ze eruit zien als mannen zijn er mensen die dat vergeten en die er dan misbruik van maken. En trouwens, waar zouden we zijn als we die jonge mensen geen tweede kans gunden?'

'Ja natuurlijk, je hebt ook gelijk.' Sophie plofte met een zucht in een stoel en glimlachte. 'Als hij zijn lesje heeft geleerd, dan zou dat mooi zijn. Ik ben ook maar wat aan het raaskallen. Ik keek er zo naar uit dat Andrew en Milly eindelijk op die vervloekte tournee van hen zouden gaan – ze waren onuitstaanbaar aan het worden, allebei – maar sinds ik hen vanochtend heb uitgezwaaid voel ik me zo naar. Alsof ik in de rouw ben, zoiets.'

'Kom dan maar eens een avondje bij ons langs. En neem Olivia mee. Ik laat Lewis wel even bellen voor een datum.'

Sophie deed verheugd, maar wist nu al dat Olivia het vreselijk zou vinden.

'En nu we het toch over jongelui en tweede kansen hebben,' ging Gareth verder, 'ik ben halverwege met het ondertekenen van de stapel rapporten, en tot dusverre ziet het er allemaal prima uit. Ook dat van Harry Stapleton.'

'Ja, ik ben ook heel tevreden over hem.' Sophie dronk haar laatste restje water op. 'De enige die me zorgen baart is onze Spaanse vriend.'

'Precies.' Gareth zette zijn bril op en bestudeerde de rij cijfers op een van de papieren die op ordentelijke stapels op zijn bureau lagen. 'Maar het is nog vroeg, en zijn ouders zijn tevreden, en geld is geld...'

'Het is alleen niet eerlijk om geld te vragen als hij zo zijn best doet en toch geen vorderingen maakt? Ik spreek een woord voor hem uit, en als hij het herhaalt, lijkt het nergens naar. Het lijkt wel of hij niet alleen een beetje dom is, maar ook nog doof.'

Gareth barstte in lachen uit. 'Lieve Sophie, als ik jou ooit als zakenpartner in de arm neem, moet je a) minder scrupules hebben en b) je tactvoller uitlaten over de kinderen over wier rug wij onze boterham verdienen.'

Sophie begon te lachen en hield toen op waarbij ze vergat om haar mond dicht te doen. 'Wat zei je nu net?'

'En het zou ook goed zijn al je niet zo snel met stomheid geslagen was. Ik heb nu toch echt al genoeg hints laten vallen, zeg.' Gareth grinnikte, stond op uit zijn stoel en gaf haar een vriendschappelijk klopje op de schouder terwijl hij naar het raam liep. 'Je wist toch dat ik heb geboden op het gebouw hiernaast. Nou, dat bod is gister dus geaccepteerd.' Hij draaide zich om en keek haar met een strakke blik aan, met zijn handen achter zijn rug in elkaar geslagen, als een levensechte versie van een van de portretten van zijn familieleden. 'Het instituut wordt twee keer zo groot, en ik heb iemand nodig die me helpt om het te runnen. Iemand die ik kan vertrouwen. Iemand die slim is en efficiënt en die – hoop ik van harte – in de positie is om weer fulltime aan de slag te gaan...'

'O mijn god.'

'Hm. Niet echt een bemoedigende reactie, maar het is tenminste een begin. Luister, denk er eens rustig over na, oké?' Gareth wierp nog een verliefde blik op de tuin van zijn nieuwe eigendom, een complete jungle rondom een verroeste schommel, voor hij weer naar zijn bureau liep, waar hij met gekruiste benen tegenaan leunde, met zijn gezicht naar Sophie toe. 'Het is nog allemaal heel pril, natuurlijk – het is een langetermijnproject – maar ik meen het echt dat ik niemand kan bedenken die ik liever naast me had staan. Ik zou dan verantwoordelijk blijven voor alle zakelijke aspecten, en jij zou Hoofd Educatie worden. Het spreekt voor zich dat ik je dan wel fulltime nodig heb, en dat je aanzienlijk meer zult gaan verdienen...' Gareth aarzelde, en bestudeerde zijn zorgvuldig gevijlde nagels. 'Sophie, ik ben me er pijnlijk van bewust dat ik er een paar maanden geleden voor heb gezorgd dat jij niet te veel onder druk zou komen te staan. En toch – egocentrische bal die ik ben – zet ik al die zorgzaamheid opzij, want... enfin, eerlijk gezegd lijkt het mij dat je weer bent hersteld, en ik ben onder de indruk van de manier waarop je de boel in de hand hebt.'

'Ik ben ook hersteld,' riep Sophie uit toen ze eindelijk weer een woord kon uitbrengen. 'Dat ben ik ook, maar...'

'Zoals ik al zei, het is allemaal nog heel pril,' ging Gareth snel verder, omdat hij bang was dat ze zou weigeren. 'Als het zover is en jij ervoor in bent zullen we contracten opstellen, met veel kleine lettertjes en cijfertjes – dan kom ik met een voorstel waar jij je tanden in mag zetten en mij over aan de tand mag voelen.'

'Jeetje, Gareth, hou op. Heel erg bedankt, maar ik moet erover nadenken. Dank je wel.' Sophie stond op en kneep in zijn handen voor ze vlug de kamer uit liep.

Ze nam de tijd toen ze die middag bij het WFC vertrokken was, en slenterde door de supermarkt op zoek naar eens iets anders dan anders voor het eten van die avond, en vervolgens liep ze eerst een stuk voordat ze op de bus naar huis stapte. Ze dacht niet zozeer na over wat Gareth had gezegd maar koesterde zijn woorden – het was zo onverwacht, zo hartverwarmend en geweldig dat iemand haar zo graag wilde, dat iemand haar de moeite waard vond, en nuttig. Hoewel ze, toen ze een boodschappentas in de bus had laten liggen, zich toch afvroeg of de fulltimebaan die Gareth voor ogen had haar ook recht gaf op een parkeerplek – dat was een geliefde bonus die momenteel alleen was weggelegd voor Gareth en Alain (die met een stok liep), omdat de gemeente maar een beperkt aantal parkeervergunningen in woonwijken uitgaf. Dan hoefde ze lekker nooit meer met de bus, en hoefde ze ook niet meer jaloers te zijn op Andrew als die in de Volvo naar zijn werk vertrok. Dan zou ze een klein tweedehands autootje kopen, een Kever of een Mini – dat had ze altijd al gewild.

'Cool,' was Olivia's reactie, een oordeel dat ze uitsprak met ontroerend enthousiasme, maar dat zo snel plaatsmaakte voor andere, kennelijk dringender bezigheden op haar laptop en de televisie dat Sophie bedacht dat Gareths voorstel precies op het juiste moment was gekomen. Haar dochters hadden haar steeds minder nodig – voor concrete dingen, in elk geval. En zo hoorde dat ook. Zo moest het ook zijn. Toen ze hoorde over de vergeten tas met boodschappen onderstreepte Olivia dat punt onbewust door aan te bieden dat zij vanavond wel voor het eten zou zorgen, en draaide vervolgens een pastagerecht in elkaar met wat er in de kast stond (tonijn uit blik, maïs uit blik en fijngesneden ham) dat Clare haar dat weekend had leren maken.

'Ga jij nou maar zitten,' commandeerde ze trots, en ze trok kastjes open en haalde de blikjes en pannen tevoorschijn. 'Lekker tv-kijken, of radio luisteren of wat dan ook.'

Sophie schoot in de lach, en bleef op de keukenstoel zitten, waar ze nog een andere stoel bijtrok zodat ze daar haar benen op kon leggen. Het nare gevoel van die ochtend was helemaal weg. Haar leven was aan een nieuwe fase begonnen – ze kon het voelen, heel duidelijk. 'Ik blijf liever met jou kletsen.'

'O ja?' Olivia keek haar moeder achterdochtig aan over de rand van de koelkastdeur. 'Hebben we ham?'

'Een half pakje – over de datum, net. Als het niet stinkt kun je het nog prima gebruiken.'

Olivia trok een gezicht en overhandigde het pakje aan haar moeder. 'Ruik jij dan maar.'

'Het is nog goed, hoor.'

'Je hebt helemaal niet geroken!'

Sophie stak haar neus in het gat in de verpakking, snoof diep en verkondigde dat het overheerlijk rook.

De ham spetterde toen Olivia het in de koekenpan bakte – in veel te veel olie: dat wist Sophie zonder te kijken, net zoals ze wist dat ze er niets van moest zeggen. Ze wist ook niet zeker of het wel zo'n lekkere combinatie was, vlees en vis in een gerecht.

'Clare en ik hebben besloten dat we ons tussenjaar naar Australië en Thailand gaan,' kondigde ze luchtig aan, toen ze eenmaal zaten te eten. 'Het schijnt dat er fantastische vollemaansfeesten zijn op het strand, waar duizenden mensen komen. En het leek me ook wel cool om door Amerika te rijden – dat je aan de ene kant een auto koopt en die aan de andere kant weer verkoopt.'

'Super,' verklaarde Sophie, en ze onderdrukte de automatische, moederlijke reactie van pure afschuw. Het pastabrouwsel was nogal klef, maar heel smakelijk. 'Dan moet je wel flink wat verdienen als je dat allemaal voor elkaar wilt krijgen.'

'Ja, weet ik. Harry's werk in de bar betaalt heel goed, dus ik dacht dat ik misschien ook wel zoiets kan vinden. Dan begin ik in de zomer, meteen na mijn examens. En ik zoek gewoon ook een baantje voor overdag, dan lukt het toch wel, denk je niet?'

'Dat denk ik wel.' Sophie glimlachte bemoedigend, wetend dat deze plannen de komende maanden nog vele malen zouden worden bijgesteld. Op hetzelfde moment was ze tot haar schande opgelucht dat Andrew er niet bij was, omdat die dit soort vage, woeste plannen onmiddellijk zou weghonen. Hij was nog steeds niet over de schok heen dat Olivia niet meer naar een conservatorium wilde en deed heel lelijk tegen zijn oudste dochter. Zo had ze hem nog nooit meegemaakt, niet alleen thuis, maar ook op school. Een van de opstellen die laatst uit haar muziekmap had gestoken stond zo vol gekladderd met een dikke rode pen dat je nauwelijks nog kon ontcijferen wat Olivia eronder had geschreven.

Wat betreft de plannen die Olivia voor haar tussenjaar had, kwam de tijd dat zij zich er als ouders mee zouden bemoeien heus wel, maar dat duurde nog even. Het ouderschap lag haar goed, herinnerde Sophie zich ineens – William Stapleton had het ook een paar keer gezegd tijdens hun nachtelijke gesprek bij een kop thee.

Ze hadden de pasta op en Olivia was met een kom ijs vertrokken naar de zitkamer toen de telefoon ging. Sophie stond af te wassen – alleen, want daar stond ze op, als beloning voor het koken. Met natte vingers viste ze de hoorn van het toestel aan de muur en klemde die tussen haar wang en schouder.

Ze hoorde de onmiskenbare klik van een internationaal telefoontje.

'Jullie zijn je paspoorten toch niet kwijt, hoop ik?' grapte ze terwijl ze naar een droogdoek greep.

'Sophie?'

'Ja... met wie spreek ik?'

'Niet ophangen.'

'Carter?' Sophie griste de telefoon van haar schouder en kon ineens alleen nog maar fluisteren.

'Nu ik weet dat Andrew hier is, kan ik gerust bellen.'

'Dat kan helemaal niet,' siste ze en ze wierp een blik in de gang, waar ze Olivia's elleboog net door de openstaande deur van de zitkamer kon zien leunen op de bank. 'En bovendien, ik heb jou niets te zeggen. Echt helemaal niets.' Sophie hing op, maar de telefoon ging meteen weer. Ze nam snel op, drukte het gesprek weg, en hing de hoorn naast het toestel. Trillend zette ze zich weer aan de afwas. Binnen een paar minuten begon het toestel oorverdovend te piepen – dat was zo bedacht om de eigenaar van de telefoon erop te wijzen dat de telefoon er niet op lag. Nog even en Olivia zou zeker opstaan van de bank en op onderzoek uitgaan. Heel voorzichtig, alsof ze een explosief in handen had, legde Sophie de telefoon weer op de standaard, en ging er met haar armen over elkaar bij staan wachten.

Toen hij weer overging, wist ze hem bij de eerste rinkel te onderscheppen. 'Hoe weet jij trouwens dat Andrew in Amerika is?'

'Beth wist het en die heeft het aan Nancy verteld toen ze elkaar in het winkelcentrum tegenkwamen...' Ze hoorde de glimlach in zijn stem, alsof ze zich geen van beiden ergens zorgen om hoefden te maken, alsof ze totaal geen risico liepen. 'Je weet wel hoe die vrouwen kunnen kletsen.'

'Beth Stapleton?' Alleen al bij het uitspreken van die naam kreeg Sophie een droge keel. Andrew was per slot van rekening in Amerika. Wie weet wat dat mens allemaal in haar schild voerde. 'Weet je nog dat stompzinnige briefje dat jij in dat boek had gestopt?' siste ze. 'Nou, Beth heeft dat dus gevonden.' Ze draaide zich met haar rug naar de zitkamer en hield haar handpalm om de hoorn om te zorgen dat haar woorden alleen in Carters oor terecht zouden komen. 'Hoe haalde je het in je hoofd om zoiets te schrijven? Beth heeft me toen een e-mail gestuurd en gedreigd dat ze het aan Andrew zou vertellen... Godsamme, jij hebt echt geen idee wat je me hebt aangedaan, Carter. En dan ook nog eens bellen... je hebt het recht niet. Ik wil niks meer met je te maken hebben, heb je dat goed begrepen? Helemaal niks. Ik wil dat je me met rust laat. Ik dacht dat ik daar al heel duidelijk over was geweest.'

'Hé, schatje, doe eens kalm. Je ben kwaad – dat begrijp ik best – maar af en toe een telefoontje kan toch zeker geen kwaad? En dat Beth mijn billet-doux heeft gevonden, dat is jammer, maar ook weer geen ramp... hoewel ik me trouwens wel afvraag hoe dat heeft kunnen gebeuren?'

'Weet ik veel,' gaf Sophie ongelukkig toe, en ze keek weer naar haar dochters elleboog. 'Ik had het weggegooid, dat zweer ik.'

'Maar zal ik je eens wat vertellen? Het kan me geen moer schelen wat mijn buurvrouw allemaal denkt of niet denkt, en het zou jou ook niets moeten kunnen schelen. Wat wij hadden... dat heeft zoveel voor me betekend. Heeft het vijftien dagen geduurd? Ja, vijftien dagen, maar het leek een eeuwigheid... en dat bedoel ik op een hele positieve manier. Jij was zo ontzettend droevig, Sophie, weet je nog wel? Jij was droevig en ik heb jou weer gelukkig gemaakt. Of niet soms? En jij hebt mij ook geholpen. Dat is ook een van de redenen waarom ik nu bel. Goed, je hebt mijn hart gebroken...' hij zweeg even en lachte bitter, '... maar daardoor ben ik op de een of andere manier weer aan het schrijven geslagen. Dat wilde ik je zo graag vertellen, Sophie. Een oud script dat eigenlijk in de vuilnisbak thuishoorde, vond ik. Dat heb ik helemaal herschreven en nu is er een regisseur die interesse heeft. Ik was dood, lieverd, dood. En jij – mijn gevoelens voor jou – hebben mij weer tot leven gewekt.'

'Carter, dat doet me plezier. En ja, jij hebt mij geholpen, maar alsjeblieft, ik moet nu echt ophangen.'

'Oké, maak je geen zorgen. En al helemaal niet over Beth Stapleton. Dan zegt ze er iets over, nou en?'

'Nou en?' herhaalde Sophie vol ongeloof.

'Het is gebeurd, klaar. Het komt allemaal wel goed. Zo gaat dat in het leven – dat kiest zijn eigen pad voor ons, en vaak is dat een ander pad dan we zelf hadden gepland. Jij en ik moesten elkaar ontmoeten, dat weet ik wel zeker.'

'Ik wil dat je me nooit meer belt,' smeekte Sophie. 'Als onze vriendschap iets betekende, dan moet je me dat in elk geval beloven.'

'Maar, schat, je zit voor eeuwig in mijn hart...'

Sophie hing op. De elleboog was in beweging gekomen. Even later stond Olivia naast haar. 'Gaat het goed met ze, daar in de "Big Apple"?' Ze sprak met een Amerikaans accent, en zette met haar vingers haakjes in de lucht.

'O, ja, prima... Tenminste, dat denk ik... de verbinding was heel beroerd.'

'Is papa weer zo gestrest als altijd?' Olivia slenterde naar de fruitschaal, viste er een banaan uit, pelde het stickertje ervan af en legde hem weer terug op de schaal.

'Je kent je vader. En Milly was er ook... die heb ik ook nog gesproken.'

'Ja, tuurlijk... Gaat het wel mam? Je ziet er een beetje... raar uit.'

'Ik mis ze... je weet hoe dat gaat.'

Olivia aarzelde en keek even heel verbaasd. 'Ik ook, een beetje.' Toen pakte ze de banaan weer en trok haar neus op terwijl ze een hap nam. 'Maar ze zijn toch niet zo heel lang weg?' Ze pelde de schil van de banaan af en gooide hem in de vuilnisbak en keek haar moeder onderzoekend aan.

Toen de telefoon weer ging, voelde Sophie het bloed uit haar wangen trekken. Olivia stond er nog, en hield haar scherp in de gaten terwijl ze haar banaan at.

'Milly, liefje...' zei Sophie ademloos, en ze probeerde haar opluchting te verhullen.

'Doe haar de groeten,' mompelde Olivia met volle mond. Ze slenterde de keuken weer uit, en wierp een blik omhoog om zwijgend uitdrukking te geven aan haar minachting voor die aandachttrekkerige zus van haar, die binnen vijf minuten twee keer naar huis belde.

'Om elf uur naar bed,' riep Sophie zwakjes, zich bewust van het feit dat zij troost zocht in de gewoonte van het uitroepen van dit soort commando's. Toen begon ze haar ondervraging over de trans-Atlantische reis van het koor, met een honger naar details die zelfs Milly (die door haar vader was gewaarschuwd voor de kosten van dit soort telefoontjes) verbaasde.

# 18

William voelde de kou in New York die decembermaand als iets ronduit vijandigs. Hij drukte zijn koffertje tegen zijn borst en boog zijn hoofd voor de ijzige wind terwijl hij de tien blokken van Grand Central Station naar kantoor liep, zoals elke ochtend, en hij voelde zich zo langzamerhand niet alleen maar onbeschermd en oud, maar ook ongewenst, alsof de stad zelf zich tegen hem had gekeerd. Beth, in haar nieuwe staat van liefhebbend berouw, stak handwarmers in zijn handschoenen en duwde de uiteinden van zijn sjaal in zijn overjas bij het afscheid. Maar zodra hij de onechte hitte van zijn auto en de treinverwarming achter zich moest laten, had hij niets aan die dingen. Zijn ogen knepen samen en zijn neus begon te lopen. De kou glibberde onder zijn broekspijpen en langs zijn nek, en vouwde zich om zijn borst en benen als een extra ijskoude huid.

Dat was natuurlijk absurd. Het was het weer maar. En zelfs de allerergste kou duurde niet eeuwig, bedacht William, in gevecht met zijn nu gebruikelijke opwelling van negatieve gevoelens terwijl hij Fifth Avenue af liep, op de voorlaatste donderdag voor kerst. Een groepje doorgewinterde zangers van het Leger des Heils stond onder de luifel van een warenhuis kerstliederen te schallen. Aan de overkant van de straat stond een klassiek kogelronde kerstman met zijn bel te klingelen en met een collectebak te rammelen. Alle etalages stonden vol met piepschuimsneeuw, kerstlampjes en nylon kerstbomen. Er was geen stad die beter was in kerst vieren – dat had William altijd al gevonden. De drukte, de kitsch, het hysterische koopgedrag, het verspreidde zich door Manhattan als een vuurtje door een droog bos.

Toen hij bij een etalage kwam met een glinsterend rendier bleef hij even staan om zijn tranende ogen af te vegen met de achterkant van zijn handschoen, en wenste hij dat zijn zoons de kans zouden krijgen om eens echt te genieten van deze feestelijke sfeer, en niet eind december pas zouden komen, zoals hij onlangs (dit keer niet alleen uit schuldgevoel, maar ook uit medeleven) met Susan had afgesproken. Beth stroomde al weer over van de plannen voor wat ze met zijn allen konden gaan doen – naar de film, boottochtjes, schaatsen, naar een ijshockeywedstrijd – en hoe ze ervoor zou zorgen dat het de allerleukste jaarwisseling ooit zou worden, maar William wist het nog niet zo net. Het was lastig om pubers bezig te houden, vooral zo vlak na de kerstdagen. Dat was toch altijd al zo'n anticlimax. En van het vooruitzicht van Alfies voortdurende gezeur over of het zwembad die zomer al klaar zou zijn, werd hij ook bepaald niet blij.

Terwijl William een handje kleingeld in de emmer van het Leger des Heils gooide, werd hem door een vrouw met roze oorwarmers een folder in de hand gedrukt. 'Zorg goed voor uzelf, meneer,' zei ze grijnzend en ze toonde haar lange, gladde tanden.

William glimlachte opeens terug. Iedereen trotseerde dit barre weer per slot van rekening en de meeste mensen hadden het een stuk zwaarder dan hij. Zijn gedachten aan de jongens herinnerden hem eraan dat hij hun vliegtickets nog moest boeken – voor dergelijke noodzakelijkheden had hij een gloednieuwe creditcard gereserveerd. Het zou fantastisch zijn om ze te zien (alle drie, hoopte hij nog altijd), en het jaargetijde maakte hem niet uit. En wat maakte die kou ook eigenlijk uit? Toen hij in de twintig was, bevroor hij toch ook altijd bij het skiën op gletsjers, om nog maar te zwijgen over een gedenkwaardige en gelukkige kerst op een Schots eiland toen hij met Susan ingesneeuwd was geraakt en de boiler die hun huisje had moeten verwarmen ermee opgehouden was.

William liep door met iets meer schwung in zijn passen, en keek ondertussen of hij ergens een prullenbak zag voor de folder, die nu ongemakkelijk heen en weer wapperde tussen zijn handschoenen en koffertje. Maar toen blies een windvlaag het ding even recht en werd hij getroffen door het woord 'Chapman'. William bleef staan, en dwong de stroom medearbeiders om hem heen te lopen, als een rivier om een rots. Veel van hen begonnen hem uit te schelden vanwege het ongemak. De folder bleek reclame voor het concert van Andrews schoolkoor, de volgende avond in St Thomas, de enige kathedraal in New York. De entree bedroeg vijf dollar en bij de uitgang zou geld worden ingezameld voor een organisatie die straatkinderen in Peru hielp. William bestudeerde de informatie en verbaasde zich erover dat hij uitgerekend deze folder in handen had gekregen.

Hij ging er natuurlijk niet heen. Hij was niet muzikaal en Beth zou ook geen zin hebben. Ze wist wel dat die school een tournee deed, want hij had haar verteld dat Andrew erover had gesproken. Maar elke keer dat hij de Chapmans ter sprake bracht – al was het maar in verband met Harry's ommezwaai – keek zijn vrouw zo gekweld dat William het hele onderwerp liever meed. Zonder die gruwelijke implosie aan het eind van de logeerpartij van zijn schoonmoeder had hij Beth ook kunnen dwingen fatsoenlijk uit te leggen waarom Beth hier zo moeilijk over deed, aangezien de kwestie van Dido buitengewoon vriendelijk was afgehandeld en de Chapmans buitengewoon vriendelijk waren geweest. Maar het ontbrak hem aan energie en moed. Al zijn kracht – en die van Beth – gingen nu zitten in de pijnlijke poging om het vertrouwen opnieuw op te bouwen, steentje voor steentje. Dat was letterlijk liefdewerk, voor allebei, want ook al was Beth niet eerlijk geweest, de redenen voor die oneerlijkheid – de angst voor zijn reactie als hij de waarheid zou kennen – waren volgens William niet ongegrond. Kinderen waren immers nooit het plan geweest. Hij had zich laten meeslepen door sentimentaliteit, en had Beth daarmee in het nauw gedreven.

De vergiffenis moest dan ook van beide kanten komen. En hoe moeilijk William dat soms ook vond – Beth was nog veel kleffer en had nog meer bevestiging nodig dan anders – was er een ander, afstandelijker deel van hem dat genoot van deze krachtsinspanning, omdat het bewees hoezeer hij zijn best wilde doen om dit tweede huwelijk te doen slagen. Ze werkten eraan, zoals dat tegenwoordig heette. Twee naakte, gespleten zielen, tot het bot ontkleed, zoals Shakespeare het wellicht zou uitdrukken, die elkaar nu pas voor het eerst echt aankeken, zonder die eerste bedwelmende roes van liefde, en zonder maskers. Ze konden niets anders meer doen dan oprecht en teder zijn.

En het belangrijkste van alles was dat Beth het voedsel dat ze at in haar maag liet. Als reactie op Williams suggestie dat ze medische hulp moest zoeken, had ze zelfs aangedrongen dat hij erbij was als ze 's ochtends op de weegschaal ging staan, wat haar ritueel was. 'Alles liever dan artsen,' mompelde ze elke keer, en dan deed ze haar ogen dicht zodat hij het oordeel van de weegschaal moest uitspreken.

Hij liep door de draaideur van de wolkenkrabber waarin zijn werkgever gehuisvest was – en nog een aantal andere bedrijven – en binnen liet William de folder in een prullenbak vallen. Terwijl hij dat deed kreeg hij een sms'je: WILDE ALLEEN EVEN ZEGGEN DAT IK VAN JE HOU BX

William typte snel IK OOK VAN JOU X en voegde zich bij de zwerm mensen in de grote hal. Er kwamen tegenwoordig veel van zulke berichtjes, die allemaal zeer werden gewaardeerd en hard nodig waren. Het was druk en stil in de lift. Een vrouw snoot haar neus. Een man hoestte in een zakdoek. Het rook in de kleine ruimte naar natte kleren en vochtige huid. Toen de deuren op zijn verdieping openschoven, fantaseerde William, die met zijn rug tegen de achterste wand gedrukt stond, over wat er zou gebeuren als hij bleef staan. Hij kon meegaan tot de bovenste verdieping en dan in zijn eentje weer helemaal naar beneden. De rebel. Met genoeg ruimte om adem te halen.

Maar in plaats daarvan baande hij zich een weg naar buiten, en sloeg linksaf naar de koffiemachine, zoals gewoonlijk. Hij knikte naar bekende gezichten die met telefoons aan hun oor geklemd of over hun bureau gebogen zaten en werkten met een vreugdeloze intensiteit die sinds zijn weekje weg een nieuwe hoogte bereikt had. Ed Burke, die diezelfde week vrij was geweest, was niet meer teruggekomen, en de geruchtenmachine werkte op volle toeren – hij was ingestort, hij was op non-actief gesteld, hij zat in een scheiding, hij was met vervroegd pensioen gegaan; alles passeerde de revue. William had geprobeerd om zijn oude mentor op zijn mobieltje te bellen, maar hij kreeg steeds de voicemail.

Toen William naar zijn bureau liep was Kurt nog nergens te bekennen en Walt, zijn jongere, gespierde buurman zat naar zijn scherm te staren, wreef over zijn fris geschoren kin en schudde zijn hoofd.

'Kop op, misschien gebeurt het wel helemaal niet.'

'Dat heb je dus helemaal mis, man. Het *is* al gebeurd.'

William leunde opzij in zijn stoel om naar Walts pc te kijken, en lachte hardop toen hij een kaartspel op het scherm zag in plaats van lijsten met aandelenkoersen. 'Is het zo erg?'

'We zijn de lul, allemaal. Geen bonussen. Geen cent. Het is nog niet officieel meegedeeld, maar Lou zegt het en Lou heeft altijd gelijk. We zijn verdomme allemaal de lul. Leuk kerstcadeautje, of niet?' Hij bleef met zijn muis klikken, en keek kwaad terwijl hij zijn kaarten verplaatste.

Tot Williams verrassing voelde hij zich volkomen kalm. Hij nam een slok koffie, brandde zich en haalde toen voorzichtig het dekseltje van het bekertje om het te laten afkoelen. Hij zette zijn computer aan, en ging niet naar S&P 500 of naar NASDAQ, maar opende de spreadsheet waarin hij al zijn privérekeningen had samengebracht. Naar die getallen kijkend, die verschrikkelijke getallen, bekroop hem het gevoel dat het leven een soort wiskundige vergelijking is – tegengestelde krachten die in evenwicht moesten zijn – en dat kristalliseerde ineens uit tot wijsheid. Er speelden veel te veel dingen om het overzicht te kunnen bewaren, en er waren te veel krachten die elk een andere kant op trokken, maar nu, alsof hij een goedgemikte tik op zijn hoofd had gekregen, was hij dankzij Walts opmerkingen weer helemaal bij zijn positieven.

Die kalmte hield de hele dag aan, en werd geschraagd door het duidelijke pad dat er in zijn hoofd was ontstaan. Toen hij de tien blokken terugliep naar Grand Central kwam het niet door de kou dat hij zich zo haastte, maar doordat hij zo graag naar huis wilde om zijn openbaring met Beth te delen. Ze waren toch al samen een nieuwe weg ingeslagen, rauw en eerlijk – en alleen al om die reden was de timing perfect. En in de trein, alsof er een onzichtbare god zijn handen opgelucht had samengevouwen omdat William eindelijk het licht had gezien maar wilde uitsluiten dat hij van gedachten zou veranderen, belde Susan.

'Ik kan niet echt praten, ik zit in de trein.'

Dat gaf niet, zei ze, aangezien hij alleen maar hoefde te luisteren. Er was nog een knobbeltje gevonden, vertelde ze, en ze klonk daarbij duidelijk geïrriteerd. Deze zat onder haar arm, en dat hield in dat men haar adviseerde om naast de tumor ook haar lymfeklieren te laten verwijderen. 'En met die gezellige chemokuren en bestralingen erbij wordt het dus een geweldig nieuw jaar.'

'Jezus, Susan, ik vind het zo verschrikkelijk...'

'Godsamme, doe niet zo dramatisch, William, alsjeblieft. Het staat je helemaal niet, en het maakt me boos. Ik vertel het je alleen omdat jij zo kwaad werd over "niet geïnformeerd zijn". Je kunt best zonder lymfeklieren – dat heb ik opgezocht. Het voornaamste probleem schijnt te zijn dat je benen kunnen opzwellen. Dus dan moet ik in de zomer aan de steunkousen, zulke dingen. Maar goed, mijn benen zijn tegenwoordig toch het tonen niet meer waard, dus dat boeit me verder niet. Mijn operatie staat geboekt voor de week na kerst, dus onze nieuwe afspraak voor het bezoek van de jongens komt prima uit. Maar ik moet je wel waarschuwen dat Harry nog steeds beweert dat hij niet meegaat...'

Na het telefoontje dwaalden Williams gedachten af naar de periode waarin zijn liefde voor Susan was uitgedoofd – de druppelsgewijs toegediende teleurstellingen en misvattingen die met de jaren waren ontaard in een puinhoop van ontrouw en, uiteindelijk, het trage, weerzinwekkende verkeersongeluk van hun scheiding. Voor het eerst bedacht hij hoe gruwelijk ironisch dat was als je naging hoe snel ze verliefd waren geworden (in hun geval op het huwelijk van wederzijdse vrienden – tegen het eind van die dag zaten ze al in elkaars hart, en onder elkaars kleren). Het was vast en zeker geen toeval dat zijn relatie met Beth juist een lange aanloop had gekend. Sterker nog, William had hun eerste ontmoeting in de Starbucks alleen maar als een verzetje gezien – kijken of hij het nog in zich had.

Maar daarna bleef haar geur hem zo bij – een zacht, opwindend vrouwelijk parfum – net als die licht spottende blik in haar donkere ogen, alsof hij haar niets kon vertellen wat ze niet allang wist. Tijdens hun eerste echte date – een schokkend dure lunch in een restaurant dat uitzicht bood op Rockefeller Plaza – was hij betoverd geraakt door haar uitstekende sleutelbeenderen die zichtbaar waren tussen de open knoopjes van haar vestje. Ze was zo slank en die botten zagen er zo sterk uit. Hij vond het een wonderbaarlijke combinatie van verfijning en kracht en meende – en raakte daar die dag steeds meer van overtuigd – dat het iets moest zeggen over haar heel aantrekkelijke karaktertrekken. Het duurde niettemin nog een paar weken en nog vele uren praten voor ze in bed waren beland, en nog een paar maanden voordat William – cynisch en levensmoe door zijn scheiding, dacht hij zelf – zich overgaf aan het besef dat hij toch weer verliefd was geworden op een medemens.

'Wat ben je vroeg.'

Ze was buiten adem en had een handdoek om haar nek geslagen. Plukjes haar plakten aan haar bezwete gezicht.

'Was je aan het sporten?'

'Ja, maar alleen omdat ik me daar lekker bij voel,' zei Beth snel, en ze deed zo haar best om niet schuldbewust te kijken dat zijn hart ineen kromp. 'Voornamelijk pilatesoefenningen. Het is veel te koud om hard te lopen. Ik heb iets lekkers voor het eten: zalm in filodeeg. Zelfgemaakt.'

'Knappe meid.' William kuste haar en trok haar dicht tegen zich aan zodat hij met zijn mond bij haar hals kon.

'Hé joh, ik moet eerst even douchen.'

'Maar je weet toch wel dat ik gek ben op jouw geur?'

Beth sloeg naar hem met haar handdoek, lachend. 'Ja, als ik schoon ben. Ik spring even onder de douche.' Ze draaide zich snel om, nog altijd heel erg mager constateerde William teleurgesteld toen hij zag hoe de joggingbroek recht naar beneden viel vanuit haar taille, zonder onderbreking van rondingen van haar buik of billen. Volgens de weegschaal was ze al vier kilo aangekomen, maar dat zag je nergens aan.

Halverwege de trap bleef Beth staan en boog ze zich over de leuning. 'Ik heb besloten dat ik weer wil gaan werken... ik bedoel, dat lijkt me nu wel zo logisch, toch? Maar ik wil iets heel anders gaan doen en ook hier in de buurt. Dus in een boekwinkel of cadeauwinkel. Of misschien... nou ja, ik zat te denken, misschien kan ik ook wel een personal trainer worden. Zou dat heel raar zijn?' Ze fronste opeens, alsof ze voelde dat het gewicht van Williams nog altijd onaangekondigde besluit hem als een tikkende tijdbom op de borst lag.

'Natuurlijk niet, dat zijn allemaal prima plannen. Ga nu maar snel onder die douche, ik heb ontzettende trek. En ik heb een paar dingen die ik met je wil bespreken,' riep William naar boven, want zijn gretigheid viel niet meer te beteugelen. 'Belangrijke dingen.'

Hij had daarna het gevoel of hij zweefde – hij deed niks, maar overbrugde alleen de tijd: hij legde bestek op tafel, schonk een glas witte wijn in en haalde een extra glas voor Beth dat hij nog niet inschonk, zodat het lekker koud zou zijn, precies zoals zij dat zo lekker vond. Toen hij de doos met verzorgingsspulletjes voor de kat zag staan, bracht hij die naar de kelder, en daarna ging hij aan tafel zitten met het stadskatern van *The New York Times*.

Beth verscheen na wat een eeuwigheid leek, in een losse, zwarte harembroek en een koraalroze coltrui. Haar haar was zwart en sluik van het douchen. Hij schonk haar glas vol en begon toen te praten. Eerst aarzelend, maar algauw met steeds meer overtuiging, omdat de bittere ernst van hun situatie en het heldere inzicht waarop zijn oplossing was gebaseerd het overnamen.

En het ging een poosje helemaal goed. Met vlugge vingers rolde Beth het deeg uit en maakte keurige pakketjes vol kruiden en zalm. Bij alles wat hij zei, knikte ze – geen cent bonus, de omvang van hun schulden. Zelfs toen hij vertelde dat ze hun huis zouden moeten verkopen en dat ze de enorme sprong moesten nemen van hun luxe huis in Connecticut naar een rijtjeshuis in west-Londen, bleef haar hoofd op- en neergaan. Hij vertelde haar vervolgens over de lunch die hij met zijn ex-collega in de City had gehad – dat er waarschijnlijk wel een baan voor hem was bij zijn oude bank in Londen. 'Het is maar voor een paar jaar... alleen tot we onze financiën weer op orde hebben en we het ons weer kunnen veroorloven om hier te gaan wonen. En dan kan ik er in de tussentijd voor mijn jongens zijn terwijl Susan probeert om weer helemaal gezond te worden. Ze hebben nog een knobbel gevonden... onder haar arm. Je hoeft niet echt onderzoek te plegen om te weten dat dat slecht nieuws is.'

William wachtte af. De geur van de vis kwam in wolken uit de oven. Hij moest ervan watertanden, zo lekker rook het. Beth had haar aandacht nu op de groenten gericht – aubergine, sperziebonen – wassen, in stukjes snijden, alles op een trage, nadrukkelijke manier die suggereerde dat ze helemaal opging in de onweerlegbaarheid van wat hij haar allemaal verteld had.

Voor ze reageerde keek ze op, en veegde langzaam een krul achter haar oor met de hand die het mes vast had. 'Maar...' ze fronste, legde het mes neer en sloeg haar armen over elkaar, '... jouw ouders kunnen toch wel gewoon voor de kids zorgen? Als Susan echt heel ziek wordt, bedoel ik.'

William staarde haar aan, met droge mond, en het einde van zijn liefde voor haar dreunde in zijn oren. Hij was bereid geweest te vechten voor die liefde, voor hen. Hij was hier oprecht voor de lange termijn aan begonnen. Maar met dat ene zinnetje had ze alles kapot gemaakt. Die hele verstandige, langzame opbouw van hun relatie deed er helemaal niet meer toe. En ook het feit dat hij er waarschijnlijk zelf schuld aan had dat zij geloofde dat hun leven en dat van zijn zoons gescheiden konden blijven. Ze had nog niet het geringste besef hoe belangrijk zij voor hem waren, en dat zou ze ook nooit krijgen. Zelf een kind krijgen was het enige wat dat had kunnen bewerkstelligen; en dat kon nooit meer.

Een moment kon een culminatie zijn van jaren, en toch in een flits voorbijgaan. William draaide zich om terwijl Beth doorging met snijden en hij was zich ervan bewust dat hij net zo'n moment had doorgemaakt. Zijn gevoelens waren veranderd. Een stukje elastiek dat binnenin hem tot het uiterste was opgerekt, was geknapt. En er was geen weg meer terug.

Toen hij na zijn sollicitatiegesprek weer naar buiten kwam, knipperde Andrew vanwege al die felle lichten buiten, die aan alle kanten spetterden als vuurwerk. De stad was nog gehuld in de mistige namiddagzon toen hij naar binnen was gegaan. En nog geen uur later stapte hij een heel andere wereld in. Er was ook veel meer lawaai, omdat de spits in volle gang was. De lange tunnel van de straat was helemaal vol met auto's die langzaam op huis aan gingen, en op de stoep liepen massa's mensen, allemaal gehaast en allemaal met hun gezicht half verstopt onder mutsen of achter kragen. Claxons, sirenes, geschreeuw – hoe kwam hij erbij dat hij bij zo'n stad wilde horen?

Die gedachte had zich nog niet gevormd of Ann, met haar muts met witte bontrand en vuurrode jas, stapte uit het gewoel.

'Ging het niet goed?'

Andrew schudde zijn hoofd, verbluft dat ze dat wist, dat ze hier überhaupt was. 'Nee, ik geloof het niet. Wat aardig dat je bent gekomen. Dat had niet gehoeven.'

'Ik dacht dat je misschien wel een borrel kon gebruiken,' antwoordde ze droogjes, en ze pakte hem bij de arm en nam hem mee de drukte in. 'Hoe erg was het trouwens precies?'

'Ze waren met zijn drieën en een van hen zag me niet zitten. Dat weet ik wel zeker.'

'Grijs krulhaar, zware wenkbrauwen en hangwangen?'

'Die, ja.'

'Dat is Arnold Bloomberg – die kan niet glimlachen, al zou zijn leven ervan afhangen...'

'Hé Ann, ik ben niet zo in de stemming voor een borrel.' Andrew maakte haar hand voorzichtig los van zijn arm. 'Er valt helemaal niets te vieren... Ik heb daar vooral staan stumperen. Het spijt me zo, na alles wat jij voor me hebt gedaan,' voegde hij er somber aan toe.

'Godallemachtig, en óf jij een borrel nodig hebt,' riep ze uit, en ze greep zijn arm weer vast en zette er flink de pas in.

'Maar ik moet eigenlijk weer terug naar het hotel. De kinderen...'

'Ik dacht dat jullie een vrije avond hadden?'

'Is ook zo.'

'En er zijn toch twee leraren die je helpen tijdens deze reis?'

'Klopt.'

'Nou dan. We gaan naar de Algonquin... niet meer wat het geweest is, maar nog steeds de moeite waard. Ik heb de vrijheid genomen nog een paar anderen uit te nodigen – ik hoop dat je dat niet erg vindt – Larry, Francesca... en zelfs Geoff zei dat hij het misschien zou halen. Hé, daar is een taxi.' Ze bracht twee vingers naar haar lippen en floot zo hard en schril dat een paar mensen zich omdraaiden, en de taxi keurig stopte.

'In dat geval zou ik Meredith ook kunnen vragen of ze komt,' stamelde Andrew zodra ze in de taxi zaten, en de lichten van de stad voorbij zagen flitsen. 'Dat lieve kind heeft gisteravond een hele groep mensen meegenomen naar het concert en ik was te druk om haar fatsoenlijk te bedanken. Vind je het goed?'

'Tuurlijk. Hoe meer zielen, hoe meer vreugd. Hé, kom, kijk eens wat vrolijker.'

'Sorry, maar mijn verwachtingen waren zo hoog gespannen.' Andrew drukte zijn handen tussen zijn dijbenen en bleef strak uit het raam kijken terwijl de verschrikkelijke herinneringen aan zijn gestotter hem bestormden.

Ann slaakte een zucht. 'Dat weet ik heus wel, Andrew, echt. En ik hoopte het ook zo, voor jou.' Ze zette haar grote muts af en legde die op de bank tussen hen in. 'Maar zal ik je eens iets zeggen?' Ze schudde haar haar en gaf hem een klap op zijn knie – zo hard dat die ervan gloeide. 'Je bent hier in New York met het allersnoezigste, allerbeste schoolkoor dat ik ooit heb gehoord, en je kreeg bij je eerste optreden al een staande ovatie, als je je dat tenminste nog wilt herinneren. En bovendien is het bijna Kerstmis...' Ze pakte de muts weer op en plantte die speels op zijn hoofd. '... en nu gaan we een lekkere cocktail drinken. Eentje maar, maar wel een hele lekkere.' Ze likte haar lippen waardoor de rode lippenstift nog meer ging glanzen. 'De vraag is alleen welke cocktail: een daiquiri of een highball?'

Andrew schoof de muts half over zijn hoofd en trok een komisch gezicht, maar alleen omdat de situatie dat van hem verlangde. 'Voor mij een margarita, mevrouw,' grapte hij, met de bedoeling te klinken als Frank Sinatra, of Humphrey Bogart, terwijl de somberheid vanbinnen groeide. Als hij deze sollicitatie had verknald dan was er heel wat meer nodig dan een cocktail om zijn humeur er weer bovenop te helpen. Hij zou nog van hen horen, hadden ze gezegd. 'Op termijn'. En bij het handen schudden was die van hem klam geweest.

Maar het allerergste was nog wel het stukje lopen door de gang, nadat hij de ruimte waar zijn ondervragers zaten had verlaten, met in de verte prachtige jongensstemmen die aan het repeteren waren – allemaal muziekstudenten, zoals hij ook ooit was geweest. Vaag en vluchtig had dat geluid zich met het getik van zijn voetstappen verweven, als een treurzang op vervlogen hoop.

# 19

Pas toen Sophie merkte dat ze rondjes reed over de parkeerplaats van de school realiseerde ze zich dat ze nerveus was. Nu de vakantie in volle gang was, lag er een eindeloze vlakte asfalt waar ze een plek kon kiezen. Het schoolgebouw, dat op slot was en waar alle lichten uit waren op de af en toe oplichtende beveiligingslampen na, zag er zielloos en sinister uit in de middagschemering. Toch heerste er een gezellige sfeer onder de andere mensen die ook vroeg waren, en die in een groepje bij het hek stonden, met hun raampjes omlaaggedraaid om hun opwinding met elkaar te delen. Sophie reed nog een laatste rondje, heel langzaam, voor ze op een afstandje ging staan zodat ze niet mee hoefde te doen met die anderen.

Ze was zelf ook opgewonden, natuurlijk, vooral bij het vooruitzicht dat ze Milly weer zou zien. De tournee was, voorzover ze had gehoord, een eclatant succes geweest – alle concerten waren uitverkocht, ze hadden een staande ovatie van twee minuten gehad na het Kennedystuk in de kathedraal – maar Milly, zelfs toen ze verslag deed van deze feiten, klonk steeds meer timide en uitgeput. Tijdens hun laatste contact voor de terugvlucht had ze een sms'je gestuurd met een verzoek voor haar lievelingseten op de dag van hun terugkeer, een geroemde creatie van Sophie die in haar gezin bekendstond onder de naam 'kippenzooi'. Sophie had alle ingrediënten al in de koelkast liggen, net als de chocolademousse van de supermarkt waarvan Milly wel eens drie bakjes achter elkaar had leeggegeten.

De zenuwen kwamen door Andrew, of tenminste, door Carter, die, ondanks haar smeekbedes, al weer twee keer had gebeld. Hij wilde gewoon 'even communiceren', had hij beide keren aangedrongen, en hij wilde hun vriendschap graag behouden, want die betekende zoveel voor hem. Nadat ze dagenlang bang was geweest bij elk telefoontje, was Sophie bij haar positieven gekomen en had ze ingezien dat de eenvoudigste – en de enige – manier om zich voor eens en voor altijd uit deze netelige situatie te redden was om Andrew op de hoogte te stellen. Als hij er op een andere manier achter kwam (en die kans leek ondanks alle moeite die ze had gedaan en ondanks het feit dat er nu toch al wat tijd overheen was gegaan, nooit te zullen verdwijnen) zou het zoveel erger zijn. Zoë had gelijk: ze had het meteen moeten vertellen. Maar aangezien dat niet meer kon moest ze er maar het beste van zien te maken. Een seksueel geladen omhelzing met iemand met wie ze bevriend was geraakt in een tijd dat ze zich enorm kwetsbaar had gevoeld was ook niet echt een halsmisdaad, tenminste, niet in de context van twintig jaar absolute trouw. En nu was diezelfde vriend haar aan het stalken – dat was veel erger, en dat was ook iets waarbij ze Andrew naast zich nodig had. Alleen al dat feit– daarvan raakte Sophie steeds sterker overtuigd – zou hem wel vermurwen.

Als dit eenmaal was opgelost zou ook dat vreemde gevoel vanbinnen dat ze de hele tournee al had vanzelf verdwijnen en zou ze zich kunnen verheugen op de eenvoudige genoegens van hun toekomst en de feestdagen met het hele gezin. Het leek ook een verraderlijke schaduw over de korte telefoontjes met Andrew te werpen. Niets wat ze te zeggen had leek het goede, terwijl Andrew, die misschien haar stemming aanvoelde, en die andere dingen aan zijn hoofd had, steeds afstandelijker was gaan klinken. Toen ze de laatste avond probeerden te praten, en zij zo nerveus was en Andrew zo duidelijk naar zijn afscheidsetentje wilde, was dat zo gekunsteld dat het gewoon een opluchting was om weer op te kunnen hangen.

Toen de bus eindelijk aan kwam rijden, en sissend tot stilstand kwam bij de stoep, was Sophies eerste neiging om op een afstandje te blijven staan. Ze bleef bij het hek hangen terwijl de andere ouders naar voren stormden en rond de deur dromden. Toen kwam Milly met loshangende haren en een bungelende rugzak op haar af gehold, en vergat ze meteen waar ze eigenlijk bang voor was. De biecht die haar te wachten stond, voelde ineens zo onbeduidend – en zo eenvoudig – vooral toen Andrew ook onder een van haar armen dook, en ontdeugend vroeg of er nog wel plek voor hem was.

Eenmaal thuis gingen ze aan de kippenzooi en waren er cadeautjes: van Milly kreeg ze een setje koelkastmagneten van toeristische attracties in New York, en voor Olivia was er een T-shirt met een grote, half opgegeten appel. Andrew had voor Olivia een beker ter herinnering aan de tournee en een theedoek met HOME SWEET HOME erop geborduurd voor Sophie, waar de prijssticker van 4,99 dollar nog op zat.

'Want waar we ook zijn, we voelen ons overal thuis, of niet?' Hij ving Sophies blik vanaf de andere kant van de tafel.

Ze knikte hevig, en haar hart sloeg over. Ze zou die avond haar 'bekentenis' afleggen, had ze besloten, na het vrijen. Ze moest het ijzer smeden nu het nog heet was, door deze hereniging. De waarheid werkte bevrijdend, zoals die verfoeilijke Beth Stapleton had gezegd, maar dan voor haar eigen krankzinnige bedoelingen.

En toch bleef de kip steken in haar keel. Andrew leek bijna manisch blij om weer thuis te zijn – op een manier waar ze eerder nog gestrester van raakte dan dat het haar geruststelde. Milly, daarentegen, zakte in gedurende de maaltijd en zei steeds minder. Ze hing op haar ellebogen en legde uiteindelijk verslagen haar bestek over haar nog halfvolle bord met kip. 'Sorry, mam... ik ben alleen zo...'

'Naar bed. Kom.'

Ze liet zich naar boven brengen en vroeg Sophie te wachten terwijl zij haar kleren uittrok en haar tanden poetste.

Toen ze onder de dekens lag, ging Sophie op de rand van het bed zitten en stak ze haar neus in Milly's nek. 'Ben je ook wel een beetje blij dat je weer thuis bent?'

'O, mam...'

Sophie keek verbaasd toen haar dochter haar armen om haar heen sloeg, en er tranen over haar wangen stroomden. 'Het is ook heel vermoeiend om een muzikaal wonderkind te zijn,' troostte ze, en ze wurmde zich bij haar dochter in bed tot ze Milly in haar armen kon houden. 'Zo.' Ze trok een schone zakdoek uit de mouw van haar vest en gaf Milly een zoen op haar bol. 'Lekker slapen jij, dat zal je goed doen.'

'Ik wil niet naar Juilliard,' mompelde Milly met verstikte stem.

Sophie schoot in de lach. 'Nou, dat is toch prima...'

'Niet aan papa vertellen.'

Sophie draaide zich om zodat ze haar dochter aan kon kijken, en fronste. 'Waarom niet?'

'Dat vindt hij niet fijn. Hij wil per se dat ik ernaartoe ga.' Ze snoof en slikte moeizaam. 'Vanwege Meredith.'

'Meredith?'

'Ik vind het fijn in Londen, mama, ik wil hier blijven... ik wil naar het Royal College, of wat dan ook.'

'Tuurlijk, tuurlijk,' mompelde Sophie en ze streelde met haar vingertoppen over Milly's warme voorhoofd. 'Dat duurt nog jaren en trouwens, ik weet ook niet of ik het wel aan zou kunnen als jij je biezen pakte en naar New York ging.'

'Echt?'

'Echt. Ik dacht alleen dat jij Meredith zo bewonderde en dat je graag...'

'Ik bewonder haar helemaal niet.'

'Oké.'

'Ze is bij alle concerten geweest, maar ik mag haar niet. En dat mag je ook niet aan papa vertellen, want... want dat begrijpt hij ook niet.'

Sophie vroeg zich bezorgd af wat er precies aan de hand was, maar stemde overal mee in, en gleed van het bed om een glaasje water te halen en nog een schone zakdoek. Toen ze terugkwam lag Milly al te slapen – plat op haar rug, met open mond, haar lippen en neus nog rood van het huilen.

Beneden wachtte haar een tweede verrassing in de vorm van Andrew, die in de gang stond met zijn jas aan. 'Ik dacht dat we wel even naar die ene wijnbodega konden gaan.' Hij rammelde met zijn sleutels.

'Jemig... nou, oké. Leuk.' Sophie wierp een blik op Milly's koffer, die open lag en vol vuile kleren zat. 'Dan ga ik eerst dat even in de wasmachine stoppen.'

Andrew hield haar tegen. 'Dat kan wel wachten.'

'Ja, natuurlijk. Ik zeg wel tegen Olivia...'

'Heb ik al gedaan.'

'Laat me nog even een kam door mijn haar halen. Ik zie er niet uit.'

'Je ziet er prima uit.' Hij haalde haar jas van de kapstok achter de voordeur en duwde haar die in handen. Buiten was het zo koud dat Sophie vlug terugliep om Milly's muts met de oorflappen te pakken, en holde toen om Andrew in te halen op straat.

'Ik ben die sjaal trouwens kwijtgeraakt.'

'Geeft toch niks.'

'Ik dacht steeds dat hij wel weer boven water zou komen, maar dat is niet gebeurd'

Ze liepen stevig door, zij aan zij, met hun handen in hun zakken. Het was negen uur toen ze bij de wijnbar aankwamen – het was ooit een Victoriaanse pub geweest en nu hadden ze hem tot de balken gestript en een entresol gebouwd waar je ook iets kon eten. Er waren een paar eters vanavond, maar ook al was het vrijdagavond, de barkrukken en leren fauteuiltjes op de begane grond waren bijna allemaal leeg. Andrew liep met grote passen naar het beste plekje in de hoek, ontbood de serveerster met één blik en bestelde de duurste rode wijn op de kaart nog voor ze zelfs maar zaten. Sophie nam het allemaal verwonderd in zich op. Het succes van de tournee had hem duidelijk een nieuw soort daadkracht gegeven, en een soort zelfvertrouwen dat ze nog nooit bij hem had gezien. Hij was geslaagd en dat was hem aan te zien.

'Ik moet je iets vertellen.'

Ze proostten en namen een slokje. De wijn was complex en toch soepel, en legde een film in de keel nog voor je hem doorslikte. Andrew leunde voorover, zijn benen uit elkaar, en hij rolde het wijnglas heen en weer tussen zijn handen.

Sophie ging iets meer rechtop zitten en liet haar glas op haar knie balanceren. 'Ik jou toevallig ook.'

Andrew scheen haar niet te horen. Hij begon heel snel te praten, en keek haar af en toe aan, maar niet op een prettige manier, want hij zag alleen zijn eigen gedachtegang en niet haar gezicht. 'Ik heb in New York een sollicitatiegesprek gevoerd. Voor een baan als hoofd van de koorschool van St Thomas Cathedral. Ik had niet gedacht dat ik een schijn van kans maakte... ik zou ook nooit hebben geweten van die vacature als Ann er niet was geweest. Die heeft me geweldig geholpen. Het koor en orkest van die benefietvoorstelling van haar bleek vol te zitten met allerlei geweldige mensen en die vonden mij goed. Die vonden het goed wat ik in augustus heb gedaan en dat hielp. Maar Ann heeft haar netwerk voor me in beweging gebracht, en dat is denk ik cruciaal geweest. Zo werkt dat namelijk in New York, het gaat daar veel meer om wie je allemaal kent dan hier. Ik heb in november een sollicitatiebrief geschreven, maar dat heb ik je toen niet verteld omdat ik niet wilde dat je blij zou zijn met een dode mus – en dat wilde ik zelf ook niet. En het gesprek was zo ontzettend moeilijk – ik wist zeker dat ik het verprutst had. Maar Cambridge weegt daar natuurlijk zwaar, net als al die jaren van muziekfestivals en zo, met mensen van wie ze gehoord hadden, om nog te zwijgen van het feit dat ik conrector ben en tien jaar ervaring heb met het aansturen van een grote muzieksectie op zo'n gerenommeerde school...' Hij zweeg even om op adem te komen, met glanzende ogen. 'Ik had mezelf helemaal opgegeven, Sophie, echt. Maar toen boden ze mij die baan aan. Verdomme, ik heb die baan gekregen.' Hij duwde zijn vuist in zijn mond, beet op zijn knokkels en knipperde toen langzaam met zijn ogen, alsof hij ontzettend zijn best moest doen om zich op haar te concentreren. 'Het wordt natuurlijk een hele toestand, dat begrijp ik best, voor jou, en voor de meisjes, maar financieel gaan we er geweldig op vooruit. Er is een huis voor me, hoort bij de arbeidsvoorwaarden, dus wij kunnen dit huis onderverhuren. Laten we geen schepen achter ons verbranden – en nu Milly en Olivia examen doen, deze zomer, is de timing perfect. En Milly wil zo vreselijk graag naar Juilliard – als je het nu hebt over de Voorzienigheid... allemachtig.' Hij schudde zijn hoofd en zei, omdat Sophie nog steeds niet reageerde: 'Je bent boos omdat ik je er niets van heb verteld, hè?'

Sophie keek hem met stomheid geslagen aan. Ze had geen idee wat ze voelde. Het feit dat hij dit had achtergehouden was inderdaad een schok, maar lang niet zo verontrustend als het feit dat het nog steeds niet bij Andrew opkwam om haar – en haar behoeften – op wat voor manier dan ook te betrekken bij zo'n enorme beslissing. Ze was getrouwd met een man die dromerig en gedreven was, dat wist ze wel, maar ze had hem tot nu toe nog nooit als arrogant en egoïstisch gezien. 'Ja, ik geloof het wel... ik ben wel een beetje boos, ja.'

'Hoofd van de enige kathedrale koorschool in New York,' ratelde hij door. 'Sophie... dat is toch niet te geloven? Ik moet mezelf nog steeds knijpen. Ik dank God voor die huizenruil, dat zal ik je wel vertellen, en Geoff, omdat die het heeft bedacht, en Ann, en de Stapletons en... verdomme, alles.' Hij goot nog meer wijn in zijn glas en dronk fors door. 'Ga me nou niet vertellen dat je niet blij bent,' zei hij, en hij zette zijn glas op tafel. 'Alsjeblieft, zeg.'

'Natuurlijk ben ik blij... dolblij... voor jou.'

'Kijk, nu komen we ergens. Maar ik hoor ook een "maar", of niet? Ik voel het aan mijn water...' Hij sloeg zijn ogen ten hemel alsof hij geduld – of inspiratie – wilde onttrekken aan de glitterlamp die boven hun tafeltje hing. 'Het speelt pas op zijn vroegst deze zomer – ik heb een opzegtermijn van ten minste een semester – dus je hebt meer dan genoeg tijd om je voor te bereiden. Sophie, na de jaren die we achter ons hebben... al jouw problemen... Ik dacht dat je heel blij zou zijn. Tenslotte kwam het door New York – en de vakantie – dat alles weer is opgelost, toch? Dus alleen al daarom had ik gedacht dat jij dolgelukkig zou zijn met de kans om daar te wonen. Ik dacht, godsamme...' Hij bestudeerde zijn wijnglas, klemde zijn kaken op elkaar en trok een somber gezicht. '... ik dacht dat dit hier een feestje zou worden, om het te vieren.' Toen Sophie nog steeds niets zei leunde hij achterover in zijn stoel en begon hij verbijsterd zijn hoofd te schudden. 'Kom maar op, dan, gooi het er maar uit, die "maar" van je.' Hij stak allebei zijn handen uit en krulde zijn vingers naar zijn handpalm zoals je een tegenstander uitnodigt voor een gevecht.

Sophie keek omhoog naar de zilveren bol boven hun hoofden. Die was gaan draaien door een onzichtbare luchtstroom en nam stukjes spiegelbeeld van haar en Andrew met zich mee. Hij was hard, dat was ook nieuw, kortaf en ongeduldig. Het leek wel of ze hier met een vreemde zat te praten. En dan die draai van honderdtachtig graden wat Ann betrof, waar kwam dat vandaan? Misschien was het iets onbeduidends, maar het voelde als iets heel belangrijks. Toch waren er, terwijl

Andrew zijn verhaal deed, ook allerlei dingen op hun plaats gevallen. De intensiteit waarmee hij zich op de reis naar New York had voorbereid, de manische energie die hij uitstraalde sinds hij uit de bus tuimelde en ook het diepere besef van zijn honger naar deze baan, zijn ambities voor zijn dochters en zijn beeld van haar. 'Maar Ann is zo'n raar mens,' mompelde ze. 'Ik dacht dat wij Ann een raar mens vonden... toch?'

Andrew rolde met zijn ogen. 'Wat heeft dat er nu weer mee te maken? Ik – wij – hebben haar verkeerd ingeschat. Ann was ongelofelijk slim, behulpzaam, onvermoeibaar.'

Sophie duwde haar wijnglas van zich af en leunde voorover op de rand van haar stoel, met beide voeten stevig op de grond, instinctief op zoek naar houvast. Ze had nog nooit tegenover Andrew gestaan – tenminste, nooit bij belangrijke zaken. Zij was zijn muze geweest, bracht ze zichzelf in herinnering, zij had hem rust en vrede gebracht, en huiselijkheid... tot ze ziek werd. Dat had hij niet prettig gevonden, toch? Haar depressie... dat was het begin geweest van alle ellende. 'Er is niet maar één "maar",' zei ze, en ze probeerde de trilling uit haar stem te houden. 'Het zijn er minstens vier.'

'Als je maar weet dat ik het niet afzeg.' Hij sloeg zijn armen over elkaar. 'Ik kan het niet afzeggen. Sophie, ga alsjeblieft niet van me vragen om het af te zeggen.'

Sophie keek hem recht in de ogen. Ze voelde zich verschrikkelijk, en het scheelde niet veel of ze huilde. 'En ik dan? Ik wil helemaal niet in New York wonen...'

'Maar je was er zo gelukkig in augustus...'

'Dat was Connecticut.'

'Nou, dan gaan we in Connecticut wonen... ik regel wel iets.'

'Maar St Joseph dan? Jij zou toch rector worden?'

'Wie zegt dat? Wil jij dat ik mijn leven inricht op basis van een gerucht? En dit is zo ontzettend veel beter... een totaal andere klasse.'

'Olivia wil anders heel graag hier in Engeland naar de universiteit.'

'Olivia is bijna achttien... en wil jij beweren dat ze het niet leuk zou vinden om haar vakanties in New York door te brengen?'

'Milly wil niet meer naar Juilliard.'

'Wat een onzin.'

'Dat is geen onzin. Dat heeft ze me vanavond verteld – huilend, gebroken – en ze maakte zich er zorgen over dat jij daar heel boos om zou zijn...'

'Doe niet zo belachelijk.'

'Ze zei dat ze toch liever naar het Royal College wilde, en dat ze Meredith niet mocht...' Sophie zweeg. Andrew was wit weggetrokken. 'Dat is vreemd, dat weet ik ook wel, maar...'

'Jij hebt zeker iets tegen haar gezegd,' gromde hij. 'Dat kan niet anders.'

'Waarom zou ik dat doen?'

'Muziek... jij voelt je bedreigd door onze muziek, daarom. Altijd al. Omdat jij het niet in je hebt.'

Ze keken elkaar aan en de lucht om hen heen trilde.

'En Gareth heeft me een baan aangeboden,' ging Sophie door met een klein stemmetje. 'Hij heeft het pand ernaast gekocht en wil mij erbij als partner en Hoofd Educatie. Hij is bezig met de contracten en alles.'

'Je kunt in New York ook overal lesgeven.'

'Niet zoals dit... Dit zou een echte baan zijn, voor het eerst in mijn leven. En dan is er nog iets.' Sophie liet haar ogen vallen op de sleetse parketvloer in de bodega. Ze had het gevoel alsof ze geblinddoekt van een klip stapte, en begon hem te vertellen van Carter. Ze waren nu toch al zo ver heen, en konden al niet meer terug, dat ze het gevoel had geen keuze meer te hebben en volkomen eerlijk moest zijn, zoals ze ook van plan was geweest. De ongewenste attenties van de Amerikaan waren op zich niet zo van belang, verklaarde ze – zeker niet nu Andrew wist waar ze vandaan kwamen – maar ze maakten het in elk geval niet aantrekkelijk om zelf ook weer de Atlantische Oceaan over te steken.

Sophie wist eigenlijk niet wat ze had verwacht – pijn, verbazing, teleurstelling, vragen naar de gruwelijke details. Maar ze was in elk geval totaal niet voorbereid op de harde klap van Andrews vlakke hand in haar gezicht.

De serveerster schrok en keek snel de andere kant op. Sophie bleef bewegingsloos zitten, met een bonzende wang.

Dus ze wilde een oude minnaar ontlopen, snauwde Andrew, toen ze eenmaal buiten waren. Dus zij had hem behandeld als een stuk vuil en een wildvreemde vent verleid. Geen wonder dat ze zo had genoten van de huizenruil – godsamme zeg, geen wonder. Hij zou zonder haar naar New York gaan. Hij had haar niet nodig. Hij had niemand nodig die tot zulke dingen in staat was.

Hij liep snel. Sophie holde om hem bij te houden en ratelde: ademloze tekst en uitleg, smeekbedes om vergiffenis, om begrip, om met hem mee te mogen naar Amerika als zijn vrouw, zijn slavin... wat dan ook. Al haar verstandige verzet en zelfs Andrews wrede woorden leken er in deze nieuwe crisis allemaal veel meer toe te doen.

Maar er leek iets te zijn ontketend in Andrew. Bij het hek voor hun huis, toen Sophie geen woorden meer had en haar gezicht vlekkerig was van de tranen, bleef hij staan en had ze heel even een beetje hoop. Ze sprak zijn naam uit – een laatste smekende snik. Hij greep de klink van het hek en keek haar niet aan. Hij vond haar ooit heel bijzonder, zei hij, met haperende stem. Hij vond haar bijzonder en anders dan anderen. Vanwege Tamsin. Vanwege Tamsin was hij zo stom geweest te geloven dat Sophie ook aan haar echtgenoot zulke absolute toewijding zou kunnen schenken.

En zonder verder nog een woord te zeggen beende hij het huis in, pakte lakens en dekens en installeerde zich op de bank.

Waarom de bank? Waarom niet het bed in de logeerkamer? Sophie was te gebroken, te zeer in shock om het te vragen. Alleen boven, klaarwakker, merkte ze dat schuldgevoel een smaak had die je niet weg kreeg met een tandenborstel of met mondwater. Ze had een geweldige man, en zij had hem weggejaagd. Wat was ze stom geweest, wat was ze ongelofelijk stom geweest. Ze sloop een paar keer naar beneden om een blik te werpen in de zitkamer, en ze vocht tegen de neiging om huilend op haar knieën te vallen. Hij zag er zo vredig uit, op zijn rechterzij, met gebogen armen en benen, en zijn ene hand onder zijn wang. Hoe kon dat nou, dat hij daar zo vredig lag, dat hij gewoon sliep?

Doodongelukkig draaide ze zich om naar de trap en dacht ineens aan hoe William Stapleton daar een paar weken en een heel leven geleden precies zo had gelegen. Wat zou Andrew denken als hij de waarheid van die nacht kende, dacht ze bitter. Dat zij en William nog zo lang hadden zitten praten, en heel intieme gedachten en levensverhalen hadden uitgewisseld, door de sfeer in de stille keuken en de onschuldige stoom die van hun thee af sloeg. Williams zorgen – de kwelling van tussen twee gezinnen te worden verscheurd, de ziekte van zijn ex-vrouw – had haar ineen doen krimpen van het medeleven, en de opluchting dat zij dit niet mee hoefde te maken. Op haar beurt had zij hem verteld van haar eigen zwarte periode – van de nevel van negativiteit – die eerder dat jaar op haar was neergedaald. Ze had het zelfs nog in bedekte termen over het gedoe met Carter gehad – hoe heilzaam de vriendschap met een vreemde was geweest, de paradox (achteraf zo ironisch) dat het haar huwelijk juist sterker had gemaakt. William had geknikt, alsof zulke wendingen in een leven heel normaal waren, alsof het te verwachten viel dat zoiets gebeurde. Met als resultaat dat Sophie die nacht in bed was gedoken met een verlicht hart. Ze had niet alleen het gevoel dat ze gelouterd was, maar ook dat het haar vergeven werd, en niet voor het eerst had ze zich afgevraagd hoe het mogelijk was dat zo'n lieve man zich had verbonden aan een schepsel dat precies diezelfde informatie had willen gebruiken om haar te gronde te richten.

Geïnspireerd door de herinnering aan dat gevoel van vergiffenis ging Sophie weer terug naar de zitkamer. Andrew was op zijn andere zij gaan liggen, met zijn gezicht naar de rugleuning van de bank. Ze raakte zijn schouder aan, streelde hem. Hij wist dat ze er was – daar was ze zeker van – het kon niet anders; maar hij verroerde zich niet.

Toen Sophie de laatste keer de trap op ging, liep ze met trage passen, en loodzware benen. De meisjes, achter hun kamerdeuren op de gang, leken tot een vorig leven te behoren, een verloren paradijs.

Hij had te veel gedronken, troostte ze zichzelf vervolgens, en knipperde met haar ogen in het donker. Daarom was zijn reactie zo extreem, zo wreed… Die opmerkingen over muziek, over Tamsin, die kwamen niet van de Andrew die zij kende. Het was sterke wijn geweest en hij was uitgeput, dat was het. En hij had een jetlag gehad, net als William toen. Dat met Carter had hem geraakt, maar ze zou hem wel weer tot inkeer brengen. Morgenochtend zou ze het hem allemaal nog eens uitleggen en hij zou het begrijpen en blij zijn. Ze zou Gareths aanbod afslaan en naar New York gaan. Daar had ze meteen mee moeten instemmen.

Maar toen ze wakker werd, was de afdruk van zijn hoofd op het kussen van de bank het enige wat er nog van Andrew over was. En in een envelop naast de telefoon zat een kort briefje: *Ik moet nadenken. Bel me niet. Ik heb mijn koffer gepakt en een paar spullen meegenomen.*

# 20

Beth haalde de laatste kerstbal uit de boom en liet hem in de doos vallen, samen met een regen aan dennennaalden. Beroofd van zijn versierselen werd de treurige staat van de boom wel heel zichtbaar. Een zielige, uitgedroogde, bruingeworden schim van zijn vroegere zelf. Het was een torenhoge blauwspar die een fortuin had gekost. Toen ze zei dat ze naar Florida zou gaan, had de makelaar haar aangeraden om de boom vooral te laten staan tot de traditionele datum in januari. Ook al waren de kerstdagen alweer voorbij, zulke persoonlijke noten hielpen bij de verkoop, legde de vrouw uit met de zangerige, nasale stem waardoor Beth haar handen voor haar oren had willen slaan. Kopers wilden het liefst een huis waarin mensen het gezellig leken te hebben, vertelde ze ook nog, en dat vond Beth zo wreed dat ze vermoedde dat ze het niet zo kon bedoelen, maar dat je in deze barre tijden in een leeg huis van een gescheiden stel alle zeilen moest bijzetten.

Nadat ze die ochtend wakker was geworden van het griezelig heen en weer zwiepende te-koopbord in de bittere januariwind, kon Beth zich totaal niet meer concentreren op het inpakken, onder het toeziend oog van de boom die de benedenverdieping overschaduwde. Ze had hem niet zozeer leeggehaald als aangevallen, en ze brak takken in haar haast om alle versieringen en elk laatste draadje engelenhaar op te bergen en niet meer te hoeven zien.

Zodra die klus was geklaard, pakte ze de doos en nam die mee naar de tuin. Eerst zette ze hem bij de vuilnisbakken, maar vervolgens bracht ze hem naar een klein, afgeschermd stukje tuin waar William, in gelukkiger tijden, wel eens een vreugdevuur had ontstoken. Ze knielde neer en vormde steeds wanhopiger een kommetje van haar ijzige vingers rond de zwak flakkerende blauwe vlam van een oude gasaansteker, toen ze uit haar concentratie werd gehaald door het geluid van een auto die de oprit op kwam. William. Zou het William zijn, ondanks alles? Beth liet de aansteker vallen en vloog erop af. Ze kon de woorden die hij zou uitspreken al horen: *Ik zat fout. Natuurlijk houd ik nog van je. Natuurlijk begrijp ik waarom je hebt gelogen. Mijn zonen zijn veel minder belangrijk dan jij en dat zal ook altijd zo zijn. Ik kom weer terug naar New York, terug naar ons idyllische leven samen. Zonder jou heeft het leven geen zin...*

Maar het was William niet, het was Ann Hooper, in een oogverblindende kuitlange rode jas en met suède laarzen met een bontrand. Toen ze Beth zag spreidde ze haar armen, alsof ze serieus dacht dat Beth zich daar in zou storten in plaats van stomverbaasd te blijven staan omdat zo'n vage kennis (zij kenden elkaar alleen doordat hun echtgenoten elkaar kenden) zonder vooraankondiging of uitnodiging langskwam, op de derde januari van dit gruwelijke nieuwe jaar. Ze was hier om zich te verkneukelen, giste Beth zwaarmoedig. Nancy was verleden week om diezelfde reden op bezoek gekomen, ook al hield ze de schijn op dat ze alleen kwam om te zeggen dat Carter en zij drie weken met vakantie gingen, en dat ze alleen even een plaatkoek en een flesje dessertwijn kwam brengen. Maar ondertussen viste ze naar de details achter het bord in de tuin, en wilde ze weten wat er fout was gegaan.

Een leven aan stukken – een echt leven: een betere bron van vermaak was er niet, toch? Beth had zich tegen Nancy verdedigd door te liegen, en ze diste een schrijnend maar sappig verhaal op dat ze ook haar vriendinnen uit de buurt op de mouw had gespeld: dat haar relatie met William op de klippen was gelopen door de ondraaglijke stress van hun pogingen om zwanger te worden. Dat William haar wens om een kindje te krijgen niet begreep, zei ze tegen haar buurvrouw, met tranen in haar ogen, was vanwege zijn negatieve ervaringen met het ouderschap tijdens zijn eerste huwelijk.

Pas toen Nancy haar smalle wenkbrauwen optrok om aan te geven dat ze dit verhaal nauwelijks kon geloven kwam Beth met zwaarder geschut, en slingerde ze het verhaal over Carters relatie met Sophie

Chapman naar haar hoofd. Het speet haar verschrikkelijk, zei ze tegen Nancy, maar het vrat al maanden aan haar en je moest als vrouwen onder elkaar toch voor elkaar opkomen, of niet?

*O, die Engelse,* had Nancy toen verrukt uitgeroepen, en ze snapte de hint, pakte haar spullen en stond op om te vertrekken. Ze wapperde met haar gemanicuurde nagels en stortte zich op het dichtknopen van haar jas. Ja, daar wist ze natuurlijk alles van. Ze wist zulke dingen altijd, bij Carter: hij was zo'n open boek. Hij was geen rotzak, eerder een suffe ouwe bok die links en rechts verliefd werd. In de tijd dat hij scriptschrijver was, waren het altijd actrices. Dat Engelse vrouwtje was er dus eentje in een lange reeks. Maar het kwam altijd maar van één kant, het had niets om het lijf en er kwam ook nooit iets van.

Terwijl ze in de lucht zoenden bij het afscheid, gaf ze nog wat onnodig advies over de wijn die Beth vooral ijskoud moest drinken en zei dat ze de plaatkoek nog even moest opwarmen, waarmee ze haar achterliet met de vraag of dit nu allemaal heel sterk acteerwerk was of dat het de waarheid was. Wat het ook was, ergens bewonderde ze Nancy omdat ze dit voor elkaar kreeg. Per slot van rekening was ieder mens toch alleen wat ze je toonden? Had William dat nu maar begrepen, dan waren ze nu misschien nog wel samen. Maar los van het afschuwelijke feit dat hij haar had verteld dat hij niet meer van haar hield, dat hun huwelijk een vergissing was geweest, dat de verkoop van het huis de enige manier was om zijn financiën weer op de rit te krijgen en dat hij terug wilde – alleen – naar zijn verantwoordelijkheden in Londen, was er ook die bijtende beschuldiging geweest dat hij haar nooit echt had gekend, en dat degene van wie hij dacht te houden helemaal niet bestond.

Ann liet haar armen zakken, en haar gezicht vertrok bezorgd terwijl Beth dichterbij kwam. 'Heb je het niet koud, lieve kind? Zo zonder jas en zo... jeetje, zo vreselijk slank.'

'Ann, ik heb het erg druk, dus als je het niet erg vindt...'

'O, Beth, denk alsjeblieft niet dat ik een bemoeial ben. Ik vond het alleen zo erg om te horen van jou en William, en ik was in de buurt, dus ik wilde even kijken hoe het met je gaat... en vragen of ik misschien iets...'

'Het gaat prima, echt. William en ik hebben wat problemen gehad, meer niet. Maar de kans is groot dat we er wel weer overheen komen. Het was niet goed om hier te gaan wonen, dat zie ik nu ook wel. Darien is een stad voor gezinnen, niet voor stellen... Ann, hoor eens, ik waardeer het erg dat je langs wilde komen, maar als je het niet erg vindt moet ik nu weer door met pakken. Ik vertrek vanmiddag naar Florida. Even een poosje bij mijn moeder – na de kerstdagen die ik heb gehad, kan ik dat wel gebruiken.'

'Je was toch niet helemaal alleen met de kerst, hè?' Uit Anns stem sprak ongeloof en ontzetting.

'Dat wilde ik zelf. Ik zei toch, er was een hoop te doen.'

Ann keek haar aarzelend aan. 'Weet je zeker dat ik niets voor je kan...?'

'Zeker. Dank je wel.' Beth sloeg haar armen om zichzelf heen, en begon te wrijven, niet omdat ze het zo koud had, maar in de hoop dat ze haar bezoek zo sneller weg kreeg.

Ann deed gehoorzaam haar autoportier open, maar bleef toen staan om over Beths schouder melancholiek naar het huis te staren. Het was ontegenzeggelijk een elegant huis, maar in het grijze winterlicht, tussen die torenhoge bomen, leken de citroengele muren en witte luiken ineens zo weinig passend en zo futloos, als een schelp die uit het water was gehaald. Het was hier zelfs nog kouder dan in de stad; een vreemde, droge kou waardoor elke ademhaling in haar keel en neus brandde, alsof allerlei enge bacteriën bezig waren zich een weg te banen naar haar bloedbaan.

'Het is ronduit tragisch,' verklaarde ze kortweg, en stapte toen in de auto. 'Twee van die geweldige mensen, zo'n prachtig huis... de Chapmans waren er weg van...' Ze zweeg, en liet het portier nog even openstaan terwijl ze haar handschoenen uittrok. Vinger voor vinger trok ze het dure leer van haar handen. 'Maar, geloof het of niet, zij zijn ook al uit elkaar. Het is gewoon te triest voor woorden.'

'Wat zeg je nou?' Beth kwam dichterbij, want ze dacht dat ze het niet goed had verstaan.

'O, ja, het is hartverscheurend.' Ann legde de handschoenen voorzichtig op de stoel naast haar en draaide haar hoofd om zich volledig te kunnen wijden aan Beths plotselinge interesse. 'Andrew heeft een geweldige baan gekregen als hoofd van de koorschool van St Thomas Cathedral in New York maar Sophie weigert met hem mee te gaan. Kennelijk is er een ander in het spel. Andrew is er kapot van.'

'Iemand in Engeland?'

Ann aarzelde, niet gerust op die plotselinge gretigheid in Beths stem. Bovendien rook ze een vage alcoholwalm en dat was ook zorgwekkend. Het nieuws over de scheiding van de Chapmans was iets wat ze zelf nog steeds aan het verwerken was terwijl ze probeerde de consequenties te overzien. 'Niemand weet het precies. Andrew is er de man niet naar om daarover te praten. Maar hij heeft wel degelijk hints laten vallen dat het zo is, en anders is het ook niet verklaarbaar, toch? Ze waren twintig jaar samen, hij krijgt de baan van zijn leven en zij haakt af. Maar ja, ik heb me altijd al afgevraagd of Sophie wel wist hoeveel geluk ze had met die man...' Ann perste haar lippen samen tot een dunne streep. 'Maar daar heb jij allemaal niets aan, of wel, kindje? Nou, dan ga ik maar. Veel succes met alles. En ga nu direct naar binnen... je ziet helemaal blauw.' Ze schudde haar hoofd vol medelijden terwijl ze haar portier dichttrok.

Toen het geluid van de motor al was weggestorven bleef Beth nog een paar minuten op de oprit staan. Ze was eerder verdoofd dan koud. Ze kon zelfs haar vingers niet meer buigen, of haar ellebogen, of nek. Een groot deel van haar wilde daar het liefst voor eeuwig zo blijven staan, bevroren. Dan hoefde ze nooit meer in beweging te komen nooit meer iets te doen.

Iemand anders. Dat kon toch niet? Maar de gedachte had zijn klauwen al uitgeslagen en liet haar niet meer los. Het had ergens ook wel iets van symmetrie. Het was dat onvermijdelijke dat ze van meet af aan had gevoeld toen ze na die afschuwelijke huizenruil weer terugkwam in de veranderde wereld van haar ooit zo gelukkige huis, en toen ze de geur van die vrouw rook, en haar gevaar. De flirt met Carter was zowel een waarschuwingssignaal als een afleidingsmanoeuvre. Iemand anders. Toen William haar op eerste kerstdag had gebeld klonk hij zo gelukkig, ondanks zijn beweringen dat hij zich zorgen maakte om haar – en ondanks het feit dat hij haar smeekte om op het vliegtuig te stappen en naar haar moeder te gaan – dat zelfs toen de gedachte heel even bij Beth was opgekomen. Iemand anders... Sophie Chapman... Zo'n vreemde sprong was dat niet. En werden de meeste relaties niet beëindigd door dat soort sprongen? Ging de ene relatie niet voorbij doordat de andere begon? Zo ging het toch altijd, een eindeloze keten.

Beth wankelde en zag het huis niet meer scherp. Had ze tijdens dat telefoongesprek met Kerst haar instinct maar gevolgd en had ze het William maar recht voor zijn raap gevraagd. Dan was ze eerlijker tegen hem geweest, dat wilde hij toch zo graag? Maar ja, dacht ze somber, dan had hij waarschijnlijk gezegd van niet. Haar man had al veel ervaring met vreemdgaan, bedacht ze. Hoeveel anderen waren er precies geweest naast Susan? Drie? Vier? En dat waren dan alleen nog maar de affaires die hij aan haar had opgebiecht. En die weerzinwekkende Henriëtte, toen in augustus, hoe zat het daar eigenlijk mee? Wat zou er zijn gebeurd als zij er toen niet was geweest om hem te herinneren aan het feit dat hij getrouwd was? Als je eenmaal een grens over was gegaan, werd het steeds gemakkelijker om dat nog eens te doen. Dat was de gruwelijke waarheid. Als ze toch iets van Hals losse handjes had geleerd dan was het dat wel. De eerste verkrachting volgde na maanden en maanden van opbouw, en de rest volgde vrijwel dagelijks, even regelmatig als de aandrang van een bronstig beest.

Toen Beth eindelijk in beweging kwam, waren haar stappen traag en stijf. Ze schuifelde het huis weer in, en pakte een van Williams oude jassen van de kapstok onder de trap en begroef daar haar gezicht in. Zijn geur was zo ongelofelijk duidelijk aanwezig – zijn huid, zijn hele lijf, zijn aftershave. Ze zou het in een flesje stoppen als dat kon. Ze trok de jas aan en rolde de veel te lange mouwen zorgvuldig op en liep de kelder in. De planken stonden vol, maar waren keurig georganiseerd, zoals ze dat graag wilde. Liefkozend liet ze haar vingers langs al die vertrouwde spullen glijden, en ze dacht aan waar ze die vandaan had, en waar ze ze voor gebruikt had, en aan hoe William haar altijd plaagde als ze ze samen opruimden. Hij zei altijd voor de grap dat hij haar alleen al om haar organisatietalent had willen trouwen, en dan pakte hij een doos uit haar handen, zodat hij haar kon kussen.

Toch duurde het even voor ze het blik benzine had gevonden, omdat het kennelijk verplaatst was – ongetwijfeld door William – en nu helemaal achteraan op de bovenste plank stond, achter een paar stoffige blikken duur kattenvoer. Dido. Beth wachtte op de pijn, maar die kwam niet. Er was veel te veel mis, en het was allemaal zo groot, zo dodelijk vermoeiend.

Toen ze weer boven was, trok ze de boom op zijn kant en sleurde ze die naar buiten om hem bij de versierselen te leggen, waarbij ze een heel spoor van dennennaalden door de gang en de tuin trok. Ze haalde toen ook nog maar wat andere spullen – wat keukenstoelen, zakken met kleren, kleedjes. Een paar minuten later stond, dankzij het hele blik benzine en slechts een aangestoken lucifer, de boel in lichterlaaie. Ze ging er dichtbij staan en stak haar handen uit naar de hitte, die beet in haar bevroren vingers. De boom vatte het eerst vlam, en gaf sputterend zijn intense dennengeur af. Al snel sneeuwde het as, dat op haar haar en schouders bleef liggen. Beth deed nog een stap dichterbij, knipperde het vocht uit haar ogen, en likte de droogte van haar lippen. Hoe noemden de Hindoes het ook weer? Suttee. Ja, dat was het. Dan gooide de vrouw zich op de brandstapel van haar overleden echtgenoot. En William was immers zo goed als dood, wat haar betrof, of niet? Haar enige echte kans op geluk, weg.

Maar de rook werd ineens zo dik, en er kwam een scherpe geur van brandend nylon en plastic vrij. En het vuur was waarschijnlijk niet eens groot genoeg voor zoiets vreselijks. Beth deed een stap naar achter en hoestte heftig. Duizelig van de rook en het gebrek aan voedsel – ze kon zich niet herinneren wanneer ze voor het laatst iets had gegeten – strompelde ze het huis weer in en gooide daar de deur achter zich dicht. Dat harde geluid, en de stilte die erop volgde, brachten haar weer bij zinnen. Ze moest inderdaad pakken, dat zag ze ineens in, maar niet voor Florida. Voor Londen. Die voor de hand liggende conclusie explodeerde in haar hoofd, zo helder dat het pijn deed. Sinds wanneer gaf zij iets op zonder ervoor te vechten? Als Sophie Chapman haar wraakgodin was, dan was dat niet anders. Maar het minste wat William kon doen, was dat recht in haar gezicht toegeven. Hij hield dan misschien niet meer van haar, maar zij hield nog wel van hem. En als het probleem was dat hij haar niet kende, nou, dat was dan heel eenvoudig op te lossen. Dus hij wilde haar zo graag kennen? Nou, hij zou haar leren kennen. Alles van Hals bezoekjes aan haar slaapkamer tot de uit de hand gelopen abortus – ze zou het hem allemaal vertellen. Persoonlijk. Recht in zijn gezicht.

Beth rende rond in huis, en griste dingen uit lades en kasten die ze in koffers liet vallen. De nieuwe plannen borrelden in haar hoofd. Het was tijd voor de allerlaatste krachtmeting, ze ging er vol in – en o, wat zou het een mooie vertoning worden. En hoe zoet zou de wraak smaken? Ze zou hem totaal overrompelen, misschien was Sophie zelfs wel bij hem – ja, dat zou helemaal perfect zijn. Dat kon ze natuurlijk zelf zo regelen, met een beetje fantasie, en een beetje helder verstand... als ze nu maar bij haar laptop kon, en haar e-mail kon openen.

Beth legde haar handen tegen haar hoofd terwijl de muren van de slaapkamer begonnen te draaien, eerst langzaam en toen steeds sneller, als een carrousel. Ze had het niet meer koud, ze transpireerde. Ze liep op de tast rond het bed, en wist zich nog net overeind te houden, zodat ze een raam open kon zetten. Een muur van heerlijke ijskoude lucht sloeg haar in het gezicht. Ze ademde diep in, en kreunde hardop van opluchting toen ze weer helder kon denken en de kamer ophield met draaien. Ze ademde wat langzamer en dit keer proefde ze de rook, maar zelfs dat leek haar goed te doen.

Eén e-mailtje, meer hoefde ze niet te doen. Slim geformuleerd. En dan zou ze haar perfecte krachtmeting hebben geënsceneerd. Maar eerst een slok water. Ze was uitgedroogd. En dan misschien nog een drupje van Williams whiskey, die al een paar dagen een hele gunstige uitwerking had op haar zenuwen. Ze zag de kamer nu weer scherp maar voelde zich toch nog wat onstabiel, alsof haar scherpte elk moment weer kon verdwijnen. Ze had zichzelf ook een zware taak toebedacht, per slot van rekening: al die walgelijke dingen onthullen die ze al een leven lang probeerde te vergeten. Zelfs de meest doorgewinterde stoïcijn zou daar een beetje van op hol slaan. Beth duwde zich weg bij de vensterbank en liep naar beneden, en overal waar ze kwam zette ze de ramen open.

Pas toen ze op bed zat met de computer op schoot en een glas whisky in haar hand zag ze dat ze Williams jas nog aanhad. Ze was niet goed snik. Ze moest hardop lachen. Geen wonder dat ze het zo warm had. Maar het was nu zo koud geworden in huis dat ze toch besloot om hem aan te houden. De rokerige lucht die door het huis tochtte leek ook veel heftiger te worden, en de ramen trilden ervan. Beth trok het dekbed over haar benen en logde haastig in. En terwijl ze daar mee bezig was, bedacht ze dat ze twee mailtjes moest schrijven in plaats van één. Haar moeder... hoe had ze dat nou over het hoofd kunnen zien? Dat ze haar plannen had gewijzigd – daar moest ze Diane toch zeker van op de hoogte stellen. En ook van al die andere dingen, de dingen die ze al ruim twintig jaar had opgepot. Als ze die aan William ging vertellen, dan zou ze haar moeder er ook mee moeten confronteren, al was het dan op schrift. Was dat laf? Beth aarzelde, en kreeg kippenvel.

Een schaduw – Hal – was in de hoek van de kamer komen staan, bij de kast. 'Wat?' snauwde Beth, en ze staarde hem aan tot hij weer in de muur opging. Het werd steeds mistiger in de kamer, maar ze zette door. Ze had haar keerpunt bereikt. Dat was het. Het had haar dan wel meer dan twee decennia gekost, maar nu kon ze niet meer terug. En dat voelde heel goed.

Beth dronk rechtstreeks uit de fles, die ze uit voorzorg mee naar boven had genomen, en ze begon te typen, met één hand, wat ze prettig vond, want dan kon ze goed nadenken over de woorden die ze zou gebruiken.

# 21

'Hoe lang blijf je dan weg, vanavond?'

'Niet zo lang – ik ga alleen wat drinken. Een verrassing voor Williams verjaardag stond er in de e-mail. Je mag gerust weten dat ik er geen bal zin in heb.'

'Waarom ga je dan?'

Sophie keek naar haar winkelwagen en controleerde of de kurk wel veilig in de champagnefles zat die deze dochterlijke ondervraging had ontketend. Dat ze had ingestemd met een gewone, sociale ontmoeting met Beth Stapleton leek net zo wonderbaarlijk als het feit dat Andrews plotselinge vroege opstaan van de bank – nu drie weken en vier dagen geleden – permanent leek te zijn. Na een paar nachten in een hotel had hij tijdelijk een appartement in Richmond gehuurd. Sindsdien had hij een paar keer demonstratief tijd vrijgemaakt voor zijn dochters – onder andere op eerste en tweede kerstdag – maar bleef hij volharden in zijn weigering om iets anders met Sophie te bespreken dan de details van hun scheiding. Ze had zijn vertrouwen dusdanig geschonden, zei hij, dat vergiffenis – of überhaupt een heroverweging van dit alles – onbespreekbaar was. Tijdens hun meest recente gesprek had hij haar verteld dat hij advocaten had geregeld, zijn formele ontslag bij St Joseph had ingediend en dat hij die zomer zou vertrekken naar zijn nieuwe leven in Amerika.

Zo was Carter uiteindelijk toch nog haar ondergang geworden. Zonder enige hulp van Beth Stapleton, was het eerste wat bij Sophie opkwam toen ze die ochtend de e-mail van de Amerikaanse opende. Ze vroeg zich af – met bittere onverschilligheid – of ze weer zou worden blootgesteld aan haar wraakzuchtige dreigementen. Maar tot haar verbazing las ze een uiteenzetting, een warrige uitnodiging om deel te nemen aan een kleine surpriseparty ergens in Sheen voor Williams vijfenveertigste verjaardag. Het was een onnodig lange e-mail vol met slordige interpunctie en zinsbouw en onnodige beschrijvingen van de logistieke complicaties van het hele gebeuren – het omzetten van vluchten, dat ze hier nog geen eigen huis hadden, en dat hun oude huis nog verkocht moest worden en uiteraard dat het van groot belang was dat het feestje geheim zou blijven. Toen Sophie zich er eenmaal doorheen had geworsteld bleef ze in een staat van verbluft medelijden achter.

De beslissing om op de uitnodiging in te gaan was volledig aan William zelf te danken. Ze mocht hem graag. En een leuke verjaardag, georganiseerd door zijn vrouw, was wel het minste wat hij verdiende. Maar Sophie was zich ook bewust van een onbetwistbare nieuwsgierigheid – verscherpt door de inmiddels afbrokkelende staat van haar eigen relatie – om eindelijk dat vreemde mens Beth Stapleton eens te ontmoeten. Een vrouw die haar ooit oprecht gehaat had maar die nu, na deze recente boodschap, overlopend van dankbaarheid voor alle hulp die Sophie aan Harry en William had geboden, en de smeekbede – drie keer maar liefst – dat zij tweetjes toch vooral vriendinnen moesten worden.

'Mam, ik vroeg je waaróm je ging en je hebt nog steeds geen antwoord gegeven.'

Sophie keek haar jongste dochter schaapachtig aan. 'Eerlijk gezegd omdat het me in mijn huidige stemming niet uitmaakt wat ik doe. En misschien omdat de e-mail nogal wanhopig klonk. Ze hebben klaarblijkelijk nog geen eigen huis – ze zei dat William hier iets huurt om bij te springen zolang zijn ex-vrouw ziek is en dat Beth in de tussentijd probeert hun huis in Connecticut te verkopen, zodat ze naar Florida kan verhuizen, als ik het goed heb begrepen. Het klonk allemaal erg vervelend en ik heb medelijden met hen.'

'Wat? Verkopen ze dat brute huis waar wij hebben gelogeerd?'

'Milly, je moet niet "bruut" zeggen als je "mooi" bedoelt.'

'Hoezo niet?'

'Omdat "bruut" een verschrikkelijk woord is voor iets moois.'

'Maar waarom verkopen ze dat huis dan?'

'Dat heb ik je al gezegd, geen idee. Ik kon geen touw vastknopen aan wat ze allemaal schreef. En we hebben Harry al te lang niet gezien, dus die kan het ons ook niet uitleggen. Zijn vader trouwens ook niet. Het was eigenlijk nieuws voor me dat William in het land is.'

Sophie pakte een pakje salami en aarzelde, bestudeerde de winkelwagen die inmiddels al voller zat dan ze in eerste instantie had gepland, omdat haar dochter telkens wanneer ze zich even omdraaide dingen uit het schap haalde. Met het begin van het voorjaar voor de deur hadden ze naast de gebruikelijke toiletartikelen ook schoolbenodigdheden ingeslagen: pennen, potloden, notitieblokken, markers, linialen, gummen, mappen. Ze hadden genoeg spullen om hun eigen schooltje te beginnen. Sophie had hun een standje gegeven, een kleintje maar, aangezien ze alle drie nog te verdoofd waren om iets anders te doen dan deze rituelen te doorlopen. Over de kosten kon ze zich ook al niet echt druk maken, niet sinds Gareths aanbod voor de baan – die hij, dat wist ze wel zeker, had aangeboden om haar een zeer welkome opkikker te geven, met getallen waar ze duizelig van werd.

'Kunnen we dit eens proberen?' riep Milly. 'Het is in de aanbieding.'

'Het is roomkaas, je haat roomkaas.'

'Maar er zit perzik in.'

'Daar hou je ook al niet van. Ga je zus zoeken en zeg maar dat we naar de kassa gaan. Als ze nog meer wil, mag ze dat zelf betalen.'

Milly zette gehoorzaam het bakje roomkaas terug in het schap en slenterde weg. Ze was tegenwoordig zo snel stil te krijgen dat het Sophie pijn deed. Olivia's woede was veel gemakkelijker mee om te gaan dan dit – Sophie had haar alles verteld, waarna ze flink tegen elkaar hadden staan schreeuwen. Het had de lucht geklaard tot een niveau dat ze allebei aankonden. Maar haar jongste dochter had haar heil gezocht in een staat van aanhankelijke onzekerheid – ze beet op haar haarpunten en ging gesprekken uit de weg. Sophie voelde de drang om haar te sussen met holle geruststellingen die ze eigenlijk helemaal niet kon geven.

Het was een onweerlegbaar feit dat Andrew er niet meer was en daar kon niets of niemand iets aan veranderen, hoe sterk die behoefte ook mocht zijn. Zoës hulp bestond uit een poging haar ervan te overtuigen dat hij altijd al pretentieus en star was geweest en dat Sophie blij moest zijn dat ze van hem af was. Peter had er tenminste nog aan willen werken, had ze trots verkondigd, dolblij dat ze kon verwijzen naar de positieve punten van haar eigen huwelijksprobleempjes, nu ze er zeker van was dat het allemaal achter de rug was. Andrew, daarentegen, had gemene, egocentrische trekjes, zei ze. Een bewering die ze trachtte te ondersteunen met al het bewijs dat ze maar kon verzinnen.

Sophie accepteerde zulke goedbedoelde opmerkingen zonder er echt enige troost uit te kunnen putten. Van blijdschap kon geen sprake zijn. Een verschrikkelijk jaar was tot een verschrikkelijk eind gekomen. En het was haar eigen schuld. Andrew hield van haar en zij had hem weggejaagd. Door egocentrisch te zijn, dom en zelfzuchtig. Toen ze op zoek was naar een verloren schoen had ze die ochtend de schoenendoos met brieven uit hun verkeringstijd gevonden. Ze had ze allemaal gelezen, wanhopig genoeg om blij te zijn dat de bemoeizieke, verfoeilijke Beth Stapleton er ook van genoten had. Door die dubieuze getuige van die vroegere, prachtige gevoelens leken ze, heel even, nog echter.

Olivia en Milly stonden met elkaar te keten en te giechelen toen ze eenmaal met de kar bij de kassa aankwam. Terwijl zij de boodschappen in de achterbak zette, gingen zij op de achterbank zitten en speelden ze om de beurt een spelletje op een van hun telefoons. De terugkeer van hun eens zo moeiteloze band die ze op de lagere school hadden gehad, was een van de vreemde, onverwachte en troostrijke dingen van de laatste vier weken. Die dag waren ze uitzonderlijke dik bevriend. Ze grepen elke gelegenheid aan voor geheim overleg.

Ze waren nog een minuut of vijf van huis verwijderd toen Milly eruit flapte: 'Ik wilde er eigenlijk niets over zeggen, maar Ollie vindt dat ik het wel moet doen.'

'Wat?' Sophie keek in de achteruitkijkspiegel, en maakte zich zorgen over de zwarte sportwagen die al sinds de supermarkt bleef bumperkleven.

'Het gaat over papa.'

'O ja?' Sophie perste haar lippen op elkaar en greep haar stuur stevig vast terwijl de zwarte auto voorbij raasde.

Er klonk een lange stilte voor Milly weer verderging. Naast haar rolde Olivia met haar ogen en bewoog haar lippen ter aanmoediging. 'Pap en Meredith... ze... tenminste ik denk dat ze...' Ze keek smekend naar haar oudere zus die met een hand in de lucht sloeg om te zorgen dat ze doorpraatte.

'Meredith?' Sophie slaakte een kreet maar slikte hem snel weer in. 'Meredith?' herhaalde ze met hese stem.

'Milly heeft hen gezien, mam,' voegde Olivia toe, 'laat op de avond, in het hotel.'

'Twee keer. Ik heb hen twee keer gezien. Ze hielden elkaars hand vast.'

'Maar ze is zo...' stamelde Sophie terwijl haar gedachten – de grijze waas van west-Londen – vervaagden.

'Dus dan kan het niet alleen maar zijn wat jij ons hebt verteld... dat die man je leuk vond... of wel?' Olivia wisselde bezorgde blikken uit met haar zusje. Zorgen om de emotionele staat van hun moeder was nog iets nieuws, en hoewel het verschrikkelijke kanten had, bleek het ook ontegenzeggelijk interessant. In de periode dat Sophie zo uitgeput was geweest, het jaar ervoor, hadden Olivia en Milly zich alleen maar irritant, overbodig en buitengesloten gevoeld. Maar met deze veel grotere rampspoed leek het omgekeerde te gebeuren. Hun moeder was nu zelfs soms zo verontrustend open – schreeuwend, huilend, pratend – dat het voelde alsof ze drie volwassenen waren die deze zelfde verschrikkelijke periode samen doormaakten.

'Het is heel goed dat je me dat hebt verteld, Milly, dank je wel,' wist Sophie uiteindelijk uit te brengen, haar stem hoog en gespannen. Toen ze de auto had geparkeerd, liet ze de boodschappen aan hen over en liep zelf de trap op. De doos met brieven stond nog steeds op de kaptafel, haar vingerafdrukken nog vers in het stof op het deksel.

Ze ging op bed zitten, met de doos op haar schoot. Meredith. Een nieuwe muze, een muzikale dit keer. En een jongere, natuurlijk. Ze waren immers altijd jonger – althans, wel in de verhalen die je erover las, de verhalen die andere mensen overkwamen. Andrew was tenslotte een kunstenaar. Een kunstenaar met een groot ego dat gevoed moest worden. Ooit had ze daarvan gehouden, toen dat ego haar nodig had gehad. Nu voedde het zich met iemand anders... een jonger iemand, getalenteerder. Geen wonder dat hij na de tournee zo leek te zweven – de dure wijn, de mooie baan. Maar dat hij haar suffe fiasco met Carter had misbruikt, dat was wel het laagste van alles. Dat zelfingenomen gelul dat hij haar niet kon vergeven... Sophie pakte de doos en deukte hem in met haar vingertoppen. Hij had gewoon naar een smoes gezocht, meer niet; iets waardoor hij haar de schuld in de schoenen kon schuiven.

Sophie tilde het deksel van de doos en begon langzaam en systematisch elke brief doormidden te scheuren. Toen de doos leeg was, scheurde ze ook die doormidden voor ze alles in de prullenmand gooide. Ze liep naar het raam en keek naar de tuin, nu op zijn wildst in zijn januarimantel, volledig bruin op de hulststruik bij het hek na, en de rododendrons die er te armetierig uitzagen om ooit nog tot bloei te komen. Maar dat deden ze toch. Dat deden ze altijd. Nu de takken zo kaal waren kon ze het hekwerk dat na de inbraak was gerepareerd duidelijk zien. Andrew had er een rol prikkeldraad aan vast willen maken, verborgen in de struiken; maar iemand had ergens gezegd dat dat niet mocht, dat zulke maatregelen ervoor zouden kunnen zorgen dat toekomstige inbrekers hen voor de rechter zouden slepen.

De inbreker... Sophie rilde. Er was die dag iets gebroken, iets wat verder ging dan alleen het hek en de portemonnee. Een gebroken evenwicht, een gebroken geloof. Ze hadden elkaar teleurgesteld en waren daar nooit meer bovenop gekomen. En toch kon de jongen daar niet de schuld van krijgen. De ingrediënten voor de implosie, zo wist ze nu, waren er al die tijd al geweest, en wachtten alleen nog op de juiste ontsteking. Sophie had hun crimineel nu een paar keer gezien – een keer rokend en pratend met vrienden, een keer toen hij graffiti van een muur aan het schrobben was. Taakstraf. Ze was langzaam voorbijgelopen en durfde een glimlach op te zetten die genegeerd werd.

Beneden schudde Sophie de inhoud van de prullenmand leeg in de grotere vuilnisbak, in de keuken, waarna ze de zak dichtbond en hem buiten zo diep mogelijk in de kliko stopte. Toen ze probeerde het deksel dicht te doen stootte de wind hem haar uit handen. Ze liet een snik ontsnappen, de schok kwam er eindelijk uit. Haar haren bliezen over haar gezicht en bleven aan haar tanden plakken.

Meredith: de magere sopraan met een wonderbaarlijke stem; althans, dat zei iedereen – Andrews kruiperige vriendjes, die na het benefietconcert zo om hem heen dromden, over elkaar heen buitelend om hem complimentjes te geven. Aangezien ze niet muzikaal was, begreep Sophie dat ze niet in een positie was om het er niet mee eens te zijn. Maar er zat een trilling in de stem van het meisje die ze niet mooi vond, een gemaakt vibrato. Ondanks de veronderstelde toonvastheid deed het Sophie denken aan een geluid dat op zoek was naar zichzelf, in plaats van een geluid dat zeker was van zijn bestemming.

De meisjes stonden in de keuken onhoorbaar met elkaar te praten, terwijl ze de boodschappen met overdreven zorg uit de tassen haalden. Toen ze Sophie zagen keken ze elkaar nerveus aan.

'Het is goed,' zei Sophie zachtjes. 'Het gaat goed met me. De waarheid kan pijn doen, maar het is altijd het beste. Echt heel erg bedankt dat je het verteld hebt, Milly. Dat was moedig en goed.'

'Ga je nog steeds naar het feest?'

Sophie knikte, glimlachend. 'O, ik denk het wel. Een glas champagne is precies wat ik nodig heb. Maar eerst ga ik in bad.'

Ze vulde het bad tot een paar centimeter onder de rand en ging onder water liggen, haar ogen gesloten. Dit was niet iets om blij mee te zijn. Maar er was zeker ook opluchting – over de puzzelstukjes die op hun plek vielen, en omdat ze zich nu niet meer hoefde te schamen. Dat Andrew haar de schande alleen wilde laten dragen – om de waarheid van zijn eigen bedrog te maskeren – deed nog het meest pijn van alles. En die beschuldiging over Tamsin... en haar eigen gebrek aan muzikaal talent... De klootzak, de klootzak, de klootzak. Sophie kwam weer boven, snakkend naar adem, huilend blies ze water en stoom uit. Meredith, New York, de koorschool, ze mochten hem hebben.

In afwachting van de komst van haar dochter was Diane die avond vroeg naar bed gegaan en had ze lang uitgeslapen. Nadat ze een boodschap had doorgebeld naar de supermarkt gaf ze de Mexicaanse schoonmaakster een speciale opdracht. Het meisje was slim noch opgeleid en met Dianes ellendige Spaans duurde het vaak lang voor de uitleg overkwam.

'*Mucha limpia!*' riep Diane een paar keer, terwijl ze met haar vinger heen en weer wees van een foto van Beths diploma-uitreiking en het appartement in het algemeen, terwijl het meisje, dat Bienvenida heette, haar vol onbegrip aankeek. '*Mi hija* – ze komt,' voegde ze eraan toe, wanhopig op zoek naar een blijk van begrip. '*Muy especial... por favor.*'

Uitgeput viel ze die middag in een stoel voor de tv, waar ze naar een rechtbankdrama keek, gevolgd door een serie over de ontrouw van beroemdheden. Het meisje was een luidruchtige werkster – kloppend, schrapend, piepend – en Diane was blij toen ze eindelijk vertrok. Na de beroemdheden dommelde ze weg. Toen ze wakker werd was het televisiescherm gevuld met rouwende familieleden van vermoorde soldaten. Degenen onder hen met een vooruitziende blik hadden afscheidsbrieven voor hun geliefden achtergelaten. Fragmenten van deze hartverscheurende documenten werden hardop voorgelezen door de voice-over van het programma terwijl er beelden te zien waren van slow motion ontploffingen en doodskisten die uit militaire vliegtuigen werden geladen, met daarover de Amerikaanse vlag.

*Als je dit leest ben ik er niet meer...*

*Als je dit leest is het enige wat telt dat je weet hoeveel ik van je hou...*

Het duurde niet lang voor Diane naar het doosje met antivirusspul doordrenkte tissues greep dat op de tafel naast haar stond. Ze kon de geur niet uitstaan, maar ze stonden bekend als het laatste hoogstandje op het gebied van ziektebestrijding. Op het scherm, als een soort finale, las een moedige moeder de laatste woorden voor die haar geliefde negentien jaar oude zoon voor haar had geschreven, en keek daarbij recht in de camera. Haar stem was sterk maar haar ogen stonden hol, en haar lippen verkrampten als ze zweeg, alsof ze een heel ander script kende dat ze van de daken wilde schreeuwen als dat had gekund.

Diane bleef kijken tot de aftiteling verscheen. Ze liep naar de badkamer om haar neus te snuiten met wc-papier. Op weg naar de keuken liep ze langs haar computer, en bedacht dat ze haar e-mail moest checken, wat ze vervolgens weer vergat tot ze een glas frisdrank had gepakt en in een stoel was geploft. Inmiddels waren haar oogleden zwaar en deden haar benen pijn. En ze moest van haar rust genieten zolang dat kon, aangezien Beth al over een paar uur zou komen. Ze schoof opzij, waarbij ze een kleine, stinkende wind liet ontsnappen. Frisdrank had altijd dat effect op haar ingewanden, maar ze vond het zo lekker.

Diane sloot haar ogen. Ze zou haar handen vol hebben aan haar dochter. Dat was altijd zo als ze het weer eens had verprutst. Achtendertig jaar oud en nog steeds komen uithuilen bij haar moeder. En nog wel om die lieve William – wat toch een geweldige vent was. Diane had meer dan eens haar jaloezie moeten onderdrukken. Geen man om spelletjes mee te spelen, zoals ze al had gewaarschuwd, en toch had haar dochter dat nou juist gedaan – ze had die arme man doen geloven dat ze kinderen kon krijgen – en dan had ze zich ook nog eens uitgehongerd met haar walgelijke overgeeftrucjes. Ze had dit keer zelfs nog het lef gehad om een deel van de schuld bij Diane neer te leggen, toen ze die onaangename scène in de badkamer aanhaalde als bewijs dat zij – haar eigen moeder – had gewild dat de relatie zou mislukken...

Kom, zeg. Diane snurkte zachtjes, en sliep bijna. Ze had een malloot als kind gebaard, dat was de pijnlijke waarheid. Moddervet of broodmager, zwanger worden van een of andere klasgenoot, haar ziekte na de abortus, en elke gezonde volwassen relatie die op haar pad kwam verprutste ze – Beth maakte altijd overal een janboel van. En dan kon zij de boel weer bij elkaar rapen.

Op een meter afstand van haar elleboog flikkerden de palmbomen en blauwe lucht van de screensaver als een weerspiegeling in een zwembad. Beths e-mail (de laatste die ze nog had kunnen schrijven, ineengedoken op haar bed in Williams jas, in het rokende huis) ging daaronder schuil, een schreeuwerige, boze brief, en toch zo stil als een brief onder een deurmat.

Onderweg, ondanks de fles champagne, die vervaarlijk heen en weer rolde op de achterbank, stopte Sophie bij een buurtsuper om een bos bloemen te kopen. Die waren voor Beth, besloot ze, terwijl ze uit de rij stapte om nog snel een kaart te pakken (van een veld lavendel naast een klooster) uit de povere collectie. En op het laatste moment ook nog een balpen, omdat ze niet zeker wist of er nog een in haar handtas zat en ze de rij niet wilde ophouden terwijl zij haar tas doorzocht. Ze schreef er een verjaardagswens op voor William, terwijl ze de kaart tegen het stuur drukte. Na enig twijfelen ondertekende ze de kaart met *Sophie en de meiden*. Onder de namen zette ze een groot kruis, om aardig over te komen, maar ook weer niet te aardig. De etiquette van de kus – om dat soort dingen kon een vrouw als Beth Stapleton zich vast druk maken, dacht ze.

Het huurhuis in Sheen was van grijze baksteen en had een voortuin met een klein houten afdakje voor de voordeur. Nadat ze langzamer was gaan rijden om in het donker te zoeken naar het juiste huis, drukte ze de gaspedaal weer in toen ze het had gevonden. De moed was haar in de schoenen gezonken. Het was immers nog al een dag geweest. Ze zou ook gewoon naar huis kunnen rijden, in haar eentje een glas wijn drinken en zinnen bedenken voor haar eerstvolgende ontmoeting met Andrew, en dan met een paar pillen van dokter Murray in bed gaan liggen.

Maar haar leven ging verder en dit was de ideale gelegenheid om dat te bewijzen, zei ze bij zichzelf, terwijl ze de auto op een donkere parkeerplaats in een zijstraatje zette en terugliep naar het huis, met de champagne onder haar jas om overvallers niet in verleiding te brengen (haar gedachten dwaalden tegenwoordig altijd direct naar dat soort mogelijkheden af). Toen ze bij de voordeur was aangekomen, zag het er zo rustig uit – alleen op de bovenverdieping was een licht aan – dat ze alweer de neiging kreeg om te vluchten. Het was een surpriseparty voor een vijfenveertigjarige man, bedacht ze, niet direct een gelegenheid voor harde muziek en ballonnen aan het hek. Er was bovendien helemaal geen hek, alleen een gat in een heg die amper tot haar heupen kwam. Sophie liep erdoor, en in haar hoofd oefende ze haar begroeting voor de Amerikaanse, terwijl ze haar gezicht aanspande ter voorbereiding op wat hopelijk een oogverblindende glimlach zou worden.

Ze was halverwege het pad toen een buitenlicht aanschoot. Een ogenblik later ging de voordeur open en verscheen een fiets in de deuropening, voortgeduwd door een slordige jongen in een dikke regenjas en met een brilletje op zijn neus. Achter hem stond nog een jongen – duidelijk ouder, veel langer, met donkerder haar en een volgroeid lichaam – die een tweede, veel grotere fiets vasthad, met twee helmen over het stuur.

'Pa,' schreeuwde de jongste meteen, terwijl hij zich omdraaide naar de voordeur, 'er staat iemand voor de deur.'

'Ik denk dat je het verkeerde huis hebt,' mompelde de oudere jongen, die duidelijk twijfelend naar de fles wijn en de bos bloemen keek, die Sophie vanonder haar jas had gehaald.

Vanuit het huis klonk de stem van een man, William waarschijnlijk, hoewel hij anders klonk: 'Zeg maar dat die weg moet gaan.'

'Het is een verrassing,' legde Sophie de twee jongens uit, met zachte stem en een samenzweerderige glimlach. 'Jullie stiefmoeder heeft het georganiseerd. Ik ben duidelijk de eerste gast. Jij moet George zijn, klopt dat? En jij bent Alfie? Ik ben Sophie Chapman... jullie hebben afgelopen zomer in mijn huis gezeten. Ik geef les op de bijlesschool waar jullie broer...' Ze zweeg toen ze zag dat de twee elkaar aankeken, duidelijk met elk woord minder gerustgesteld in plaat van meer. 'Ik geef les aan Harry?' zei ze.

'Ik ga pa wel even halen,' klaagde George. 'Hier, Alf, hou vast.' Hij gooide zijn fiets tegen zijn jongere broer aan en liep weer naar binnen. Alfie keek naar de grond, duidelijk ontevreden dat hij alleen was achtergelaten.

'Surpriseparty's zijn eigenlijk niet zo'n goed idee,' durfde Sophie uit te brengen, in een poging hem op te beuren. 'Ik bedoel, je moet toch wel een beetje in de stemming zijn voor een feestje, of niet? Je kunt het niet zomaar een beetje faken, omdat iemand anders dat wil, of wel?'

Alfie keek op en knikte langzaam. De fiets van zijn broer koos precies dat moment uit om uit balans te schieten en uit Alfies vingers te glippen. Sophie dook voorover om hem op te vangen. Ze gooide de bloemen en de wijn in het gras naast zich neer en viel voorover, waardoor zij en de fiets verstrengeld op de grond belanden.

Alfie keek toe, geschokt maar vervolgens opgelucht toen Sophie in lachen uitbarstte. 'Uw wijn heeft het in elk geval overleefd,' zei hij ernstig.

'Poe... ja, dat is het belangrijkste.' Sophie bleef hem aankijken terwijl ze overeind kwam. Ze had de fiets weer omhooggetrokken en stond het vuil van haar jas te slaan toen George weer tevoorschijn kwam.

'Dank u wel.' Hij pakte het stuur vast, keek zijn broer boos aan en drukte met een klap een van de fietshelmen op zijn hoofd, zo hard, dat Alfie het uitschreeuwde. 'Pa komt eraan. Wij kunnen maar beter teruggaan naar mama.'

'Jullie blijven niet voor het feestje?'

George schudde zijn hoofd. Alfie, de helm nu scheef op zijn hoofd, wees naar haar been. 'U bloedt, kijk.'

Sophie keek omlaag en zag een scheur in haar panty en een bebloede snee. 'O ja, je hebt gelijk. Maar het is niks ernstigs, hoor.' Ze pakte de fles en de bloemen op. Twee van de mooiste bloemen uit de bos waren afgebroken door de val. Ze probeerde ze te verhullen achter een groot groen blad en keek met enige jaloezie hoe de twee jongens wegfietsten. De avond was nog maar amper begonnen en nu al voelde het alsof hij gedoemd was. De voordeur stond nu wijdopen, maar de hal was zo donker dat ze niets anders kon dan blijven wachten. Ze bleef staan in de kleine rechthoekige straal van de buitenlamp, verlegen draaiend met het boeket, frunnikend aan de prijssticker, die van het hardnekkige soort bleek te zijn dat onmogelijk los te krijgen was. William zat waarschijnlijk in bad, dacht ze, terwijl de minuten voorbij tikten, en Beth moest boodschappen zijn gaan halen – geheime feestjes moesten nou eenmaal op het laatste moment worden bevoorraad.

Toen William uiteindelijk verscheen, een schaduw in de donkere hal, stapte ze naar voren, maar stopte weer toen ze overspoeld werd met verse twijfels.

'Sophie, jij bent het. Goddank.' Zijn stem klonk gepijnigd. 'Ik zou nu echt niemand anders kunnen hebben.'

Sophie kwam voorzichtig dichterbij, en instinctief deed ze een poging om haar cadeautjes achter haar tas te verstoppen. 'Is Beth er niet?'

'Beth?' Hij keek geschokt.

'Ze had me uitgenodigd,' stamelde Sophie, 'per e-mail... een surpriseparty voor je verjaardag, zei ze... William, je ziet er niet goed uit. Luister, ik ga wel weer. Het spijt me verschrikkelijk, er moet iets zijn misgegaan, dit moet een misverstand zijn...'

'Nee, niet weggaan... Jezus, dit is zo onwerkelijk. Volslagen onwerkelijk.' Hij greep met beide handen in zijn haar. Het was helemaal kortgeknipt en bleef recht overeind staan waar zijn vingers er doorheen waren gegaan.

'Geen leuke verjaardag?' vroeg Sophie, in een halfbakken poging de stemming iets te verlichten. 'Ik zei net nog tegen Alfie – althans ik denk dat dat Alfie was – dat surpriseparty's maar zelden goed vallen bij het feestvarken...'

'Die e-mail, wanneer heb je die ontvangen?' vroeg hij, met een vreemde blik in zijn ogen.

'Vandaag... vanochtend. Tenminste, toen heb ik hem gelezen.'

'Dus dan heeft ze hem gisteren verzonden?'

'Ja, dat denk ik wel...'

'En ze vroeg je om nu hier te komen – vanavond – voor mijn...' Hij drukte zijn hand tegen zijn mond, waardoor hij de rest van zijn eigen zin verstomde.

'Ja, voor je verjaardag.' Sophie voelde zich ineens doodmoe – gevangen in iets waar ze noch de energie, noch de wil voor had om het te begrijpen. De schok van het nieuws over Meredith kwam weer boven. Er waren te veel scheve lijnen in haar eigen leven om die van een ander te kunnen bespreken. 'Ik ga weer. Hier. Deze zijn voor jou en Beth, met mijn allerbeste wensen.' Ze hield de bloemen en de wijn voor zich uit gestoken. 'Er zit ook ergens een kaartje bij... shit... tenzij ik dat in de auto heb laten liggen.' Met enige moeite wist ze haar tas te doorzoeken, maar vond alleen haar autosleutels, die ze rinkelend tevoorschijn haalde om haar punt kracht bij te zetten. 'Ik doe de kaart wel op de post, goed? William?' Haar armen begonnen pijn te doen van het ophouden van haar belachelijke cadeautjes.

'Beth is dood, Sophie. Ze is dood. Er was een brand.'

Sophie liet haar armen zakken. 'Wat bedoel je, een brand? Wat voor brand? Waar?'

'Darien.' Hij gebaarde met zijn hand, alsof Amerika om de hoek lag.

'God, wat vreselijk... wat verschrikkelijk. William, het spijt me echt zo ontzettend.'

Hij stond nog steeds in de deuropening en zij in de rechthoekige lichtstraal. De snee in haar been begon te kloppen, als een verre polsslag, een teken dat zij nog leefde. Een paar huizen verderop begon een hond te blaffen – een hoge en paniekerige blaf.

'Ik ga wel.'

'Nee, in godsnaam, nee.' Hij stormde op haar af en greep haar elleboog vast. Hij liet even snel weer los alsof hij zich schaamde. 'Kom binnen, alsjeblieft, als je dat aankan. Ik wil precies horen wat Beth schreef – in die e-mail... ik had geen idee dat...' Zijn stem klonk monotoon, de emotie zat erin opgekropt. Hij keek of ze hem volgde terwijl hij haar door de nauwe gang voorging naar een grote zitkamer, die duidelijk gecreëerd was door de sloop van meerdere muren. 'Het laatste wat ik heb gehoord is dat ze voor een paar maanden naar haar moeder in Florida ging tot het huis verkocht was. We hebben het sinds onze breuk te koop staan.' Hij opende een kastje en haalde twee vettige, dikke glazen tevoorschijn. 'Ik neem een whisky. Wat ik echt graag zou willen is een sigaret, maar ik ben gestopt.' Hij draaide de dop van een fles Johnnie Walker. 'Doe je mee? Ik kan die ook wel openmaken, als je dat liever hebt.'

Sophie keek naar haar champagne, zichtbaar borrelend van alle avonturen en nat van de condens. 'Liever niet... geef mij ook maar een whisky, alsjeblieft.' Ze legde de fles en de bloemen weg naast een dubbele gootsteen die overvol zat met vuile borden en glazen. De keuken had een kleine L-vorm, zonder zit- of staplek. Ze liep terug en zakte in een hoek van een grote, donkergroene bank die naast een enorme televisie stond. Ze kon hun spiegelbeelden erin zien: een sombere vrouw met mooi haar die een beetje stijfjes zat, een donkerharige man bij het aanrecht achter haar, die drankjes inschonk. Het zou een willekeurig oud stel kunnen zijn, dat een gezellige avond doorbracht in een rommelige achterkamer. 'Wat bedoelde je met "breuk"?'

William goot twee centimeter whisky in een glas en dronk het in een teug op, met een grimas op zijn gezicht toen hij het doorslikte. Hij nam de fles en de twee glazen mee en zakte neer in de andere hoek van de bank zoals alleen iemand dat zou doen die zich geen zorgen meer maakte om zijn eigen fysieke comfort. 'We zijn uit elkaar. Begin december. Althans, ik ben weggegaan.' Hij schonk nog een whisky in, in beide glazen, dit keer, en gaf er een aan haar. 'En daardoor is haar dood... Jezus, wat een puinhoop, Sophie, het spijt me echt verschrikkelijk dat ik je zo naar binnen trok...' Hij keek haar aan over de rand van zijn glas terwijl hij nog een ferme slok nam. Het deed haar denken aan de eerste keer dat ze zijn gezicht goed had bekeken tijdens zijn bezoek aan het WFC, de schittering van pijn in zijn prachtige bruine ogen. Die was er nu weer, maar veel sterker dan voorheen. Na zijn glas te hebben geleegd zette hij het met een smak neer op de kleine, armoedige koffietafel naast zich. 'Dus beroerder dan nu kan ik me niet voelen...' Hij liet zijn gezicht in zijn handen vallen.

'Die brand,' vroeg Sophie zachtjes, 'wat is er precies gebeurd?' Ze voelde het gewicht van haar eigen problemen afnemen. Die stelden niets voor vergeleken bij dit soort calamiteiten. 'Als je het erover wilt hebben...'

'Ze weten het nog niet zeker.' William snoof en hoestte, zijn adamsappel schoot op en neer terwijl hij vocht om zichzelf onder controle te houden. 'Het lijkt erop dat...' Hij blies een lage, langzame fluittoon uit. 'Het lijkt erop dat ze spullen in de tuin aan het verbranden was, en dat dat uit de hand is gelopen. Onze buren, Nancy en Carter – maar die ken je natuurlijk – waren er niet, dus duurde het lang voor iemand de hulpdiensten kon waarschuwen. En nu zegt de verzekering dat ze een uitgebreid onderzoek moeten doen voor het geval...' Hij zweeg weer en drukte de zijkant van zijn glas tegen zijn mond om zijn trillende lippen onder controle te krijgen. 'Voor het geval er opzet in het spel is geweest.'

'Dat meen je niet?'

Hij knikte. 'Helaas wel ja. Beth en ik hadden wat financiële problemen. We moesten het huis snel kwijt. Zo bezien komt de brand dus goed uit.' Hij begon demonisch te lachen, maar de lach verging al snel. 'De verzekering, hoewel ze zeker niet de aankoopprijs uitkeren, zal ons – mij – wel een heel eind uit de brand helpen.'

'Maar je gaat toch niet je eigen huis verbranden met jezelf erbij, of wel? Zoiets krankzinnigs heb ik nog nooit gehoord.'

'Ik denk dat ze alleen argwanend zijn over het huis, niet over Beth... maar ze had wel problemen,' zei hij. 'En dan bedoel ik echt hele grote problemen. Dat is ook de reden waarom ik ben weggegaan, waarom ik weg moest. Ik kan er nu niets over zeggen, maar het was alsof ik getrouwd was met... met een façade. Niets van wat ik dacht over haar te weten bleek waar te zijn...' William schudde zijn hoofd. 'Maar dat neemt niet weg dat ik me nu een enorme klootzak vind.'

Sophie nipte van haar whisky. Ze vroeg zich af welk nut het zou hebben om nu haar eigen ervaringen met Beths ongezonde geestestoestand te delen. Zij en de Amerikaanse vrouw hadden elkaar nooit ontmoet, maar toch hadden hun levenspaden elkaar, dankzij de huizenruil, gekruist. Zij en Beth wisten dingen over elkaar, belangrijke dingen, dingen die alleen maar gevaarlijker werden door hun gebrek aan context. Maar William had steun nodig, realiseerde ze zich, met een blik op de droevige figuur aan de andere kant van de bank. En Beth – die arme, gekwelde, dode ziel, die zich nu niet meer kon verdedigen – verdiende de grootste zorg.

'William?'

Hij keek op en knipperde met zijn ogen.

'Je moet het niet erger maken dan het is door jezelf de schuld te geven. Het lijkt me duidelijk dat Beth de verhouding wilde verbeteren met dit feestje, om een brug te slaan.' Sophie vroeg zich af of ze Andrew gezien hun nieuwe, verschrikkelijke omstandigheden, ooit zo ver zou krijgen om haar ook zo te behandelen. 'Ik bedoel, dat is nogal wat,' ging ze verder, 'een surpriseparty organiseren waar je meer dan tienduizend kilometer voor op en neer moet vliegen. Daar moet je steun uit putten, William. Ze moet heel erg veel van je gehouden hebben, en hoewel ik begrijp dat je daar misschien verdrietig van wordt, is het eigenlijk ook heel mooi.' Sophie reikte naar zijn hand en kneep er zachtjes in.

William bleef haar hand vasthouden en streelde haar vingers. 'Dank je, Sophie. Ik wist dat jij me goed zou doen, na ons gesprek die avond, ik wist het gewoon.'

Sophie keek hem vertwijfeld aan. 'Ja, dat was heel bijzonder voor mij.'

'Heb je Andrew uiteindelijk nog verteld hoe laat het toen was geworden? Je zei dat je dat misschien maar niet ging doen.'

Ze schudde haar hoofd.

'Waar is hij eigenlijk? Heeft Beth hem niet uitgenodigd?' William keek met een angstige blik naar de gang.

'Andrew kon niet komen...'

'Goed. Oké. En als de deurbel gaat dan doen we niet open, hoor.'

Sophie knikte, en stak haar glas uit voor nog wat whisky. 'Wie kende ze nog meer die ze uitgenodigd kan hebben?' vroeg ze.

William haalde zijn schouders op, terwijl hij haar glas bijvulde. Hij bleef Sophies hand vasthouden, haar vingers verstrengeld met de zijne. 'Ze is gestorven aan rookvergiftiging.' Hij keek naar een stukje muur boven de tv. 'En dat is maar beter ook, denk ik, beter dan het alternatief.'

Ze zaten een paar minuten zonder iets te zeggen naast elkaar. Zo lang dat Sophies vingers klam werden in zijn greep. Een klein insect vloog rond de lamp boven hun hoofden. 'Andrew is bij me weggegaan,' zei ze eindelijk. De bekentenis ontglipte haar zoals ze van tevoren al had gedacht, zoals het ook moest gaan. 'Die moeilijke tijd waar ik het die avond over had... dat bleek iets blijvends.'

William keek haar aan, zijn ogen, door de waas van alcohol zacht van medeleven en wanhoop. 'Waarom, in 's hemelsnaam?'

Sophie haalde haar schouders op. 'Misschien heeft hij ook besloten dat ik niet de vrouw was met wie hij dacht getrouwd te zijn... dat ik een soort "façade" was.'

'Onzin. Je bent een... een hele bijzondere vrouw... verdomd bijzonder.'

Sophie moest bijna glimlachen. Hij was echt dronken, merkte ze. En zij was ook niet al te nuchter meer. 'Achteraf bleek dat hij iemand had ontmoet toen we in jullie huis zaten – en later weer op die tournee... hoewel ik de details niet ken. Hij wil het me niet vertellen. Maar als ik erover nadenk was het misschien ook wel mijn schuld, omdat ik niet goed heb opgelet – die zelfobsessie, dat ik het waagde om mijn eigen kleine midlifecrisis te hebben, zonder me te realiseren,' ze giechelde tipsy, 'zonder me te realiseren dat die lieve Andrew precies dezelfde maand uit zou kiezen om er ook eentje te hebben. Ze is zangeres. Mooier... en veel jonger, uiteraard. Hij heeft een baan daar, in New York. Hoofd van een of andere koorschool. Hij was het al maandenlang aan het plannen. Hij deed net of hij wilde dat ik meeging, maar dat wilde hij eigenlijk helemaal niet. In februari gaat hij erheen om dingen uit te zoeken en in de zomer emigreert hij permanent.' Sophie probeerde te slikken, maar plotseling leek haar tong in de weg te zitten. 'Maar dat is lang niet zo erg als wat jij nu doormaakt,' ze snakte naar adem, 'met die arme Beth...'

'Sst. Zeg maar niks meer. Kom eens hier.' William stak zijn armen uit en ze kroop erin weg. Boven hun hoofden tikte de vlieg nog een laatste keer tegen de lamp en vloog toen weg. Zijn boze gezoem verdween naar de andere kamer.

# 22

Die middag in februari had New York iets onheilspellends. De sneeuw en de wind suisden horizontaal over straat, alsof ze naar gaten in het arsenaal van de winterkleren van de burgers zochten. Andrew voelde zich net een soldaat die ontsnapt was aan het slagveld toen hij de warme, fel verlichte foyer van het appartementencomplex van Geoff en Ann binnenstapte. Hij schudde de ijspegels uit zijn muts en sjaal, die hij in zijn voorzienigheid had gekocht op Heathrow. Deze stad slurpte energie, dat viel niet te ontkennen. Maar hij was er nog geen vierentwintig uur en hij stond nog steeds stijf van de adrenaline – hij kon alles aan.

Terwijl hij stond te wachten op de lift dacht hij aan Meredith. Haar lange, ranke lichaam opgekruld tegen het zijne, nadat ze de liefde hadden bedreven, die ochtend, haar prachtige kastanjebruine haar als vlammen over zijn borstkas. Ze had als een lammetje ingestemd met de blijvende noodzaak van geheimhouding. Ze was het zo gretig eens geweest met zijn suggestie dat hij haar ouders niet wilde shockeren dat Andrew zich uiteindelijk bijna zorgen begon te maken. Kon ze echt wel zoveel van hem houden als ze zo gemakkelijk – zo gewillig – in staat was om hun relatie voor het daglicht verborgen te houden? Zelf was hij tot die conclusie gekomen vanwege het bestuur van St Thomas. Hun gewichtige, formele ongenoegen over het nieuws dat hij de post zou opnemen zonder zijn echtgenote nodigde niet bepaald uit om hen te trakteren op het nieuws dat hij een relatie had met een zesentwintigjarige muziekstudente.

De storm zou wel weer gaan liggen, hield Andrew zichzelf voor, terwijl hij de lift in stapte. Hij moest het alleen slim spelen, hij moest het de tijd geven. Pas als hij stevig in het zadel zat en de scheiding van Sophie oud nieuws was, dan pas – en niet eerder – kon hij de sociale schijnwerpers opzoeken met zijn prachtige, begaafde, allerliefste Meredith aan zijn zijde. Het leeftijdsverschil zou aanvankelijk zonder twijfel tot wat opgetrokken wenkbrauwen leiden – tot het duidelijk zou worden wat voor geweldig koppel ze waren, hoe fantastisch ze elkaar aanvulden, hoezeer zij het triviale gegeven van het aantal jaar dat ze beiden op de planeet hadden doorgebracht overstegen.

Meredith zei dat ze de aantrekkingskracht tussen hen vanaf het begin al had gevoeld – al tijdens hun eerste ontmoeting in augustus. Voor Andrew had het iets langer geduurd, niet zozeer vanuit persoonlijke twijfel, maar meer vanuit een doodsangst om aan zoiets enorms, zoiets ingrijpends toe te geven. Hij had de vakantie in Connecticut afgesloten in de overtuiging dat ze hele goede vrienden waren. Maar pas toen Meredith het lef had getoond om op zijn hoteldeur aan te kloppen, de nacht na Anns spontane cocktailfeestje in het Algonquin, durfde hij toe te geven aan andere, sterkere instincten. De rest van de reis was in een flits van soortgelijke geheime ontmoetingen voorbij geschoten, de een nog intenser dan de ander. Elke ontmoeting bevestigde – voor hen allebei – dat ze twee oude zielen waren die voorbestemd waren om elkaar te ontmoeten.

Terugkijkend wist Andrew nog steeds niet waar hij de moed vandaan had gehaald om Sophie over zijn nieuwe baan bij de koorschool te vertellen op de manier zoals hij dat had gedaan. Als ze had gezegd dat ze dolgraag in New York wilde wonen, wist hij niet wat hij zou hebben gedaan. Hij wist alleen zeker dat hij Meredith zou blijven zien, dat hij door zou gaan met hun verhouding tot zijn huwelijk onder de druk zou bezwijken. Maar Sophies ranzige, sneue vakantieromance viel hem als een wonder in de schoot, ook al werd het later nog wel lastig.

Terwijl de lift langzaam omhoogging, pakte Andrew zijn telefoon. Er was een sms'je van Meredith, met daarbij de weinig flatteuze foto die ze die ochtend in hun hotelkamer van hem had genomen, rechtop in bed, angstaanjagend oud – rimpels, kalend, wit, kwabbig. Andrew gniffelde, maar wiste het bericht meteen. De liefde voor lekker eten die hij recent had ontwikkeld, had hem een vervelend buikje opgeleverd. Hij had gezworen het eraf te trainen als hij Engeland voorgoed had verlaten. Toen hij dat hardop had uitgesproken, had Meredith heel lief, maar ook wat verontrustend, een lijstje met alle sportscholen in Midtown voor hem gemaakt op een fluorescerend roze briefje, waarna ze het voorzichtig afscheurde en in zijn portemonnee stopte.

Andrew bleef omlaagscrollen, hopend op een sms'je van Milly. Hij had haar twee berichten gestuurd voor hij in het vliegtuig stapte, om afscheid te nemen en te vragen of hij iets voor haar mee kon nemen uit New York. Olivia, doofstom sinds het hele Meredith-verhaal was uitgekomen, was dan misschien voor hem verloren, maar Milly, ook al had zij deze problemen veroorzaakt, toonde duidelijke tekenen van verzoening. En hij zou dat nooit opgeven, zo had Andrew zichzelf bezworen, nooit. Ze moest nog wat bewerkt worden, meer niet, met de bevestiging dat ze ontzettend belangrijk voor hem was, met concrete plannen om elkaar snel te zien – ze zouden er wel uitkomen.

Hij klapte zijn telefoon dicht en stapte de lift uit. Zestien jaar liefde en muziek zette je niet zomaar aan de kant, niet als je zo warm en open was als zijn jongste dochter. Technologie – e-mails, telefoon – zouden altijd nog een levenslijn zijn. En hij had pas van Skype gehoord, en daar zou hij eens wat onderzoek naar doen. Visueel en verbaal contact over duizenden kilometers – een collega bij St Joseph die een kind van twintig had dat aan het backpacken was, had hem verteld dat dat de enige reden was waardoor hij en zijn vrouw tenminste nog een oog dicht deden 's nachts.

Andrew liep door de gang, zijn vuisten onbewust samengebald. Hij had een vrouw die van hem hield, bracht hij zich in herinnering, terwijl hij zich geërgerd omdraaide omdat hij erachter kwam dat hij de verkeerde kant op liep. Een vrouw met een prachtige huid en een stem die kon wedijveren met engelen. Hoe had hij überhaupt ooit kunnen denken gelukkig te worden met een vrouw die geen enkel muzikaal gehoor bezat? Een vrouw die stiekem liever naar ABBA luisterde dan naar *La Traviatia*. Een vrouw die – in elk geval de laatste maanden – seks als gunst zag. Een vrouw die met dikke Amerikanen flirtte zodra hij even niet oplette. Een vrouw die, zonder twijfel, zijn dochters tegen hem opzette...

Toen hij eindelijk bij de voordeur van Geoff en Ann stond, liep het zweet over zijn rug, ook al had hij zijn jas uitgetrokken.

'Andrew.' Ann deed een stap naar achter en keek hem aan, voor ze hem een kus gaf. Ze droeg hoge hakken en een prachtige, laag uitgesneden groene jurk die zo mooi was dat Andrew zich met enige wanhoop afvroeg of hij wel de enige gast was voor het eten. Hij probeerde een blik te werpen op de lange eettafel om te zien voor hoeveel mensen er gedekt was, maar een Japans zijden kamerscherm blokkeerde het zicht. 'We hebben iets te vieren,' zei Ann, en ze gebaarde Andrew haar te volgen naar de zitkamer. 'Ik heb margarita's gemaakt. Geoff is ietsje later... Nou, hoe gaat het?' Ze keek hem aan met de toegeeflijke blik van een echtgenote. 'Het waren toch margarita's, of niet, die keer in het Algonquin?'

'Eh... ja, dat klopt.'

'Wat had je me toch te pakken die avond, jij ondeugende man. Mij wijsmaken dat je sollicitatie was mislukt. En moet je dan nu eens zien,' riep ze uit, klappend in haar handen. 'Het nieuwe hoofd van de koorschool van St Thomas Cathedral. Moet je jezelf nog steeds in je armen knijpen? En waarom logeer je in vredesnaam in dat stomme hotel? Dat wil ik wel eens weten. Dacht je soms dat ik niet voor je kon zorgen?'

Andrew glimlachte onzeker. Hij was zich bewust dat onder Anns hoede zijn eigen New Yorkse pretje in gevaar kwam. 'Ik wilde graag zo dicht mogelijk bij de school zitten... ik heb er al een overleg gehad, maar er volgen er nog veel meer.'

'Maar ik kan je toch altijd daarheen rijden,' zei Ann. 'Ik verklaar mijzelf officieel beledigd en je zult hard moeten werken om dat weer goed te maken.'

Een ovale schaal met hapjes stond op de glazen koffietafel, met een aantal cocktailglazen met zout op de randen en een grote, roestvrijstalen cocktailshaker. Ann pakte de shaker op, maar zette hem snel terug om zich bij Andrew te voegen, die naar het raam was gelopen. Het leek net of het park in een kooi van ijzige regen stond.

'Lekker om nu binnen te zijn, hè?' Ze sprak zachtjes, en legde een hand op zijn arm. 'Ik wist wel dat je die aanstelling zou krijgen, Andrew, ik wist het gewoon. Ze zouden nooit een betere kandidaat vinden dan jij... en wat Sophie betreft, ik wil alleen maar zeggen dat...'

'Niets zeggen... alsjeblieft, Ann.'

Ze zweeg, met haar mond open, en in haar ogen stond iets van pijn te lezen. 'Maar natuurlijk, het spijt me.' Een paar minuten later zaten ze op de leren bank en toostten ze op zijn succes met hun cocktails en bespraken ze de logistieke problemen van zijn aanstaande verhuizing naar de andere kant van de oceaan. Ann vuurde vraag na vraag af en Andrew probeerde zich te vermaken met antwoorden. Hij vroeg zich nog steeds af hoe lang Geoff op zich zou laten wachten en of het onbeleefd zou zijn om dat te vragen. Op aandringen van Ann had hij algauw zoveel hapjes gegeten dat ze naar de keuken moest om de schaal bij te vullen. Terwijl hij keek hoe ze wegliep, haar hakken klikkend op een manier die komisch genoeg de elegantie van haar jurk verloochende, herinnerde Andrew zich Sophies onbegrip dat hij zo ingepakt was door de vrouw van zijn oudste vriend. *Wij vinden Ann maar een raar mens, toch? Ik dacht dat wij Ann maar een raar mens vonden.*

In de keuken ademde Ann diep in. Geoff zou nog uren wegblijven. Geoff was altijd uren te laat als het niet om zaken ging. Vijf minuten betekende eigenlijk twintig. Een uur eigenlijk twee. 'Andy vindt het niet erg,' had hij over de telefoon gegrapt. 'Hij kent me. En, jezus, binnenkort staat die idioot toch elke dag bij ons op de stoep.'

O, wat hoopte ze dat. Ze hoopte het vurig. Ze liet de hapjes voor wat ze waren en liep op haar tenen naar de slaapkamer om haar gezicht te controleren. Ze haalde een kam door haar haren, sprayde een wolk parfum in de lucht en liep daar doorheen. Ze had het krantenartikel over de brand op haar kaptafel laten liggen, maar vroeg zich nu af of ze het wel moest laten zien. Hij wist natuurlijk van de tragedie van de Stapletons. Ze had het hem zelf verteld in een e-mail. Maar Ann vond dat ze het onderwerp nog niet genoeg had uitgemolken, vooral niet haar persoonlijke trauma dat zij waarschijnlijk de laatste persoon was die Beth Stapleton nog in leven had gezien. Ze wilde Andrew alle gruwelijke details vertellen – de geur van alcohol in haar adem, haar uitgemergelde verschijning die haar hart had verscheurd, toen ze wegreed. En het uitzonderlijke verhaal van de terugkeer van de kat, op zoek in het rokende puin. O, ze verlangde ernaar om dat te vertellen, om de verbijstering op zijn gezicht te zien.

Ze pakte het artikel van tafel en liep snel terug richting de zitkamer, waar ze tegen de achterkant van twee hoofden op de bank aan keek.

'Schat, ik ben thuis,' riep Geoff met spottende stem en met een hand in de lucht gestoken, waarna hij weer doorging met zijn gesprek met Andrew.

'Ik heb je helemaal niet horen aanbellen.'

'Misschien komt dat doordat ik een sleutel heb.' Geoff knipoogde naar Andrew. 'Hé, hebben we hier nog iets te eten bij?' Hij tilde zijn andere hand op en hield zijn cocktailglas omhoog. 'Dit is nogal sterk, zo.'

Ann liep terug naar de keuken en pakte de schaal met rolletjes van gerookte zalm en roomkaas. Toen ze de schaal op tafel zette zag Geoff het krantenartikel. Hij griste het uit haar hand en begon tegen Andrew te praten over de tragedie. Alles werd uitgespit, van Beths armzalige toestand tot de wonderbaarlijke terugkeer van Dido. Hij sloot af met een dramatisch verhaal over een cliënt wiens hond twee staten had doorkruist nadat die cliënt van zijn vrouw was gescheiden. 'De hond koos voor de man!' zei Geoff, met een klap op zijn dijbeen, waarna hij naadloos overging op Andrews situatie en hem vertelde dat hij met al zijn capaciteiten, als vriend én als echtscheidingsadvocaat, voor hem klaarstond. 'Wat je maar wilt – als Sophie moeilijk gaat doen – wat je maar nodig hebt, ik ben er voor je.'

Wat wilde zij eigenlijk? Ann mopperde bij zichzelf en zonk dieper in haar stoel naarmate het gesprek tussen de twee mannen voortduurde. Andrews aandacht. Andrews bewondering. Andrews dankbaarheid. De oudste vriend van haar man had haar nooit echt gemogen, en toen ineens wel. Dat was de eenvoudige waarheid. Nu er weken voorbij waren sinds het nieuws van zijn scheiding van Sophie, merkte ze dat ze haar opwinding amper nog kon onderdrukken. Ze wilde meer. En het zou ook meer worden.

Maar nu, ineens, voelde het alsof het helemaal nergens toe zou leiden. Er was iets geweest – een vonk – maar die was weer verdwenen.

Had hij haar gebruikt? Was dat het? Ann bekeek hun gast aandachtig en voelde een vreemde vlaag van medeleven met Sophie, die beter dan wie dan ook moest weten hoe het voelde om de gloed van Andrews aandacht te hebben gekend en te hebben verloren. Er zat een klein plekje in zijn nek, zag ze, blauwig, als een kneuzing, dat net boven de boord van zijn hemd uit kwam. Ze dacht aan Meredith en de geruchten, geruchten die zij zelf – met toenemende ergernis – had weersproken. Want toen Andrew het in de maanden daarvoor had over de 'aantrekkingskracht' van New York, had hij het over haar gehad, toch? Hij doelde toch zeker niet op Meredith?

'Zeg schatje, kunnen wij hier nog meer van krijgen? Het gaat er goed in.' Geoff schudde met de cocktailshaker naar zijn vrouw. Zijn aandacht was nog steeds zo bij Andrew dat hij niet eens de moeite nam zijn vrouw aan te kijken, zelfs niet toen ze de shaker uit zijn hand pakte.

'Jouw beurt.'

'O, jee, wat hebben we nodig?'

'Minstens vijf.'

Sophie sloot haar ogen en gooide de dobbelsteen zo hard dat hij van de keukentafel op de grond viel. Toen het een zes bleek te zijn ontstond er een levendig debat over de geldigheid van de worp. Alfie, die op zijn eigen aandringen alleen speelde, liep vooral rood aan, terwijl George en Milly, in de vaste overtuiging dat ze voor de derde keer op rij gingen winnen, verkondigden dat de volwassenen best vals mochten spelen als ze hoopten zo te kunnen winnen. Nadat hij een oorlogskreet had geslaakt om hun brutaliteit, pakte William de dobbelsteen op en gaf hem terug aan Sophie. Hij zei dat hij er alle vertrouwen in had dat zijn partner haar prestatie zou herhalen binnen de grenzen van de tafel.

Sophie sloot haar ogen opnieuw en gooide een één. De kinderen barstten los in explosief gejubel, waarbij ze een vol glas jus over het Cluedobord gooiden. De vrolijke herrie duurde voort, des te vrolijker omdat ze – dankzij een stroomstoring – bij kaarslicht zaten te spelen. Zonder die storing waren ze zelfs nooit aan het spel begonnen, aangezien Sophie dan waarschijnlijk met haar dochters naar huis was gegaan, of op de bank een oude *Batman*-dvd was gaan kijken met Williams zoons. En dat onwaarschijnlijke scenario was alleen maar mogelijk geworden vanwege de moessonachtige wolkbreuk – die uitbrak toen Sophie haar auto voor zijn deur parkeerde – die Williams grootse, spontane plan om met zijn allen naar een pretpark te gaan de grond in had geboord. Jongere kinderen hadden misschien nog vol enthousiasme hun laarzen en regenjassen aangetrokken, maar deze vijf hadden hun hoofden geschud en waren, in stilzwijgende overeenstemming, op de groene bank geploft. Ze zouden twintig minuten blijven, had Sophie gezegd, nadat ze was weggehoond na haar eerste suggestie om meteen maar weer naar huis te gaan.

Die twintig minuten waren er op een of andere manier dertig geworden, en toen zestig, en toen – door Alfie die brownies aan het maken was en Harry die de dvd tevoorschijn haalde – de hele middag. De storm blies de stroomkabel omver vlak voor de climax van de film. Wat volgde was het plezier van het aansteken van kaarsen, waarna William de Cluedodoos tevoorschijn haalde en de twee oudsten naar de pub vluchtten.

Dingen die fout gingen maar goed eindigden, dacht Sophie. Ze hield het druipende bord omhoog terwijl vier paar handen de jus opdepten met stukken keukenpapier en theedoeken. Andrews besluit om de voorjaarsvakantie in New York door te brengen had de meiden van streek gemaakt, zelfs bekeken vanuit het perspectief dat ze al erg van streek waren. Hoewel ze beweerden dat ze toch geen zin hadden om bij hem te zijn, leek de vrijwillige afwezigheid van hun vader tijdens de vakantie de bittere waarheid van zijn besluit bloot te leggen, de enorme impact van de geografische afstand. Na twee hele dagen stille afzondering achter hun slaapkamerdeuren kwam Williams voorstel die ochtend om naar Thorpe Park te gaan als een geschenk. Maar haar dochters daarvan overtuigen bleek nog een hele opgave.

Toch was het haar gelukt. En daar zaten ze nu, gelukkiger, beter, zonder ook maar een achtbaan van dichtbij te hebben gezien. Hun woede op Andrew zou wel wegebben, wist Sophie. Ze zou er alles aan doen om ervoor te zorgen dat dat zou gebeuren. Ze hield te veel van hen om dat niet te doen. Ondertussen zou het leven gewoon verdergaan. Misschien zou Andrew wel met Meredith trouwen en hem muzikale kinderen geven. Of misschien zou hun relatie uit elkaar spatten in een vlaag van egoïstische waanzin, en zouden ze zo bewijzen dat hun karakters net zo slecht bij elkaar pasten als hun leeftijden. Ze had geen idee. En het mooiste van alles; het maakte haar ook niets uit.

Sophie nam het bord mee naar het aanrecht en zocht naar een vaatdoek. Achter haar waren de kinderen nog steeds over het spel aan het debatteren, terwijl ze druipende moordwapens en doordrenkte notitieblokjes met aantekeningen schoonmaakten. Milly, misschien uit plotselinge kinderlijke loyaliteit, betuigde opeens haar twijfel over Sophies zes. George zei dat een gevallen dobbelsteen altijd opnieuw moest worden gespeeld en dat ze de regels goed hadden toegepast. Alfie bleef smeken dat ze erover ophielden, zodat ze een nieuw spel konden beginnen.

William kneep een spons uit in de gootsteen. 'Wat we die nacht hebben gedaan, dat wil ik vaker doen.'

'Sst. We waren dronken en verdrietig en gek.'

'Dat weet ik. Ik wil het vaker doen, niet dronken, niet verdrietig... hooguit gek. Dat gek was wel goed.'

Sophie draaide zich naar hem om en sperde haar ogen wijd open als stille berisping.

'Ik wil met jou de liefde bedrijven tot je ogen uit hun kassen schieten.'

Ze keek weg en onderdrukte een verontwaardigd gilletje. 'Ze schoten er helemaal niet uit...'

'Ja, dat deden ze wel. Het was geweldig.'

'Sst, William... Het is gewoon te veel, te snel.' Sophie keek over haar schouders. 'En de kinderen...'

'De kinderen weten het toch wel.'

'Nee, dat weten ze niet,' siste ze, terwijl ze zich losmaakte van de spons die William leek te gebruiken om haar hand te wrijven in plaats van het Cluedobord schoon te maken. 'En er valt bovendien helemaal niets te weten.'

'O jawel. En de kinderen weten het. Kinderen weten het altijd, ook al laten ze het niet merken. We moeten Milly en George in de gaten houden,' zei hij zachtjes. Hij streek met zijn lippen over haar oren terwijl hij langs haar boog om zogenaamd iets uit de gootsteen te pakken, 'anders wordt het nog een soort incest.'

Sophie bloosde, blij dat het donker was. Ze duwde zich weg van het aanrecht, maar William wist haar nog net vast te pakken. Hij kuste haar vingertoppen, nat van het sap en het vuile gootsteenwater.

Het genot van zijn aanraking schoot door Sophies arm, recht haar hart in, waar het bleef zitten tijdens het volgende, nog rumoeriger potje Cluedo (onderbroken, dit keer, tot ieders ongenoegen, door het licht dat weer aansprong) en de rest van de avond, de terugkeer van de kroeggangers, de pizza, de laatste minuten van de dvd en het telefoontje van Susan om plannen te veranderen en verslag te doen van haar laatste, bemoedigende bezoek aan haar oncoloog. Zelfs tijdens de uiteindelijke, onschuldige kussen op de wang bij het afscheid was het gevoel er nog, zo intens dat Sophie uit voorzorg haar blik op Williams revers richtte, in plaats van hem aan te kijken. Te veel, te snel, zoals ze hem had gezegd. Het was belangrijk om verstandig te blijven.

Maar konden de meiden het echt weten? Toen ze eenmaal in auto zaten bekeek ze de gesloten uitdrukkingen op de gezichten van haar dochters. Het voelde in elk geval heel stil, maar dat moest ook wel – nu ze weer met zijn drieën waren na het rumoer van die dag. Milly had de stoel naast haar moeder geconfisqueerd. Van Olivia kon ze slechts een klein stukje zien in haar achteruitkijkspiegel. Een goede stilte dus, besloot Sophie, terwijl ze probeerde te denken aan het gevaar van overstekende vossen in plaats van het gevoel van zijn stoppels op haar lippen.

'Wat raar, hè, van die kat,' zei Milly na een tijdje.

'Superraar,' stemde haar zus in.

Sophie zwabberde over de weg, hoewel er geen vos te zien was. Ze wisten het. O, god, ze wisten het.

'Ik bedoel, dat is toch echt heel griezelig.'

'Gaat William hem in huis nemen?'

Sophie schraapte haar keel. 'Daar zijn ze nog niet uit. Hij heeft het aangeboden, maar er is een kans dat hij naar haar moeder gaat, in Florida. Ik ben blij dat dat ellendige beest er nog is.'

'Maar dat zou wel grappig zijn, toch,' zei Milly. 'Als hij wél naar hier zou komen? Ik bedoel, je zei toch altijd dat je bang was dat dat beest was weggelopen omdat hij jou niet mocht. Dus als hij hier bij William komt wonen, dan kun je dat eindelijk testen, toch... als... als je langs zou gaan om te kijken of het beest je mag?'

'Maar dat duurt wel zes maanden,' zei Olivia, 'vanwege de quarantaine, weet je wel?'

Sophie reed zo recht als ze kon. Zes maanden klonk wel goed. Want zelfs als het met William goed zou aflopen, zou ze altijd een beetje bang blijven voor de kat.

# 23

Diane was al lang klaar toen de taxi kwam. Ze stond bij de glazen schuifdeuren van het appartementencomplex te wachten en controleerde een aantal keer de inhoud van haar tas, terwijl ze een praatje maakte met de conciërge. Buiten broeide de warmte, die als een laagje fijne zijde over de dag lag. Vorig jaar had ze nog een auto gehuurd en had ze zelf gereden, maar toen was ze nog jonger, moediger. Miami voelde nu wel erg ver weg, aan het eind van een lang pad vol met angstaanjagende hordes – drukke rotonden, brede snelwegen, overwegen, denderende tientonners – en de vrouw die dat soort obstakels kon nemen was zij al lang niet meer.

'Vergeet je niet om je broer namens mij te feliciteren met zijn verjaardag?' zei de conciërge terwijl hij de deur openhield toen de taxi eindelijk voor kwam rijden. 'Kom maar, dat doe ik wel,' voegde hij eraan toe, toen hij het gewicht van de tas zag, niet haar gebruikelijke handtas, maar een grote, donkerblauwe leren schoudertas die Beth jaren geleden voor haar had gekocht.

'O, nee, laat maar, Sidney, dank je.' Diane hield beide armen stevig om haar tas geklemd en stapte de hitte in. Ze kwam nog maar amper haar appartement uit tegenwoordig. Vanwege Dido moest ze verhuizen naar een duurder appartement dat lang niet zo mooi was als haar oude. Bienvenida had haar goddank geholpen met verhuizen. Ze kwam tegenwoordig drie keer per week en deed klusjes, inclusief het schoonhouden van de kattenbak, en ze deed boodschappen.

De auto was schoon en gekoeld tot een ijzige temperatuur. Diane keek hoe de wereld aan haar voorbijschoot en dacht aan haar vreselijke, surrealistische laatste reis naar New York, om de crematie van haar dochter te regelen. Ze was opgelucht over de opkomst: collega's van haar oude werk, vrienden uit de buurt, Nancy en Carter... en William, die goeie man, zo waardig in zijn lange jas, zijn ogen brandend als kolen. De lieve man was niet van haar zijde geweken tijdens alle plechtigheden. Hij was vooral erg goed geweest met zijn oude buren, wier herhaalde excuses dat ze er niet waren toen de brand was uitgebroken hol begonnen te klinken toen duidelijk werd dat ze in Hollywood zaten om een deal te sluiten over een script dat Carter had geschreven. De zelfingenomenheid straalde uit al hun poriën. Jennifer Aniston was in de running voor de hoofdrol, zeiden ze, samen met Jack Nicholson – oude man ontmoet niet-zo-oude vrouw – het zou een *Lolita*-achtig verhaal worden voor mensen van middelbare leeftijd. Ze hadden direct hun huis te koop gezet om naar de westkust te verhuizen.

William. Haar ex-schoonzoon. Toen ze hem weer zag was ze heel even bang. Beths krankzinnige, tragische e-mail aan haar zong nog in haar hoofd: *Hal moet boeten voor wat hij heeft gedaan... al die jaren, terwijl jij erbij stond... waarom, mam, waarom? Maar de waarheid zal je bevrijden, dus ik ga het aan William vertellen. William zal het begrijpen.* Het was een van de weinige lichtpuntjes in deze donkere tijden dat Beth dat duidelijk niet gedaan had; ondanks de heroïsche pogingen van Dariens vrijwillige brandweer had haar dochter haar meelijwekkende geraaskal meegenomen het graf in. Een e-mail aan Sophie Chapman, dat was alles wat William wist van haar laatste uren: Beth was van plan om naar Londen te komen als verrassing voor zijn verjaardag, had hij uitgelegd aan zijn schoonmoeder, met zo'n oprechte, spijtige droefheid dat Diane hem erom benijdde.

Haar eigen gevoelens konden helaas nooit zo oprecht zijn – niet nu die idiote onzin van haar laatste bericht in haar geheugen gegrift stond. Ze had het gevonden op de dag van het telefoontje van Stamford Hospital, toen ze nog steeds van slag was – slapeloos, midden in haar rouwproces. Diane had het bericht na een keer lezen direct gewist. Ze zou die drie verschrikkelijke zinnen het liefste óntlezen hebben als zoiets kon, ze voor altijd wissen van de haperende harde schijf van haar drieënzeventig jaar oude brein. Ze had meerdere keren op de deleteknop gedrukt, waarbij haar vingers uitgleden over haar eigen tranen, en haar hart was vergeven van de woeste jaloezie voor de moeders van de soldaten die ze een paar uur en een eeuwigheid geleden op tv had gezien, de laatste gevoelens koesterend die ouders van hun kinderen terecht mogen horen – dat die kinderen van hen hielden, dat ze hun best hadden gedaan.

Maar zelfs nu het verschrikkelijke bericht er niet meer was, voelde de computer besmet. Zozeer zelfs, dat Diane hem na haar terugkeer uit het noorden achter in een kast opborg en een nieuwe, veel kleinere en lichtere had gekocht – een laptop – die ze kon opladen en van kamer naar kamer kon dragen. Ze keek er sinds kort dag en nacht dvd's op. Ze koos haar lievelingsfilms uit de stapel klassieken die Bienvenida met verbazingwekkend inzicht voor haar had gekocht bij de zomeruitverkoop van de videotheek. Digitaal – magisch – ingekleurd, waren de helden van de films, Fred Astaire, Frank Sinatra, Humphrey Bogart, Audrey Hepburn, Gloria Swanson, voor Diane de beste en meest geruststellende vrienden geworden. Ze stonden altijd voor haar klaar om haar af te leiden van de duisternis die zo vaak leek te lonken achter het scherm.

Hal zat in zijn kamer, ineengezakt in zijn rolstoel, met een deken over zijn benen. Hij dommelde weg met zijn kin op zijn borst, waardoor er een extra rol in zijn tegenwoordig permanente onderkin verscheen. Ooit stevig en gespierd had de aanhoudende slechte gezondheid van de laatste jaren hem veranderd in een uitpuilende zak van een vent, meer gevormd door de meubelstukken waar hij in zat, dan door zijn eigen skelet.

'Je bent er.'

'Gefeliciteerd met je verjaardag.' Diane gaf een kus op zijn hoofd en haalde haar cadeautje uit de blauwe leren tas, voorzichtig, zodat ze de urn met as die ernaast zat niet te veel bewoog. Ze had de urn uit voorzorg met tape verzegeld – vier dikke witte strepen – maar toch voelde de bodem van de tas zorgwekkend gruizig aan, alsof er wat van Beths stof uitgelopen was. Crematie was een lastige keus geweest: iemand verbranden die in een brand was omgekomen – dat leek verkeerd. Maar het gezond verstand had het toch gewonnen: het was de enige manier om een ceremonie in Beths lievelingsstaat te kunnen houden – bij haar vrienden – terwijl Diane toch haar overblijfselen mee naar Florida kon nemen, om uiteindelijk te begraven of ergens anders te bewaren.

Hal frunnikte zwakjes aan zijn cadeautje. Hij zag er vreselijk uit, zelfs na Dianes mentale voorbereiding op het allerergste, rekening houdend met de gevolgen van zijn knieoperaties en de steeds korter wordende sombere antwoorden die hij haar over de telefoon gaf. Zijn handen trilden en zijn nagels waren te ver afgebeten om grip te krijgen op het plakband. Uiteindelijk boog Diane zich voorover en haalde zelf een hoekje van het plakband los om het proces op gang te krijgen. Ze slikte de irritatie in – die nooit ver weg was – bij de gedachte dat deze zelfde vervelende, norse en steeds vaker meelijwekkende man had betaald voor alle aardse geneugten die ze ooit had gekend. De cheques kwamen snel nadat ze hem gevraagd had om het huis uit te gaan, eerst nog klein maar steeds groter wordend naarmate zijn zakelijke investeringen succesvoller werden.

Onder het pakpapier en meerdere lagen tissue zaten een blauwe trui en een zwarte joggingbroek, beide uitgezocht door Bienvenida (na een uitgebreide uitleg van haar werkgeefster) bij de beste herenkledingzaak van hun plaatselijke winkelcentrum.

'Een voor netjes en de ander voor daags,' zei Diane, uit behoefte om te reageren op het gemompelde bedankje van haar broer. Ze vouwde het pakpapier op en schudde de broek uit alsof ze hem voor het eerst zag, wat niet ver van de waarheid was. 'Ik dacht dat dit wel handig zou zijn als je zoveel revalidatie...'

'Er is geen revalidatie. Ik ga niet meer. Het heeft geen enkele zin. Ik ben bijna aan het eind van de weg, Diane.'

'Hal, alsjeblieft...'

'Er is hier een dominee waar ik de laatste tijd veel mee gesproken heb.'

Er werd aan de deur geklopt en een jonge vrouw in een strak wit uniform kwam binnenlopen en vroeg of ze iets te drinken wilden. 'Ik heb Hals favoriete koekjes meegenomen,' zei Diane, terwijl ze de broek weer op Hals schoot legde en een klein wit bundeltje uit haar enorme tas haalde. 'Dus, ja, lieverd, we willen graag thee. Hal, wil jij ook thee?'

Hij schudde zijn hoofd.

'Dan alleen voor mij alsjeblieft, lieverd.'

Toen de deur weer dicht was liep Diane naar het raam, haar armen stevig over elkaar gevouwen om de woede te onderdrukken. Altijd maar vertellen hoe ziek hij was... hoe egocentrisch kon een man worden? Geen woord van dank, geen blijk van erkenning voor de enorme moeite die ze had genomen hier te komen – een drie uur durende reis – met een vrolijk verjaardagsgezicht terwijl ze eigenlijk niets liever wilde dan de verdovende troost van een glas cognac en haar eigen bed.

Dus zijn knieën deden pijn, hè? Ach, arme schat. Diane keek naar de aangelegde tuin door het raam. Voor Hals kamer lag een groot, felgroen gazon, versierd met prachtige kiezelpaadjes en bankjes. Achter het gazon lag een enorm ovaal meer, omgeven met struiken en met een prachtige houten brug over zijn smalste punt. Onder het oppervlak zwommen de krokodillen – tamme exemplaren, volgens de medewerkers van het verzorgingstehuis. Toch was ze tijdens hun wandelingen in de voorbije jaren (Hoeveel waren het er geweest? Drie? Vier? Vijf?) altijd doodsbenauwd geweest als ze een van de drijvende reptielen als houten planken in het water zag bovenkomen.

'Mijn tijd, Diane... het zit er bijna op,' kraakte Hal in zijn stoel achter haar. 'Mijn hart, het gaat zo tekeer, ik kan amper nog normaal nadenken.'

Diane draaide zich langzaam om. 'Dat vind ik vervelend om te horen, Hal, maar toen ik net met de dokter sprak...'

'Niets. Hij weet helemaal niets. Hoe kan een mens nou weten hoe iemand anders zich voelt?' Hij sloeg met zijn hand op zijn borst, met de toewijding van een saluerende soldaat. 'Dat weet alleen de Heer.'

De cadeautjes waren van zijn schoot op de grond gevallen. Diane boog zich langzaam voorover om ze op te rapen. Ze voelde de weerstand in haar eigen steeds brozer wordende lichaam. Hal mocht dan vijf jaar ouder zijn dan zij, haar lichaam zat ook vol mysterieuze pijntjes. Misschien was voor haar ook het einde wel in zicht. Maar haar broer was altijd de enige constante geweest in haar leven. Nu moest ze hem steunen tot het eind. De medische klachten waren keihard ingeslagen toen hij eindelijk was gestopt met werken. Voor zijn knieën waren het zijn heupen. Daarvoor waren het problemen met zijn longen, een hernia en staar.

'Hoe gaat het eigenlijk met je?' vroeg hij verveeld.

Diane schraapte haar keel. 'Je bent altijd zo goed voor me geweest, Hal, en ik wil dat je weet hoezeer ik dat altijd heb gewaar–'

'Ik vroeg hoe het met je ging, mens.'

Diane vouwde de trui en de broek op en legde ze netjes naast zijn bed. 'Het gaat wel hoor, Hal. Ik heb de kat, dat helpt wel... maar dat had ik je al verteld...'

'Ja, en ik dacht dat je een hekel aan dat rotbeest had.'

'O, ik had nooit zo'n last van Dido.' Diane lachte iets te schel. 'Hoewel ik moet toegeven dat ze mijn hele appartement kapot krabt, dus ik vraag me wel eens af of ik het advies van de dierenarts niet had moeten opvolgen om een nieuw tehuis voor haar te vinden in Darien. Of William – hij zei dat hij haar wel wilde nemen,' ging ze bijna keuvelend verder, blij dat ze eindelijk een onderwerp had waar ze zoveel over te vertellen had. 'Mijn schoonmaakmeisje stelt altijd voor om haar nagels te laten verwijderen – dat kan, wist je dat? – en dat zou ik meteen gedaan hebben, als ik me niet telkens weer herinner dat Beth...' Diane ademde diep in toen het verdriet als een golf misselijkheid over haar heen spoelde.

'Ik heb de urn meegenomen, Hal,' verzuchtte ze. Ze liep naar de andere kant van de kamer en pakte haar blauwe leren tas. 'Beths... overblijfselen... ik dacht dat ik ze dicht bij me wilde hebben maar ik kan er geen dag langer naar kijken en ik wist niet wat... of waar... dus toen dacht ik dat wij misschien samen een plek op het strand konden uitzoeken – jij en ik – een rustige plek waar we de as, nou ja, in zee kunnen gooien, want dat doen mensen toch... Hal?' Diane voelde haar borst kloppen tegen de tas. Ze deed een stap richting de rolstoel. 'Hal, dat is toch niet te veel gevraagd? Dat doen mensen zo vaak. As verstrooien in het water.' Terwijl ze die laatste woorden fluisterde, haalde ze de urn uit de tas. Donkerblauw keramiek. De man van het rouwcentrum had haar geholpen met uitzoeken uit de catalogus. Het deksel was klein en stevig.

'Jezus, Diane, het is verdomme mijn verjaardag.'

'Dat weet ik, Hal.' Ze streek met haar hand over het heerlijk koele, gladde aardewerk. 'Dat weet ik en het spijt me. Ik had dit graag bewaard voor een ander bezoek, maar ik wist niet wanneer dat zou zijn. Het kost me tegenwoordig veel moeite om de deur uit te gaan, Hal. Ik kan zelf niet rijden en een taxi huren is duur en ik word zo snel moe...'

Het hoofd van haar broer was nog dieper in zijn dikke nek gezakt, als een schildpad die probeerde zich terug te trekken in zijn schild. Hij schudde zijn hoofd en schermde zijn ogen af met zijn handen. 'Ik weet niet of ik hier klaar voor ben...'

Diane zag dat ze strenger met hem moest zijn. Waarom maakte hij het haar zo moeilijk? Ze had verdomme haar dochter verloren. Hij had alleen maar zijn nichtje verloren, een nichtje waar hij het überhaupt nooit mee had kunnen vinden; een nichtje dat, in zijn eigen woorden, 'de familie te schande had gemaakt' en die Diane zo min mogelijk aan hem had durven opdringen. Als iemand emotioneel had geleden onder hun slechte band, dan was zij dat geweest.

'Hal, ik ben hier degene die het echt moeilijk heeft,' zei ze met krakende stem. Ze drukte de urn stevig tegen haar borst. 'Bethan... Beth,' verbeterde ze zichzelf, toen ze zich herinnerde hoezeer haar dochter haar voornaam haatte, 'was mijn dochter, weet je nog? En letterlijk het enige wat me de afgelopen maanden op de been heeft gehouden is het feit dat ze zo ziek was voor ze stierf. Ze dronk weer, Hal... ze zijn er zeker van dat ze daarom zo overmand werd door het vuur. En ze was zich weer aan het uithongeren – haar armen waren net luciferhoutjes.' Diane klapte haar mond dicht. Ze had een zware loopneus, die ze afveegde met de achterkant van haar hand. 'Haar huwelijk was mislukt,' ging ze verder. 'Ze was een schim. Ik denk zelfs dat ze ergens misschien wel de wens had om niet meer te leven.' Ze werd kalm van die gedachte, maar schrok toen ze het witte, harde gezicht van haar broer zag dat hij altijd had vlak voor hij iets beledigends ging zeggen.

'Ik was de vader van dat kind, Diane.'

Ze deed een stap naar achter maar hij zei het nog een keer, voorover leunend in zijn stoel, zich vastgrijpend aan de leuning van zijn rolstoel alsof hij eruit wilde schieten. 'Beths kind,' siste hij, 'waar ze zo ziek van werd toen het verwijderd werd. Niet die jongen die we de schuld gaven. Ik. Je wist dat best. Je hebt het altijd al geweten. Je wilt het gewoon niet hardop uitspreken. Dat heb je nooit gewild. Maar ik heb niet lang meer te leven, Diane, en ik moet het van me af praten... ik moet er vrede mee sluiten. De dominee helpt me daarbij.'

Het meisje in het witte uniform kwam binnen met een dienblad, maar Diane zag haar niet. Ze liep naar haar broer, maar vergat de urn. Hij viel uit haar armen en rolde over de grond. Ze dacht dat ze veilig was bij Hal. Iedereen heeft iemand nodig en zij had altijd op Hal kunnen rekenen. Hij was haar bescherming, tegen pijn, tegen haarzelf, tegen de waarheid. De weerzinwekkende waarheid. Ze besprong hem, en bewerkte hem met haar tanden en nagels. Het theemeisje drukte op een bel, waarna meerdere mensen de kamer in kwamen rennen. Ze probeerden haar van hem af te trekken.

Diane vocht door. Ze sloeg op zijn grote, kale hoofd. Haar nagels braken stuk voor stuk af bij het kapotscheuren van zijn kleren. En ze huilde. Ze huilde en kon niet meer stoppen. Haar geschreeuw deed haar lippen zwellen en het vel van haar hals verstrakken; zo hartverscheurend dat de dominee, die opgeroepen was om de rust te herstellen, later aan een medegeestelijke had verteld dat het was alsof die schreeuw haar door de duivel zelf was ingegeven.

# 24

18 december

Lieve William,

Heel hartelijk bedankt voor je kerstkaart en je brief. Het was heel attent van je om mij te schrijven.

Wat had je veel goed nieuws. Ik ben blij voor je. Je hebt het geluk verdiend, William, dat heb ik altijd al gevonden. Dat je het met Beth niet kon vinden is niet iets waarmee ik jou om de oren wil slaan. Ze had zoveel problemen – sommige daarvan kende je, en andere hoef je gelukkig nooit te weten – en ik vrees dat die problemen haar uiteindelijk de das om hebben gedaan.

Ik ben zo vreselijk blij voor je dat je iemand anders hebt gevonden. Je hebt me niet verteld hoe ze heet en hoe je haar hebt leren kennen, maar ik weet zeker dat Beth – waar ze nu ook is! – ook blij voor je is. Ze hield verschrikkelijk veel van je, William, en als je van iemand houdt dan wil je alleen maar dat de ander gelukkig is, toch?

Het is een heel zwaar jaar voor me geweest. Ik ben in de zomer ziek geworden, en toen is mijn broer Hal in de herfst overleden. Maar hij was rijk en omdat ik zijn enige erfgenaam was kon ik het me veroorloven om naar een luxe, beveiligd appartementencomplex op de Keys te verhuizen. Ik heb aan beide kanten uitzicht op zee, een privézwembad en er zijn prachtig onderhouden tuinen. Ik heb het geluk dat ik ook een huishoudster kan betalen die bij me woont – een lief Mexicaans meisje – en die goed voor me zorgt. En voor Dido natuurlijk! Bedankt voor het aanbod om haar naar Engeland te sturen, maar ze is veel gelukkiger sinds we hier in het nieuwe huis wonen. Ze is totaal niet in mij geïnteresseerd (nooit geweest) maar ze is stapeldol op Bienvenida – en ik doe er alles aan om haar voor me te winnen!

Ik schreef dat ik ziek was, maar eigenlijk bedoel ik dat ik geestelijk ingestort was. Ik

ben inmiddels in therapie en dat helpt. Men is, zo merk ik nu, nooit te oud om te proberen iets van het leven te begrijpen. En iemand hebben om mee te praten – iemand die niet oordeelt – biedt zoveel troost, vooral als je, zoals ik, niet veel vrienden hebt en zo'n vreselijke janboel van je leven hebt gemaakt.
Misschien vind je het prettig om te weten dat ik eindelijk Beths as heb begraven, onder de allermooiste bougainville, hier in de tuin. Ik heb er geen toestand van gemaakt – gewoon de urn omgekieperd en de as met water in de grond laten zakken – zelfs de tuinman weet er niets van! Maar ik vind het een fijn idee dat ze zo dicht in de buurt is.
Geef Harry mijn complimenten. Het zijn zulke geweldige jongens, William, en je bent vast verschrikkelijk trots op hen.
Uiteraard ben je van harte welkom als je ooit deze kant op komt. Ben je niet toevallig van plan om een huis in Florida te kopen, met je nieuwe vriendin?

Lieve groeten en heel fijne feestdagen!
Diane

# Dankwoord

Een van de leuke dingen die het schrijven van dit boek met zich meebracht was mijn reis naar de andere kant van de Atlantische Oceaan om research te doen. Allereerst wil ik daarvoor mijn man Mark bedanken voor ons verschrikkelijk leuke lentereisje om indrukken op te doen in New York; ten tweede bedank ik mijn lieve vriendin en 'co-researcher' Gilly, die me heeft geholpen met het verkennen van Connecticut, in november na dat eerste reisje. Dat tweede bezoekje was van onschatbare waarde vanwege de hartelijkheid van mijn oude vrienden Monica en Simon Gill, die ons hebben rondgeleid en ons hun prachtige huis in Darien hebben laten zien, zonder bezwaar te maken tegen mijn notitieblok en eindeloze lijst met vragen. De plot van dit boek heeft een aantal wendingen te danken aan hun cruciale inbreng.

Thuis heb ik nog meer 'Amerikaans' advies ingewonnen bij de vriendelijke, wijze voormalige bewoner van Connecticut, Greg Barron en zijn schoonzus Eve Sundelson-Barron, die allebei fantastische en gedetailleerde e-mails vol informatie stuurden over elk onderwerp waar ik maar naar vroeg. Collega-romanschrijver Greg was ook zo vriendelijk om mijn manuscript te proeflezen, om eventuele missers wat betreft mijn Amerikaanse locaties en karakters weg te poetsen.

Voor 'muzikaal' advies ben ik Richard Mayo dank verschuldigd, die me alle feiten verstrekte die ik nodig had om de carrière van Andrew Chapman vorm te geven, terwijl Sara Westcott me zoals altijd hielp met adviezen op medisch gebied.

Tot slot wil ik deze gelegenheid aangrijpen om mijn dank uit te spreken aan Field House op St Edward School en zijn weergaloze conrector Richard Murray. Hij is een geweldige literatuurkenner en een hele goede vriend en hoeder van de kinderen die aan zijn zorg zijn toevertrouwd – om als ouder te kunnen werken met zo'n rustig gemoed was werkelijk een enorme luxe.